Rabban Jausep Ḥazzaya

BRIEFE ÜBER DAS GEISTLICHE LEBEN UND VERWANDTE SCHRIFTEN

SOPHIA

QUELLEN ÖSTLICHER THEOLOGIE

Herausgegeben von Julius Tyciak + und Wilhelm Nyssen

Band 21

RABBAN JAUSEP ḤAZZAYA

BRIEFE ÜBER DAS GEISTLICHE LEBEN UND VERWANDTE SCHRIFTEN

PAULINUS-VERLAG TRIER
1982

RABBAN JAUSEP ḤAZZAYA

BRIEFE ÜBER DAS GEISTLICHE LEBEN UND VERWANDTE SCHRIFTEN

Ostsyrische Mystik des 8. Jahrhunderts

Eingeleitet und übersetzt
von
GABRIEL BUNGE

PAULINUS-VERLAG TRIER
1982

CIP-Kurztitelaufnahme der Deutschen Bibliothek

Jausep Ḥazzāyā:
Briefe über das geistliche Leben und verwandte Schriften: ostsyr. Mystik d. 8. Jh./
Rabban Jausep Ḥazzaya. Eingel. u. übers.
von Gabriel Bunge. — Trier: Paulinus-Verlag, 1982.
(Sophia; Bd. 21)
ISBN 3-7902-1407-8
NE: Bunge, Gabriel [Übers.]; Jausep Ḥāzzayā: [Sammlung ‹dt.›]; GT

Paulinus-Verlag, Trier 1982
Herstellung: SDV Saarbrücker Druckerei und Verlag GmbH, Saarbrücken
ISBN: 3-7902-1407-8

Inhalt

Vorwort

Die in diesem Werk zum ersten Mal vorgelegten Texte von Jausep Ḥazzaya, Joseph dem Seher, einem ostsyrischen Kirchenschriftsteller des 8. Jahrhunderts, sind, wiewohl sie sich der Überlieferung der großen Gestalten Evagrius Pontikus und Isaak von Ninive verbunden wissen, für den gegenwärtigen Leser reines Neuland, da auch ihre syrischen Vorlagen bisher nur in Handschriften vorliegen. Während man weithin noch immer glaubt, daß das christliche Erbe Syriens ganz dem Sturm des Islam zum Opfer gefallen sei, wird man durch dieses Werk eines Besseren belehrt.

Der dem Christen aufgetragene Weg der Nachfolge wird hier als Darstellung des mönchischen Lebens gleichsam aus dem göttlichen Anruf an den Einzelnen derart gründlich in geistleiblichen Stufen beschrieben, daß man aus den Texten selbst ersieht, wie das biblische Geschehen an dem Ereignis wird, der sich demütig und gehorsam auf den Weg der Nachfolge begibt.

Dabei wird dem gegenwärtigen Leser in einer verblüffenden Eindringlichkeit nahegebracht, daß der Weg des geistlichen Lebens niemals ein tatenloses Brüten, sondern eine beständige äußerste Anstrengung aller Kräfte des Leibes, des Geistes und des Herzens darstellt und daß es vielfältiger strenger Aufgebote bedarf, um den Einbrüchen der Trägheit des adamitischen Erbes auf dem Wege oder dem Andringen seiner uferlosen Begierde zu wehren. Der, der aufzubrechen bereit ist und die Gnade Gottes zu seinem Wege anruft, gleicht in seiner demütigen Einzelschaft dem biblischen Aufbruch des ganzen Volkes Israel durch die Wüste der Entsagung in das Land der Verheißung göttlicher Nähe. Aber es geht hier nicht nur um den Aufweis des schweren Weges, es geht auch um die glaubhafte Bezeugung einer Ahnung des Zieles, die jetzt schon den, der durchzuhalten bereit ist, mit Kräften und Erfahrungen umhüllt, die auch den noch so schweren Weg süß werden lassen durch das Verkosten der sich immer mehr steigernden Vollendung. Dabei wird wie ein bisher unbekanntes Geschenk der Erfahrung im Wort nahegebracht, daß das Verkosten des Zieles keine nur allgemeine Empfindung uferloser Seligkeit, sondern ein klares Wissen der beseligenden Nähe des Menschensohnes darstellt, dessen unmittelbare Gegenwart allein anzeigen kann, warum sich der schwere Weg auf ein solches Ziel gelohnt hat.

Wilhelm Nyssen

Einleitung

1. Der Verfasser

1.1 Der Mönch Jausep Hazzaya[1]

Rabban Jausep Ḥazzaya, „Meister Joseph der Seher", gehörte jener Kirche an, die sich selbst als „Kirche des Ostens" bezeichnet und nicht ganz zutreffend oft „nestorianische Kirche" genannt wird. Nestorios ist nicht ihr Gründer gewesen und seine Theologie, die von der Großkirche verworfen wurde, war nie das bestimmende Element. Wenn man überhaupt nach einem „Gründer" suchen will, so wird man ihn in Theodor von Mopsuestia zu sehen haben, bzw. genauer in der alten antiochenischen Theologie, deren glänzenster Vertreter Theodor war und deren unglücklicher Sproß Nestorios werden sollte. Aus alter Anhänglichkeit und aus mancherlei politischen Gründen weigerte sich die persische Kirche unter ihrem Katholikos-Patriarchen von Seleukeia-Ktesiphon, die großen antiochenischen Lehrer zu verwerfen, als deren Schüler der gebührtige Perser Nestorios galt. Bereits politisch außerhalb der „Oikumene" gelegen, entwickelte die persische Kirche so auch theologisch ein Eigenleben.

Zutreffender wird man daher von der *persischen Kirche* reden müssen, da sich zumindest ihr Schwerpunkt mit dem Sassanidenreich deckt. Von Syrien aus gegründet, erlebte die persische Kirche einen gewaltigen Aufschwung, trotz heftigster Verfolgungen seitens der Vertreter der offiziellen Staatsreligion, das Mazdaismus, und dehnte sich im Laufe der Jahrhunderte bis nach China, Tibet und Indien aus. Ohne Übertreibung darf man sie als die Kirche der Märtyrer, Missionare und Mystiker bezeichnen. Nach einer langen Periode ständiger Ausdehnung und Bekehrung zahlreicher Stämme, darunter auch vieler mongolischer und arabischer Völkerschaften, folgte mit dem Siegeszug des Islam der langsame und unaufhaltsame Niedergang.

Was diesem Untergang trotz aller Verwüstungen und Verluste nicht ganz zum Opfer gefallen ist, das sind die Zeugnisse der großen Mystiker der persischen Kirche, deren Bedeutung für die byzantinische Spiritualität, vor allem den Hesychasmus, erst langsam ans Licht tritt. Es gab sogar eine Zeit, da der größte Mystiker der persischen Kirche, ja vielleicht einer der bedeutensten geistlichen Schriftsteller der christlichen Kirche überhaupt, Mar Isaak von Ninive, auch im Westen in zahlreichen Übersetzungen vom 12. Jahrhundert an viel gelesen wurde. Erst langsam wird er in neuerer Zeit auch dem Westen wieder zugänglich gemacht, während der orthodoxe Osten nie aufgehört hat, seine Schriften zu lesen und zu meditieren.

Isaak von Ninive steht indessen keineswegs allein da, er hatte Vorgänger und zahlreiche Nachfolger. Zu den jüngeren Nachfolgern zählt neben Johannes von Dalyatha vor allem Rabban Jausep Ḥazzaya, dessen Werk indessen sowohl dem griechischen Osten, als auch dem lateinischen Westen völlig unbekannt geblieben ist. Selbst im Raum der persischen Kirche sind zahlreiche seiner Werke z. T. verlorengegangen z. T. nur unter fremdem Namen tradiert worden. Als Angehöriger der „nestorianischen" Kirche haben ihn die „Jakobiten", anders als Isaak von Ninive, nicht unter seinem eigenen Namen rezipiert. Immerhin ist diesem Umstand die Erhaltung mancher Schrift zu verdanken, für die es keine nestorianischen Handschriften mehr gibt. Ähnlich steht es bekanntlich mit zahlreichen Werken Isaaks von Ninive.

Nahezu alles, was wir über die näheren Lebensumstände Jauseps wissen, und es ist nicht eben viel, stammt aus der kurzen Biographie, die ihm Isho'dnaḥ von Basra[2] in seinem „Buch der Keuschheit" gewidmet hat. Wir geben im folgenden eine vollständige Übersetzung des Textes und verweisen in den Anmerkungen auf die wichtigsten Fragen, die er aufwirft[3].

„*Über den heiligen Abba Jausep Ḥazzaya, der 'Abdisho' ist*[4].

Der Rasse nach ein Perser, wird als seine (Heimat-)Stadt Nemrod[5] angegeben. Sein Vater war ein Magier und Fürst der Magier[6]. Zur Zeit, da Amar bar Ḥateb[7] das Zepter des Reiches der Araber ergriffen hatte, sandte dieser seine Heere aus, um mit den Türken Krieg zu machen. Die Stadt Nemrod erhob sich wider ihn, jene die der König Nemrod erbaut und nach seinem Namen benannt hatte; sie öffnete ihm nicht das Tor. Jausep indessen fanden sie außerhalb des Tores und nahmen ihn zusammen mit 130 Seelen gefangen; er war sieben Jahre alt, als man ihn gefangennahm.

Ein gewisser Araber indessen, aus der Stadt Shengar[8], kaufte ihn für (die Summe von) 371 Suse[9], beschnitt ihn zusammen mit seinen Söhnen und machte ihn zu einem Heiden; er blieb drei Jahre bei ihm. (Als) sein Herr verschied, verkauften ihn dessen Söhne für (die Summe von) 590 Suse an einen Christen namens Kyriakos, aus dem Dorfe Dadar im Gebiet von Qardu[10]. Der führte ihn in sein Haus und gab ihm Vollmacht über sein ganzes Haus(wesen), denn er hatte keinen Sohn. Und Kyriakos bat ihn angelegentlich, Christ zu werden, aber er ließ sich nicht überzeugen.

Als er ihn indessen mit sich zu dem Kloster von Kamul[11] nahm, das sich in der Nachbarschaft des Dorfes befand, und der Jüngling den Wandel der Mönche sah, da entbrannte er in der Liebe zu unserem Herrn und empfing die Taufe im Kloster des Mar Joḥanan von Kamul. Und da Kyriakos sah, daß er ausdauernd im Gebet war und begierig Mönch zu werden, ließ er ihn frei. Er aber begab sich zu dem Kloster des Abba Sliva, das sich im Gebiet von Beth Nuhadra[12] befindet. Er ward von dem seligen Kyriakos[13], dem Abt des Klosters aufgenommen, jenem, der später Bischof von Balad[14] war. Und er übte sich (im) Kloster und zeichnete sich im Lesen der Psalmen und in den Schriften aus.

Später begab er sich in das Gebiet von Qardu und weilte[15] an einem Ort, der Araba genannt wird, und blieb dort viele Jahre. Daraufhin suchten ihn die Gläubigen auf und machten ihn zum Abt des Klosters des Mar Basima[16], das sich im Gebiet von Qardu befindet, und er leitete das Kloster eine Zeitlang. Danach begab es sich zu dem Gebirge von Zinai[17] und blieb (dort) eine Weile. Auf Bitten des Mar Kudhawi, des Bischofs von Ḥdatha[18] machten ihn die Gläubigen zum Abt des Klosters des Rabban Boktisho', zubenannt „Margana" (d. i. „Wiesenkloster")[19], das sich in der Nachbarschaft des Dorfes Zinai befindet.

Er hörte nicht auf, sich mit der Abfassung von Büchern abzumühen. Er hatte einen natürlichen Bruder mit Namen 'Abdisho', welcher, als er von Nemrod, seiner (Heimat)Stadt kam, die Taufe emfping und Mönch wurde. Und von da an verfaßte er alle seine Bücher unter dem Namen seines Bruders 'Abdisho'[20]. Weil er vier Memre in seinen Schriften verfaßte, die nicht von den Lehrern der Kirche angenommen wurden, veranstaltete Mar Timotheos[21] eine

Synode wider ihn und anathematisierte ihn, im Jahre 170 der Herrschaft der Söhne Haschems[22]. Woher Jausep Ḥazzaya (seine) Lehre bezog, mag einer aus seiner Geschichte erfahren, welche von Nestorios, dem Bischof von Beth Nuhadra[23], verfaßt wurde. Ich (persönlich) meine, daß der Grund (für das Vorgehen) des Katholikos Neid war[24] — Gott kennt die Wahrheit!

Nachdem er nun lange Zeit das Kloster von Margana geleitet hatte, verschied er in seiner Abtswürde[25] in hohem Alter und die Brüder begruben ihn im Kloster der Mar Athqen[26], (wo er ruht,) bis unser Herr kommt und ihn auferweckt. Mögen seine Gebete und die Gebete aller Heiligen, die in diesem Buche erwähnt sind, für den elenden Besitzer (des Buches) und seine Väter eine Mauer und ein Wall sein. Ja und Amen!"

*

Jauseps Leben ist in vielem ein Spiegel seiner Zeit. Da sind die neuen Herren des Landes, die Araber, denen er als Kind in die Hände fällt und die ihn, einen geborenen Perser und Sohn eines Magierfürsten, als Sklaven verkaufen. Da ist sein späterer Herr, der Christ Kyriakos, der ihn drängt, sich taufen zu lassen und dann, als der Anblick der Mönche und ihres Wandels den jungen Mann ergriffen hat und er sich taufen läßt, ihm die Freiheit gibt, seinen Wunsch auszuführen, obgleich er dadurch den verliert, der ihm Sohnes Stelle einnehmen sollte. Diese gewiß nicht leichten Lebensumstände scheinen Jausep für sein weiteres Leben geprägt zu haben. In seinen Schriften tritt uns ein sehr unabhängiger, ja selbstbewußter und bei Gelegenheit auch kämpferischer Geist entgegen[27]. Getreu der Tradition des ostsyrischen Mönchtums geht er seinen Weg als Mönch, jedoch auch hier dem eigenen Ruf folgend.

Zuerst sehen wir ihn als Novizen in einem Koinobion, wie es die Tradition verlangt. Dieses Noviziat, das im Prinzip immer auf das Leben in der Zelle vorbereiten soll, dauert für gewöhnlich drei Jahre[28]. Dann zieht er sich, wohl mit dem Segen seiner Oberen und geistlichen Väter, worauf er später so viel Wert legen wird[29], in die Einsamkeit zurück. Die Berge von Qardu stehen an Härte auch heute noch in nichts der Wüste nach. Es scheint nicht, daß Jausep, wie sonst üblich, in unmittelbarer Nachbarschaft und Abhängigkeit seines Klosters gelebt hat, sondern ganz allein als Eremit im strengen Sinn des Wortes. Diese freiwillige Reklusion verläßt er nach langen Jahren nicht aus eigenen Antrieb: Sein Ruf scheint sich verbreitet zu haben und man holt ihn als Abt an die Spitze eines Koinobions. Das bedeutet nicht, daß er sein Einsiedlerleben gänzlich aufgegeben hätte, denn auch die Äbte der Klöster lebten in einzelnen Zellen, und sind kaum mit einem Abt eines westlichen Klosters zu vergleichen. Nach einer Weile scheint der Ruf der Einsamkeit, befreit von allen drückenden Sorgen für andere, wieder die Oberhand gewonnen zu haben und wir finden ihn erneut als Eremiten in den Bergen, diesmal von Zinai. Doch auch dort spricht sich sein Name herum und wiederum wird er an die Spitze eines Klosters gestellt. Hier scheint er nun geblieben zu sein und auch in hohem Alter verstorben zu sein.

Dieses Leben zwischen Einsiedelei und Koinobion, zwischen völligem Rückzug aus der Welt und der Verantwortung für andere, spiegelt sich sehr schön in seinem reichem Schrifttum wider. Jausep ist und bleibt im Grund seines Herzens ein Eremit, getreu dem Ideal seiner monastischen Tradition. Er schreibt für Eremiten oder für solche, die es werden möchten[30]. Das Ideal, das er ihnen vorstellt, ist das des Kontemplativen im echten Sinn des Wortes: Eines Menschen, der den langen Weg der Reinigung von allen Leidenschaften des alten Adam durchlaufen hat und kraft der Gnade des Heilugen Geistes, den er in der Taufe des *Angeld* des neuen Lebens in Gott erhalten hat, schließlich zum geheimnisvollen Schauen der Herrlichkeit Gottes ,,in Spiegel und Gleichnis" gelangt ist. Dieses Ausgerichtetsein auf die letzten Dinge, dieses Leben aus der Sehnsucht nach der Gegenwart Gottes, die das Werk Jauseps so stark markieren, hindern ihn jedoch nicht, sich um all jene zu kümmern, die noch nicht so weit fortgeschritten sind, wie der ,,Seher" selbst.

1.2 Der Schriftsteller

Jausep ließ nicht ab, sich mit der Abfassung von Schriften abzumühen, heißt es in seiner Biographie, und 'Abdisho' von Ṣoba schreibt ihm in seiner Bücherliste 1900 Spalten zu[31], von denen er eine nicht geringe Zahl namentlich aufzählt:

Über die Kontemplation und ihre Arten[32].
Das Buch des ‚Schatzmeisters', in dem sich die Lösung verborgener Fragen findet[33].
Über die Unglücksfälle und die Züchtigungen[34].
Eine Erklärung des Buches des Kaufmanns[35].
Ein Buch mit Geschichten, das ,,Paradies der Orientalen", ein Buch in zwei Teilen, mit dem Kirchengeschichtliches vermischt ist[36].

Eine Erklärung der Vision des Ezechiel[37].
Über die Gründe der glorreichen Feste[38].

Eine Erklärung der „Capita scientiae"[39].
Eine Erklärung des Dionysios[40].
Eine Erklärung der Vision, die Mar Gregorius sah[41].
Briefe über den erhabenen Wandel des Mönchtums[42].

*

Betrachtet man etwas näher, was von diesen Schriften erhalten ist, so sieht man, daß es sich nicht um gelehrte Abhandlungen handelt, sondern um die Früchte der seelsorglichen Tätigkeit Jauseps unter seinen Mitbürgern. Das ‚Buch des Schatzmeisters', wie ʿAbdishoʿ es nennt, ist ganz im Stil eines Dialoges zwischen Schüler und Meister gehalten, einem allgemein sehr beliebten literarischen Genus[43], und spiegelt wohl sehr getreu das Verhältnis des Abtes Jausep zu seinen geistlichen Söhnen wider[44]. Im gleichen Stil sind die Briefe gehalten, sie beantworten allesamt ganz konkrete Fragen, die ihm andere Mönche stellten. Der große „Memra über die Gottheit" etc.[45] ist gleichfalls eine Art Predigt, die ein fragendes Publikum von Mönchen voraussetzt. Einzig die von ʿAbdishoʿ nicht erwähnten ‚Capita scientiae' aus der Feder Jauseps selbst[46] haben einen mehr technischen Charakter und ihre Schwerverständlichkeit für den ratsuchenden Mönch veranlaßte ihren Verfasser eben zur Abfassung des langen Briefes über die drei Stufen[47]. Später wurde diesen ‚Capita scientiae' sogar die Ehre eines eigenen Kommentars durch den ansonsten nichr bekannten Ephrem von Quirqesion zuteil[48].

Die übrigen unter dem Namen Jauseps oder ʿAbdishoʿ Ḥazzaya's überlieferten Schriften sind nicht leicht zu identifizieren, da es sich teilweise um Auszüge handelt. Möglicherweise ist die eine oder andere identisch mit den in der verlorenen Handschrift Seert 78 enthaltenen Werken[49].

Die Absicht der vier hier erstmals zusammen und in deutscher Sprache vorgelegten Briefe ist, wie bereits gesagt, zunächst ganz praktisch-seelsorglicher Art. Sie wollen dem Mönch helfen, seinen Weg mit Sicherheit zu unterscheiden, vor allem Wahrheit von Irrtum, Täuschung, Nachäffung des Widersachers zu scheiden. Jausep tritt hier in die Rolle des geistlichen Vaters ein, dessen Bedeutung er über alles hoch einschätzt, ganz im Sinne der alten Tradition, vor allem der des Ostens[50]. Was aber tun, wenn kein *erfahrener* geistlicher Führer zur Hand ist? Jausep unterstreicht die Notwendigkeit der eigenen soliden Erfahrung des geistlichen Vaters mehrfach[57]. Aus Erfahrung weiß er, daß es stets eine Menge geistlicher Ratgeber gibt oder solcher, die sich dafür ausgeben[52], aber wirklich erfahrene findet man nur wenige. Was also tun, wenn man selber noch nicht über die nötige Erfahrung verfügt und auch niemanden hat, den man um Rat fragen kann? Dieses Dilemma ist also nicht erst heutigen Datums, sondern so alt wie das Mönchtum selbst. Für diesen Fall will Jausep selbst aus eigener Erfahrung und der zuverlässiger Zeugen eine ganze Reihe von Kriterien aufstellen, die es dem Mönch mit einigem Unterscheidungsvermögen ermöglichen zu erkennen, wo er sich befindet. Diese Erkennungsmerkmale sind sehr präzise und kehren in allen Schriften Jauseps wieder, sie sind also ganz offensichtlich die echte Frucht der Erfahrung.

Vergleicht man die verschiedenen Schriften, so wird man feststellen, daß sich Jausep sehr einfühlend dem jeweiligen geistlichen Stand seines Gesprächspartners anzupassen weiß. Nicht alle Adressaten stehen ja auf demselben geistlichen Niveau, der eine ist schon weiter vorangeschritten, der andere macht seine ersten Erfahrungen. Dies gilt vor allem für die kleinen Briefe. Der Reiz des großen „Briefes über die drei Stufen" besteht nun darin, daß Jausep hier, offensichtlich nicht ganz im Sinne des Bittstellers[53], den ganzen langen Weg der Reinigung und Erleuchtung nachzeichnet, mit all seinen Höhen und möglichen Tiefen. Es ist gleichsam eine Summe seiner ganzen eigenen geistlichen Erfahrung. Darin liegt sein bleibender Wert, auch für heute. Und das nicht nur für Mönche, auch wenn sich Jausep ausschließlich an solche wendet, wie übrigens auch Isaak von Ninive. Der Geist weht wo er will, und er mag sehr wohl den einen oder anderen anrühren, noch ehe er ihn in die Wüste führt.

Jausep Ḥazzaya ist, wie so viele Mystiker aller Zeiten und Konfessionen, mit dem kirchlichen Lehramt in Konflikt geraten. Der Anklagepunkt scheint auf „Messalianismus"[54] gelautet zu haben. Ob dieser Vorwurf verdient war oder nicht, ist bis heute nicht geklärt. Nach seinen erhaltenen Werken zu urteilen ist Jausep allerdings eher ein entschiedener Gegner alles Schwärmertums[55]! Isho'dnaḥ deutet an, daß der Katholikos Timotheos I., ein im übrigen sehr heftiger Mann, nicht frei von Eifersucht war, als er Jausep verurteilen ließ. Auch Isaak von Ninive hat übrigens mit Widerstand zu kämpfen gehabt, und auch in seinem Fall erwähnt Isho'dnaḥ, daß die Eifersucht der Mesopotamier gegen Leute anderer Herkunft, Jausep war Perser und Isaak stammte aus Qatar am persischen Golf, im Spiele war. Timotheos I. war selbst als Visionär berühmt und es mag ihm ein Dorn im Auge gewesen sein, daß dieser einfache Mönch als der „Seher" schlechthin bezeichnet wurde. Stellte man ihn doch damit auf eine Stufe mit den berühmtesten aller christlicher Seher aller Zeiten, dem Hl. Johannes von Thebais[56]. Wie dem auch sei, die Verurteilung, die übrigens von dem Nachfolger des Timotheos bereits wieder aufgehoben wurde[57], hat weder dem Ansehen Jauseps noch seinen Schriften schaden können. Der Verlust so vieler seiner Werke hängt mit dem rapiden Verfall der ostsyrischen Kirche nach der Machtergreifung der Araber zusammen. Jausep wird, wie Isaak von Ninive, von seiner Kirche wie ein Heiliger verehrt. Ein schönes Gebet aus seiner Feder hat in die liturgischen Bücher Eingang gefunden[58]. Seine Werke werden noch im 16. Jhdt. von den Ostsyrern kopiert[59]. Unter anderem Namen haben ihn schon sehr früh auch die Jakobiten für sich fruchtbar gemacht[60].

*

2. DAS WERK

2.1 DER „BRIEF DER DREI STUFEN"

2.1.1 *Die zwei Versionen*

Die hier vorgelegte Schrift, ein langes Traktat in Briefform, wird von den syrischen Handschriften in zwei Versionen bezeugt, einer längeren, vertreten durch BM Add. 14. 728[61], und einer erheblich kürzeren, vertreten durch eine größere Anzahl von Handschriften verschiedener Sammlungen[62]. Die kürzere Version, die A. BAUMSTARK als einzige erwähnt[63], wurde seinerzeit von G. OLINDER zusammen mit einer englischen Übersetzung herausgegeben[64]. Die lange Version, die ihm offenbar entgangen war, weil Baumstark sie nicht erwähnt, wurde von F. GRAFFIN in Auszügen in einer französischen Übersetzung veröffentlicht[65]. Der versprochene kritische syrische Text ist bisher nicht erschienen. Tatsächlich geben diese „Auszüge" nahezu den vollständigen Text wieder, abgesehen von kleineren und größeren unmotivierten Auslasssungen.

Es kann kaum ein Zweifel daran bestehen, daß die lange Version die originale ist und die kurze eine Raffung des Textes darstellt. Dieser Raffung sind u. a. alle autobiographischen Notizen der ersten Paragraphen zum Opfer gefallen, sowie ein Großteil der biblischen Allegorien, die trotz ihrer Ausführlichkeit eigentlich den Reiz dieser Schrift ausmachen. Auf einen systematischen Vergleich zwischen den beiden Versionen, wie ihn F. GRAFFIN im weiteren Verlauf seiner Übersetzung versucht hat, sei in diesem Zusammenhang verzichtet. Wir haben indessen die kurze Version stets vor Augen gehabt und da, wo in der einzigen

HS der langen Version offennsichtliche Abschreibefehler vorliegen, diese bei der Übersetzung stillschweigend korrigiert. Gleiches gilt für die wenigen Stellen, an denen BM Add 14.728 eine Lücke aufweist, sofern der entsprechende Paragraph nicht bereits der Kürzung zum Opfer gefallen war.

2.1.2 *Die Frage der Verfasserschaft*

Alle Handschriften geben als Verfasser *Philoxenos von Mabbug*[66] an, und als Schrift dieses großen Kirchenvaters der jakobitischen Kirche wurde sie auch von OLINDER und GRAFFIN vorgelegt[67]. Seither sind jedoch Zweifel an dieser Zuschreibung der alle aus jakobitischen Kreisen stammenden Handschriften laut geworden und P. HARB hat in einer eingehenden Studie den Brief Jausep Ḥazzaya zurückerstattet[68]. Ein so guter Kenner der Schriften Jauseps wie R. BEULAY ist ihm mit einer größeren Anzahl neuer Argumente gefolgt[69]. Zu den stärksten Argumenten, ganz abgesehen von dem völlig gleichen und originellen Denkschema[70], gehören u. E. die Querverweise in mehreren verwandten Schriften. Als sein Hauptwerk scheint Jausep Ḥazzaya seine leider als Ganzes verlorenen *Capita scientiae* betrachtet zu haben, die chronologisch auch die früheste Schrift sein dürften. Er verweist auf sie in dem großen „Memra über die Gottheit" usw.[71], sowie in dem „Buch der Fragen und Antworten"[72], in welchem er zudem auch auf den großen Memra verweist[73]. Auf diese *Capita scientiae* bezieht sich auch unser Brief ausdrücklich[74] und nach allem, was wir heute aus den von BEULAY glücklich identifizierten Resten dieser Centurien[75] wissen, bezieht sich der Verfasser tatsächlich auf diese Schrift, und nicht etwa ein anderer Verfasser auf eine andere aus seiner Feder[76]. Wir wollen indessen die Beweisführung der genannten Autoren hier nicht im Detail wiederholen, sondern ihr vielmehr ein neues Argument hinzufügen.

Der Verfasser zitiert in seinem Werk eine gewisse Anzahl monastischer Autoren[77]. Namentlich erwähnt er Ammonios, Evagrios, Abba Isaias, Palladios, allgemein auch ein „Buch der Väter". Zahlreiche Zitate werden mit der allgemeinen Formel „wie die Väter sagen" o. ä. eingeführt, darunter zahlreiche des Evagrios. Eine beträchtliche Anzahl stammt nun aus dem „Paradies der Väter", das 'Enanisho' im 7 Jhdt. kompilierte[78]. 'Enanisho' war ein Mitschüler und Zeitgenosse des Patriarchen Isho'jahb III. (647 oder 650—657/8)[79]. Die großzügige Benutzung dieses „Paradieses der Väter" schließt also bereits aus chronologischen Gründen eine Verfasserschaft des Philoxenos von Mabbug aus.

Darüber hinaus zitiert jedoch der Verfasser auch an einer Stelle zumindest wörtlich *Isaak von Ninive,* den er in einer anderen Schrift mit überschwenglichem Lob bedenkt[80]! Und zwar handelt es sich um ein Zitat aus dem bisher nur handschriftlich vorliegenden „Buch der Gnade" Isaaks[81]. Hat man einmal diesen Einfluß Isaaks, der der Verfasserschaft des Philoxenos endgültig den Todesstoß versetzt erkannt, dann findet man ihn natürlich überall wieder, nicht nur in dem Brief der drei Stufen. Auf vieles wurde in den Anmerkungen verwiesen. Neben der von P. BEDJAN herausgegebenen Normalrezension der Schriften Isaaks kommt vor allem das genannte „Buch der Gnade" in Betracht, und zwar in einem solchen Ausmaß, daß es als eine der Hauptquellen Jauseps bezeichnet werden muß. Jede weitere Beschäftigung mit dem Denken Jauseps wird von dieser Abhängigkeit von dem großen Mystiker auszugehen haben.

Die Verfasserschaft Isaaks hinsichtlich des „Buches der Gnade", einem Werk von sieben mal hundert Sentenzen, die von der handschriftlichen Tradition ohnehin nicht bestritten wird[82], findet ihre Bestätigung in einigen autobiographischen Sentenzen des Werkes[83], die vollkommen mit dem übereinstimmen, was wir über die verschiedenen Lebensumstände Isaaks wissen[84], und noch einige Details dazu beisteuern.

Abschließend läßt sich also feststellen, daß die Verfasserschaft des Philoxenos von Mabbug aus rein chronologischen Gründen unmöglich ist, während die des Jausep Ḥazzaya aus theologischen und stilistischen Gründen wohl als vollkommen gesichert gelten darf. Die Motive, die die jakobitische Tradition bestimmt haben, den Namen Jauseps durch den des Philoxenos zu ersetzen, mögen vielfältiger Natur gewesen sein. Jausep war als nestorianischer Autor allbekannt und ein Versuch, ihn wie Isaak der eigenen Tradition einzuverleiben[85], scheint in dieser Form wie bei Isaak nie versucht worden zu sein. Aber warum gerade Philoxenos? In § 139 des „Briefes der drei Stufen" ist von einem *'aḥa 'aksnaya* die Rede, dessen Zeugnis der Verfasser anführt. Es scheint mir nicht undenkbar, daß diese Episode aufgrund eines im Deutschen nicht wiederzugebenden Wortspiels als verhülltes Selbstzeugnis verstanden worden ist. *'Aksnaya* heißt ja nicht nur „fremd", sondern ist auch ein Eigenname, und zwar der syrische des Philoxenos von Mabbug, den ihm auch die Subscriptio ausdrücklich beilegt. OLINDER hat denn auch irrtümlich an einen Personennemen gedacht (brother *Aksenaya*). Doch mögen auch andere, uns unbekannte Motive bestimmend gewesen sein, gerade Philoxenos, der ja mehrere größere Werke für Mönche geschrieben hat[86], als Patron des Briefes zu wählen[87].

2.2 VERWANDTE SCHRIFTEN

2.2.1 *Briefe*

Der Schriftstellerkatalog des 'Abdisho' von Ṣoba erwähnt am Ende der Liste der Werke Jauseps auch „Briefe über den erhabenen Wandel des Mönchtums"[88]. Tatsächlich findet sich in der nestorianischen Anthologie der HS N.D. des Semences 237 auch ein Brief Jauseps, der als „fünfter" bezeichnet wird[89] ,was eine Sammlung von Briefen vorauszusetzen scheint. Von dieser Sammlung sind nur noch Bruchstücke erhalten. Ausführlich besprochen wurde bereits der „Brief über die drei Stufen". Die oben erwähnte Sammelhandschrift enthält noch zwei weitere Briefe Jauseps, die in der jakobtischen Tradition der Schriften des Johannes von Dalyatha dem Corpus seiner Briefe einverleibt wurden. R. BEULAY, der Herausgeber dieser Briefe und gute Kenner Jauseps, hat sie jedoch eindeutig letzterem zuweisen können[90]; wir haben sie im folgenden ebenfalls übersetzt.

Mit dem oben erwähnten „fünften" Brief hat es eine besondere Bewandtnis. Neben der von der erwähnten nestorianischen Anthologie bezeugten verhältnismäßig kurzen Version existiert auch eine erheblich längere, die sich in mehreren jakobitischen HSS findet, hier jedoch ohne Verfasserangabe bzw. unter dem Namen des Neilos[91]. Beiden Versionen ist ein Grundstock gemeinsam, der wörtlich identisch ist. Im Verhältnis zu der langen Version (B) übergeht die kürzere (A) mehrere umfangreiche Partien, die in sich ein ganzes Traktat über das Gebet darstellen. Demgegenüber läßt die lange Version einige längere Passagen der kürzeren aus, und zwar dort, wo der Verfasser zu weitläufigen biblischen oder paränetischen Exkursen ausholt. Auf den ersten Blick hat man also den Eindruck, als hätten hier zwei Redaktoren in einem — nicht erhaltenen — Werk eine je eigene Auswahl getroffen, A mehr paränetisch orientiert, B mehr „mystisch" ausgerichtet. Demgegenüber glaubte der erste Herausgeber, E. KHALIFÉ-HACHEM, nachweisen zu können, daß B das Ergebnis einer Interpolation sei. Es mag sein, daß er damit im Recht ist, die angeführten Gründe sind jedoch nur scheinbare Schwierigkeiten, wir verweisen a. O. darauf. Man wird vielmehr zugeben müssen, daß der Interpolator, falls es sich um Interpolation handelt, mit bemerkenswertem Geschick vorgegangen ist und man eigentlich nur bei den §§ 26a—h den Eindruck haben kann, hier werde ein heterogenes Stück angefügt. Die anderen „Interpolationen" fügen sich vollkommen in den Kontext ein. So bildet etwa § 25 weit besser die Fortführung von § 24a—d, denn von § 24! Umgekehrt dürfte sicher sein, daß das, was bei A im Verhältnis zu B als „Zusatz" erscheint, ursprünglicher Bestand ist. Denn zumindest in einem Fall ist offensichtlich, daß B im weiteren Verlauf des Textes einen Paragraphen der Version A voraussetzt (das Bild von der Stadt in der Höhe), der in B übergangen ist. Unter diesen Umständen wird man die Frage vorerst offen lassen müssen.

Indessen, falls es sich um eine Kompilation handelt, stellt sich doch die Frage, woher das Material stammt. Eine flüchtige Lektüre macht bereits deutlich, daß diese „Zusätze" noch weit deutlicher die Hand Jauseps verraten, als die

Version A. In gehäufter Form finden wir alle für ihn charakteristischen Themen wieder. Diese „Zusätze“ bilden in sich ein kleines Traktat über das Gebet und nimmt man dazu den Titel, den B trägt, sowie einige weitere kleinere Zustäze zu A[92], dann wäre die Hypothese zu erwägen, ob nicht ein „Kompilator“ aus zwei Schriften Jauseps, vielleicht sogar zwei Briefen, ein einziges langes Traktat über das Gebet gemacht hat.

Die lange Version B erscheint erstmals in der A.D. 876 datierten HS BM Add 12.167, also rund 100 Jahre nach dem Tode Jauseps! Sie ist auch hier bereits anonym. Man wird daher schließen dürfen, daß Jausep sehr früh in jakobitischen Kreisen Eingang gefunden hat, jedoch entweder unter anderem Namen, wie im Falle des „Briefes über die drei Stufen“ (Philoxenos von Mabbug bzw. in unserem Fall unter dem Namen des Neilos), oder anonym. In diesen Kreisen wäre dann auch die Kompilation entstanden[92a], die uns ansonsten verschollenes Material Jauseps erhalten hätte. Zu diesen verschollenen Schriften zählt auch das schöne Gebet, mit dem die Version B abschließt. Es erscheint, wie noch zu zeigen ist in einer umfangreicheren Version später unter dem Namen des Isaak von Ninive. Doch dürfte diese Version nicht aus unserem Brief geflossen sein, da sie zum einen nicht alle Strophen des Briefes enthält, und zum anderen mehrere Strophen enthält, die sich nicht im Brief finden, deren Vokabular aber gleichfalls unverkennbar auf Jausep als Verfasser hinweist.

Bei der Lage der Dinge steht der Übersetzer vor der Frage, wie er den beiden Versionen des Briefes gerecht werden kann, ohne sich ständig zu wiederholen. Wir haben uns entschlossen, beide Versionen zusammenzufügen, d. h. im Grunde die kurze Version A als Basis zu wählen, und ihr die Zusätze der Version B einzufügen und jeweils anzugeben, wo diese Teile von A ausläßt. Um jedoch den Eindruck einer in den Handschriften nicht bezeugten „vollständigen Version" zu vermeiden, haben wir diese Zusätze mit einer eigenen Paragraphenzählung versehen. Dem Leser wird so eine schöne Darstellung des Gebetes in all seinen Formen zugänglich gemacht, die ihm im Verhältnis zu den übrigen Briefen und kleineren Schriften, die ja alle um dasselbe Thema kreisen, es jedoch je anders angehen, gewiß nicht als Wiederholung erscheinen wird.

Bemerkenswert an den Zusätzen der Version B ist nicht zuletzt auch die Tatsache, daß Jausep hier, wie schon im „Brief der drei Stufen", in sehr ausgiebigem Maße das „Buch der Gnade" des Isaak von Ninive benutzt, ja teilweise einfach ausschreibt. Unser Brief bezeugt also diese Schrift Isaaks bereits für das 9. Jhdt., weit über die bekannten HSS hinaus. Beachtenswert auch, daß unser Brief dort, wo die älteste HS Mingana 86 von den übrigen abweicht, der ersteren folgt.

*

2.2.2 *Fragmente*

Die Sammlung der kleineren Schriften Jauseps soll durch die erhaltenen Fragmente — ne pereant — ergänzt werden. Diese Fragmente, alle enthalten in dem großen Sammelband N. D. des Semences 237[93], sind schwer zu lokalisieren. Die beiden ersten scheinen eine Einheit zu bilden, bestehend aus zwei Teilen, obwohl der umfangreiche Titel des zweiten zunächst an eine selbständige Schrift denken läßt[94]. Gleich im ersten Paragraphen aber verweist der Verfasser ganz offensichtlich auf die vorhergehende Abhandlung hin, die er nun weiterzuführen gedenkt. Nach dem Titel derselben zu urteilen, könnte es sich um den „Memra über die Kontemplation" handeln, den A. SCHER als vorletztes Werk in dem großen Sammelband Jauseps, dem verlorenen Codex unicus Se'ert 78, aufführt[95].

Dieselbe Unsicherheit besteht bei den kurzen Fragmenten 3 und 4. Handelt es sich bei dem ersten der beiden vielleicht um einen Brief oder das Fragment eines Briefes? In § 10 findet sich ja eine direkte Anrede in der zweiten Person Singular.

Wie dem im einzelnen auch sei, der Wert aller vier Fragmente besteht in der technischen Genauigkeit, mit der Jausep hier bestimmte Aspekte der Kontemplation beschreibt. Sie sind daher, wie die drei kleineren Briefe, sehr dazu geeignet, den langen Brief zu ergänzen und an bestimmten Stellen zu kommentieren.

*

2.2.3 *Auszüge*

a) Aus den ‚Capita scientiae'

In einer eingehenden Untersuchung kam R. BEULAY zu dem Ergebnis, daß die ‚Capita scientiae' Jauseps, die man für verloren hielt, z. T. unter dem Namen des Johannes von Dalyatha erhalten sind[96]. Die von A. SCHER in seiner Analyse der verschollenen Handschrift Se'ert 78 zitierten Sentenzen, sowie die Entdeckung eines alten Kommentars zu den Capita aus der Feder des Ephrem von Qirqesion kamen ihm dabei glücklich zu Hilfe. Bezüglich der hier übersetzten Centurie, die im Werk des Johannes von Dalytha als zweite erscheint und von Ephrem in seinem ersten Memra kommentiert wird, kam BEULAY zu dem Schluß, daß die ersten 52 Sentenzen (unserer Zählung) aus der Feder des Johannes von Dalyatha stammen, die restlichen hingegen aus der Jauseps. Indessen finden sich in beiden Teilen jeweils nicht wenige Sentenzen, die BEULAY aus stilistischen Gründen — Johannes ist mehr Lyriker, Jausep hat eine ausgeprägte Neigung zu technischen Definitionen — eher dem jeweils anderen Teil zuweisen möchte, m. a. W. es handelte sich um eine Kompilation.

Eine detaillierte Untersuchung dieser komplexen Fragen ist in diesem Rahmen nicht möglich, ganz übergehen können wir sie allerdings auch nicht, da es sich ja um die Frage handelt, ob wir es im folgenden mit einem Wek Jauseps zu tun haben, oder nicht. Zunächst wird man allgemein sagen müssen, das Jausep lyrische Passagen durchaus nicht fremd sind. In allen seinen Schriften finden sich immer wieder eingestreute poetische Stücke. Das literarische Genus der Centurie eignet sich nun besonders dazu, solche lyrischen Passagen wie Perlen aufzureihen. Es lassen sich denn auch gute Parallelen zu den entsprechenden Sentenzen in anderen Schriften Jauseps aufweisen[97].

Leider zitiert A. SCHER keine Sentenz der ersten Centurie Jauseps, was eine Identifizierung sehr erleichtert hätte. Ein Vergleich mit dem Kommentar des Ephrem von Qirqesion andererseits wirft mehr Fragen auf, als er löst[98]. Ephrem hat die ursprünglich 27 Centurien Jauseps in 13 Memre kommentiert[99], also gelegentlich Material aus mehreren Centurien zu einem Memra zusammengezogen. Ganz deutlich ist dies in seinem 10. und 12. Memra der Fall, wo die sich wiederholenden Ziffern erkennen lassen, daß hier Material aus drei bzw. zwei Centurien zusammengezogen wurde. Aus der uns hier alleine beschäftigenden Centurie kommentiert Ephrem 15 Sentenzen, die er seinem ersten Memra zuweist. Die erste zitierte Sentenz trägt die Nummer 11, sie entspricht in unserem Text der Nummer 53! Die folgenden Nummern 12/14/18/19 laufen unserer Zählung parallel. Dann erfolgt ein großer Sprung von 45 Sentenzen, und seine Nummer 65 entspricht nun unserer Nummer 67, womit die anfängliche Differenz von ca. 40 Sentenzen aufgeholt wird. Die Nummern 66/67/68/69/70/71/72 laufen wieder den unseren parallel, mit einer kleinen Differenz, weil die Nummer 66 unsere Nummern 68 und 69 in eins faßt. Dann erfolgt wieder eine Verschiebung, da seine Nummer 74 unserer Nummer 86 entspricht, hingegen seine Nummer 81 unserer Nummer 87[100]. Die Vermutung liegt nun nahe, daß die ca. 40 Sentenzen, die unser Text zu Anfang dem Ephrems voraus hat, eben jene ca. 40 sind, die Ephrem in der Mitte überspringt und damit unsere Nummerierung einholt. Ein Hinweis darauf, daß in unserem Text gestückelt wurde, scheint die alte HS BM 14.729 zu bieten: Sie vermerkt nach den Sentenzen 20/52 und 76 (unserer Zählung) jeweils: ,,von demselben" (Verfasser). Ist dies in einem laufenden Text eher ungewöhnlich und unnötig, — die anderen HSS enthalten denn diese Rubrik auch nicht, — so doch ganz normal, wenn entweder ein neues Werk oder ein neuer Auszug desselben Werkes desselben Verfassers eingeführt werden soll. Diese Rubriken erscheinen denn auch genau dort, wo wir Unstimmigkeiten haben feststellen müssen. Für die erste Rubrik liegt kein Vergleichspunkt vor[101], die zweite aber findet sich genau dort, wo der Kommentar Ephrems einsetzt. Die Nummer 52 unseres Textes wirkt denn auch ganz wie der Abschluß einer Centurie und nicht wie ein Glied einer Kette. Die dritte Rubrik erscheint da, wo unser Text dem

Ephrems um 10 Sentenzen vorauseilt. Allerdings ist hier zu bemerken, daß dieser Abstand in der oben genannten HS in Wirklichkeit viel kleiner ist, da sie unsere Nummern 77 bis 83 übergeht.

Bieten die vorhergehenden Beobachtungen auch keine Lösung des Problemes an, so machen sie u. E. doch deutlich, daß die Gründe nicht ausreichen, die erste Hälfte der Centurie Jausep abzusprechen. Alle unter dem Namen des Johannes von Dalyatha laufenden Centurien, es sind im ganzen acht, sind nur Auszüge aus dem großen, 27 Centurien umfassenden Werk. Es ist mehr als wahrscheinlich, und für die achte Centurie hat BEULAY selbst den Nachweis erbracht[102], daß wir es darüber hinaus auch mit der Kompilation verschiedener Teile des Gesamtwerkes zu tun haben. Unsere Centurie wäre ein weiteres Beispiel für diese Vermutung. Ob darüber hinaus, wie BEULAY vermutet, auch fremdes Material beigefügt werde, wird sich nur schwer entscheiden lassen, ehe nicht alle erhaltenen Schriften Jauseps veröffentlicht und ausgewertet sind.

Um dem Leser eine Vorstellung von dem Charakter dieser, ganz in der Tradition des großen Lehrmeisters Jauseps, Evagrios Pontikos, stehenden ‚Capita scientiae' zu geben, auf die Jausep selbst so großen Wert legte, haben wir im folgenden die ganze besprochene Centurie übersetzt[103]. Sie gibt u. E. einen schönen Einblick in den eigentümlichen Charakter dieses Werkes und läßt zugleich erkennen, vor welchen Schwierigkeiten schon damals ein nicht eingeweihter Leser stand. Diesen Schwierigkeiten verdanken wir letztlich aus der Feder Jauseps selbst den langen ‚Brief der drei Stufen'[104], sowie aus der Feder des Ephrem von Qirqesion einen doch recht umfänglichen Kommentar. Zur Auflösung der vielen Zahlenrätsel, die vor allem dem ersten

Leser so große Schwierigkeiten bereitet haben und auch für uns oft kaum zu entziffern sind, bietet der Kommentar Ephrems für einige Sentenzen einen willkommenen Schlüssel an, der sich im allgemeinen als zuverlässig erweist und sich zudem auf die Tradition der Väter beruft. Diese Zahlenrätsel sind nicht, wie SCHER spöttisch meinte, bloßer Zeitvertreib für Eremiten[105] sondern wie BEULAY einsichtiger bemerkte[106], ein bewußt eingesetzes Stilmittel, das den Leser anreizen will, sich um das Verständnis des Textes zu bemühen und ihn nicht einfach herunterzulesen und zur Kenntnis zu nehmen. Gewiß wird dabei auch die alte Arkandisziplin eine Rolle spielen, die es verbot, den Jungen und Unerfahrenen vorschnell die Höhen der Gnosis anzuvertrauen, da sie ihnen leicht in den Kopf steigt, aber kaum ins Herz dringt[107].

*

b) Aus dem „Buch der Fragen und Antworten"

Das große Buch „in Fragen und Antworten", nicht weniger als 479 allerdings nicht allzu große syrische Manuskriptseiten, liegt noch vollständig in einer einzigen Handschrift vor[108]; verstreut finden sich auch einige Auszüge[109]. A. GUILLAUMONT, dem wir die Einsicht in dieses eigentümliche Werk verdanken, wofür ihm hier sehr herzlich gedankt sei, beabsichtigt es herauszugeben. Aus den insgesamt fünf Memre haben wir den Anfang und das Ende des ersten Memra ausgewählt, da Jausep hier im Zusammenhang etliche Fragen behandelt, die auch im „Brief der drei Stufen" anklangen. Erwähnt sei hier die zusammenfassende Darstellung der Anzeichen des Wirkens des Heiligen Geistes im Beter, an der sehr schön zutage tritt, daß alle Mystik letztlich nichts anderes ist, als die *Entfaltung der Tauf-*

gnade, die allen Christen gemeinsam ist. Es wird hier auch deutlich, wie sich Jausep das Zusammenspiel von Gnade und asketischer Anstrengung denkt.

Der Schlußteil des ersten Memra ist den Geheimnissen der neuen Welt gewidmet. Hier kommt sehr schön, und besser als in jedem modernen Kommentar, zum Ausdruck, was Jausep unter den so oft erwähnten „Einsichten" eigentlich versteht, die dem Intellekt in den verschiedenen Kontemplationen zuteil werden. Zu erwähnen wäre hier besonders das, was Jausep über das Los der Übeltäter zu sagen weiß, also zu den Einsichten von *Gericht und Vorsehung Gottes.* Jausep, der die Lehre vom Fegefeuer nicht kennt, vertritt hier die Ansicht, die Höllenstrafen seien nicht ewig. Ohne sich dessen bewußt zu sein, nähern sich die Ostsyrer damit der Apokatastasis-Lehre des Origenes, den sie stets eifrig verdammt haben, ohne ihn je gelesen zu haben. Mit der Lehre von der Endlichkeit der Strafen und einer eschatologischen Versöhnung der ganzen Schöpfung, allerdings mit Ausnahme des „Sohnes des Verderbens"[110], seht Jausep keineswegs alleine da[111]. Sehr aufschlußreich ist hier, was der Metropolit Salomon von Basra im frühen 13. Jhdt. in seinem vielgelesenen „Buch der Biene" in den Schlußkapiteln zu diesem Thema zu sagen hat[112]. Salomon, der dieselben Ansichten vertritt, wie Jahrhunderte vor ihm Jausep Ḥazzaya, beruft sich ausdrücklich auf die für die Ostsyrer so unanfechtbaren Autoritäten Theodor von Mopsuestia, Diodor von Tarsus und Isaak von Ninive[113]. Die angeführten Zitate stimmen z. T. bis in den Wortlaut mit den Ausführungen Jauseps überein, so namentlich die Auslegung der letzten Obole im Gleichnis Jesu (Mt 5, 26), die auf Theodor von Mopsuestia zurückgeht[114]. Das auf der anderen Seite ein so getreuer Schüler des Origenes wie Evagrios dieselben Ansichten vertritt, versteht sich von selbst[115]. Allerdings findet sich auch bei Evagrios[116] die von Isaak später wiederholte[117] Mahnung, über die das Gericht betreffenden Fragen nicht vor Unerfahrenden zu sprechen, da diese sie, wie Isaak sagt, leicht zur Nachlässigkeit verleiten.

Wenn irgendwo, dann bestehen, wie nicht anders zu erwarten, gerade in der Frage nach den letzten Dingen erhebliche Unterschiede nicht nur zwischen den verschiedenen christlichen Kirchen des Ostens und des Westens, sondern oft auch zwischen einzelnen Mystikern und der Lehrautorität ihrer jeweiligen Kirche[118]. Hier ein Urteil zu fällen steht uns nicht an. Es sei nur der ganz biblische Charakter der Eschatologie Jauseps hervorgehoben und das Bestreben, Gottes allumfassende und alles Begreifen übersteigende Liebe wirklich ernst zu nehmen, ohne dem Ernst der christlichen Existenz dabei Abbruch zu tun. Im Sinne Pauli handelt es sich hier wirklich um „Geheimnisse", Dinge, die nicht allgemein zugänglich sind, und deren volle Enthüllung dem Eschaton selbst vorbehalten ist. Alles andere ist stets nur Vorausahnen.

*

2.2.4. *Gebete des Rabban Jausep Ḥazzaya*

Ein zentrales Thema aller Werke Jauseps ist das Gebet in allen seinen Formen, angefangen vom kanonischen Offizium bis hin zu jenem unaussprechlichen Zustand, der sich jenseits dessen befindet, was man noch Gebet im üblichen Sinne nennen kann[119]. Aber wie betete Jausep selbst, wenn er nicht als Seher entrückt war? Es ist hier vor allem an das formulierte Gebet gedacht, nicht an jenes immerwährende „Gedenken Gottes", das Jausep des öfteren empfiehlt[120].

Der große Sammelband der Schriften Jauseps, Se'ert 78, enthielt auch eine Sammlung von „28 Gebeten, mehr oder weniger lang, um göttliche Gnaden zu erbitten"[121]. Diese Handschrift ist in den Wirren des ersten Wetkrieges, bei denen der Erzbischof von Se'ert, Addai Scher, selbst den Tod fand, mit der ganzen kostbaren Bibliothek von Se'ert verloren gegangen[122]. Man wird also anderweitig suchen müssen, wenn man sich von diesen Gebeten eine Vorstellung machen will. Dieses Unterfangen ist mühsam, teuer und dem Zufall anheimgegeben. Vieles liegt noch in der Handschriften verstreckt, meist wohl in den Anthologien, unter anderem Namen, in den Katalogen nicht verzeichnet usw.

Aus nestorianischen Handschriften haben wir bislang nur das hier erstmals übersetzte Gebet über das Geheimnis der Eucharistie erheben können[123]. Es finden sich gute Parallelen zum „Buch der Fragen und Antworten" und selbst das Herzstück des Denkens unseres Autors, das Schema der drei Stufen, fehlt nicht. Bemerkenswert an diesem Gebet ist, von seinem Tiefsinn abgesehen, die Tatsache, daß der Mystiker Jausep hier ein Bekenntnis zu den Sakramenten der Kirche ablegt, seine Spiritualität sich also keineswegs von dem sicheren Boden der Kirche löst. Ein ähnliches Bekenntnis zur Taufe und auch zur Hl. Eucharistie findet sich ebenfalls im „Buch der Fragen und Antworten"[125]. Erstaunlich an diesem Gebet wirkt auch die Theologie der Messe selbst, vor allem deren Opfercharakter und die Lehre von der Realpräsenz, die ja nicht deutlicher ausgesprochen werden könnten.

Die oben ausgesprochene Vermutung, daß sich in den liturgischen Anthologien noch manches Werk Jauseps verbergen mag, wird durch die beiden folgenden Beispiele erhärtet. Das zweite hier erstmals übersetzte Gebet findet sich am Ende der zweiten Centurie Jauseps, im Werk des Johannes von Dalyatha die dritte[126]. In tiefer Weise kreist dieser Text um das Mysterium der drei Personen der Heiligen Dreifaltigkeit, die eine nach der anderen und dann zusammen angesprochen werden. Dieses Gebet erscheint nun auch in einem jakobitischen Gebetbuch für Eremiten, jedoch unter dem Namen des Ignatios von Antiocheia[127]! Stammte dieser Text von Johannes von Dalyatha, dann wäre nicht einzusehen, warum die jakobitische Tradition, die diesen nestorianischen Autor ja voll und ganz vereinnahmt hatte, nicht Johannes als Verfasser angegeben hätte, zumal die Centurien ja auch unter dessen Namen liefen. Wir werden das Gebet also ruhig Jausep zurückerstatten dürfen.

Mit dem dritten Gebet steht es ähnlich. Es findet sich, in leicht verkürzter Form, am Ende der jakobitischen Version des „fünften Briefes", und zwar ganz in den Text eingegliedert und sogar von Reflexionen des Verfassers unterbrochen[128]. In einer längeren Version erscheint dieses Gebet nun auch in dem schon genannten Gebetbuch für Eremiten, das es aber Isaak von Ninive zuweist[129], ebenfalls einem nestorianischen Autor, der von der jakobitischen Tradition voll und ganz vereinnahmt worden ist. Nach Wortschatz und Theologie dürfte aber kein Zweifel sein, daß Jausep der Verfasser ist. Uns will scheinen, daß die längere Version, mit ihren zahlreichen Anrufungen Christi, aus der verlorenen Sammlung der Gebete Jauseps stammt, und daß Jausep selbst es in kürzerer Form in seinem Brief als Schlußdoxologie anführt. In dem besagten Gebetbuch finden sich auch noch andere, meist anonyme Gebete, die man ohne weiteres Jausep zuschreiben könnte.

Um hier zu größerer Sicherheit zu gelangen, wären allerdings Nachforschungen in den Handschriften erforderlich, wie sie in diesem Rahmen nicht möglich waren. Die drei Beispiele mögen, zusammen mit dem schönen Gebet vor der Lesung des Evangeliums im Brief der drei Stufen § 74, das ebenfalls seinen Weg in die liturgischen Bücher gefunden hat, genügen, um dem Leser einen Eindruck von diesen mystischen Gebeten zu geben.

Zum Abschluß sei hier ein langes Gebet übersetzt, eigentlich eher eine Meditation, die nicht von Jausep, sondern von seinem Zeitgenossen Johannes von Dalyatha stammt[130]. Von seinem tiefen Inhalt und der Form einmal abgesehen ist dieses Gebet insofern von großem Interesse, als seit langem nachgewiesen ist, daß es auf allerlei Umwegen — es handelt sich eigentlich um einen Teil einer Homilie des Johannes, die sich in die griechische Übersetzung der Werke Isaaks von Ninive verirrt hat — als Vorlage des im Westen so beliebten mittelalterlichen „Anima-Christi"-Gebetes gedient hat[131]. Hier klingen, ganz wie in dem ersten Gebet Jauseps, sehr innige Töne einer tiefen Leidens- und Kreuzesmystik an, die unmittelbar an das westliche Mittelalter, ja an Johannes vom Kreuz erinnern. Der Westen kannte dieses Gebet durch die lateinische Übersetzung großer Teile der Werke Isaaks bzw. durch die zahlreichen Übersetzungen in andere europäische Sprachen seit dem 12./13. Jahrhundert. Es macht an einem kleinen Beispiel deutlich, daß zwischen dem fernern Persien des 7./8. Jahrhunderts und dem westlichen Mittelalter verborgene Bande bestehen, die man schwerlich vermutet hätte.

*

O du, der du um Lazarus geweint
und Tränen der Trauer vergossen hast,

nimm meine bitteren Tränen an.
Durch dein Leiden laß gesunden
meine Leidenschaften
und meine Wunden laß
durch deine Wunden Heilung finden.
Mein Blut verbinde sich
mit deinem Blute
und mit meinem Leib vermische sich
deines heiligen Leibes Lebensdurft.
Die Galle, die du von den Feinden
zu trinken hattest,
mache meine Seele süß,
die getränkt mit Wermut durch den Bösen.
Dein Leib,
am Holze ausgespannt,
strecke aus zu dir
meinen Geist,
der durch die Dämonen sich verkrampft.
Dein Haupt,
am Kreuz geneigt,
richte auf mein Haupt,
das von den Befleckten ward geschlagen.
Deine reinen Hände,
die von Ungläubigen
durchbohrt mit Nägeln,
erheben mich zu dir
aus der Bosheit Abgrund,
wie dein Mund verheißen hat.
Dein Antlitz,
das so schändlich die Bespeiung
durch Verworfene empfing,
reinige mein Antlitz,
das durch meine Sünden häßlich ward.

Deine Seele,
die du am Kreuze deinem Vater hingegeben,
leite mich zu dir in deiner Gnade.
Ich habe, oh mein Herr,
keine flehentlichen Tränen.
Kein Herz hab' ich, das kummervoll
auf deiner Suche sich befände.
Ich habe Buße nicht noch Reue,
die die Söhne heim zu ihrem Erbe bringt.
Verfinstert ist mein Geist
durch die Dinge dieser Welt,
und besitzt die Kraft nicht,
um den Blick zu dir hin
mit Seufzen zu erheben.
Erkaltet ist mein Herz
durch der Bosheit große Menge
und vermag zu brennen nicht
durch der Liebe Tränen.
Oh Christus,
Schatz aller Güter,
gewähre mir vollkommene Buße
und ein reuevolles Herz,
das in Liebe auszieht
dich zu suchen.
Fremd bin ich allem ohne dich,
gewähre Guter, deine Gnade mir.
Der Vater,
der aus seinem Schoße dich gebar,
wo du seit Ewigkeit verborgen,
mache neu in mir
deines Bildes Züge.
Ich habe mich von dir entfernt —
entferne du dich nicht von mir.

Ich habe dich verlassen
und bin von dir fortgegangen —
geh' du aus zu meiner Suche
und geleite mich zu deiner Hürde
und vereine mich
mit den geliebten Lämmern deiner Herde.
Und mit ihnen nähre mich
durch die Speise deiner heiligen Geheimnisse,
deren Quelle ist ein reines Herz,
in dem das Licht
deiner Offenbarungen erscheint,
das die Erquickung der Erschöpften ist,
die um dessentwillen
sich in Leid und Qualen aller Art ermüdet.
Daß wir dessen alle
gnadenhaft durch dein Erbarmen
würdig werden, unser Heiland. Amen

*

3. Die drei Stufen des geistlichen Lebens und die drei Stufen der Erkenntnis Gottes.

3.1. Die drei Stufen des geistlichen Lebens

Dem Brief der drei Stufen liegt ein Denkschema zugrunde, das der Verfasser konsequent entwickelt. Es sind dies die drei Stufen der Leibhaftigkeit, der Seelenhaftigkeit und der Geisthaftigkeit[132]. Dieses Denkschema taucht in allen Schriften Jauseps auf und bildet also gleichsam das Gerüst seines Denkens. Indessen sind diese drei Stufen Jausep nicht allein eigen, er steht hier, wie in so vielem, auf den Schultern „unserer geistlichen Väter", wie er selbst gerne und oft sagt[133]. Ist die letzte Quelle natürlich die Schrift, Paulus[134], so sind die direkten Vorgänger, die „Väter" also, Johannes von Apameia und Isaak von Ninive vor allem[135]. Aus den Elementen der Tradition hat Jausep eine durchaus selbständige und ihm eigene Synthese geschaffen, indem er systematisierte, was er bei seinen Vorgängern oft nur als disparates Detail vorfand.

Soweit sich aus dem erhaltenen Schrifttum ersehen läßt, hat Jausep dieses Grundschema der drei Stufen auf drei verschiedene, aber eng auf einander bezogene Weisen entwickelt. In dem großen „Memra über die Gottheit" herrscht eine durch und durch *heilsgeschichtliche Sicht* vor, die ihre direkte Entsprechung im Lebensvollzug des Einzelnen findet[136]. Die Stufe der Leibhaftigkeit reicht von dem gefallenen Adam bis zu Moses. Mit Moses beginnt die Stufe der Seelenhaftigkeit, die bis zu Christus reicht, der seinen Aposteln den Heiligen Geist verlieh und damit die Stufe der Geisthaftigkeit eröffnete. Moses ist dabei der erste, der wieder auf der Stufe stand, die Adam vor seinem Fall eigen war.

Alle drei Stufen sind Gaben Gottes, oder im Falle Adams eine Bestrafung im Hinblick auf seine zukünftige Rettung. Sie sind Gottes heilsgeschichtliche Verfügungen, durch die die Menschheit zunächst wieder in ihren Urstand, und dann weit darüber hinaus geführt werden soll. Es ist zu beachten, daß Jausep durchaus nicht alle Getauften, wie man vielleicht erwarten würde, eo ipso auf die Stufe der Geisthaftigkeit versetzt. Allen Getauften wurde vielmehr der Heilige Geist als ein *Angeld* der zukünftigen Herrlichkeit verliehen. Es liegt nun an dem Einsatz des freien Willens, diesen verborgenen Schatz zu heben und fruchtbar zu machen. Dies ist der Ausgangspunkt des dreistufigen Erlösungsdramas im Leben des Einzelnen, der sich so aus freiem Willen die ganze Heilsgeschichte aneignet.

Anders ist der Gesichtspunkt in dem dritten Memra des „Buches der Fragen und Antworten"[137]. Hier geht es Jausep um eine systematische Darstellung, man könnte sagen, der *Struktur der Seele,* ja des ganzen Menschen. Er analysiert seine verschiedenen „Teile", „Kräfte" und „Sinne", sowie die Tugenden und auch Laster, die damit verbunden sind. Aus der Dreiheit der Teile der Seele (begehrender, zornmütiger und denkender Teil) ergibt sich zwanglos das Schema der drei Stufen. Einer jeden Stufe ist die Reinigung und Vollendung eines der drei Teile der Seele vorbehalten, samt den damit verbundenen Tugenden.

In wieder anderer Weise wird dieses Dreierschema in dem langen Brief abgewandelt, wie wir weiter unten sehen werden. Zuerst sei das Schema als solches dargestellt. Jede der drei Stufen, die wie die Windungen einer Schraube ineinander übergehen und daher nie streng zu trennen sind, stellt einen bestimmten, durch typische Merkmale charakterisierten heilsgeschichtlichen Zustand des Menschen dar. Die ihnen eigenen Namen deuten bereits an, wo jeweils der Schwerpunkt liegt. Auf der Stufe der *Leibhaftigkeit* ist der Mensch noch ganz in die Probleme seines *Leibseins* verwikkelt. Er kämpft mit den elementarsten Leidenschaften, das heißt den Verirrungen seiner guten, geschöpflichen Natur und deren Kräften. Denn die Natur des Menschen ist für Jausep, wie für die orientalische Theologie allgemein, gut und ein unverlierbares Gut. Der jetztige gefallene Zustand des Menschen ist nicht natürlich, sondern widernatürlich. Diesen von der westlichen Theologie verschiedenen Naturbegriff muß man sich stets vor Augen halten!

Alle auf dieser Stufe der Leibhaftigkeit angewandten Mittel der traditionellen Askese, wie Fasten, Wachen, Armut etc. zielen darauf ab, den Leib von seiner Verfallenheit an die Leidenschaften zu lösen und wieder zu einem gefügigen Instrument der Seele zu machen. Das Ziel dieses Kampfes und die Vollendung der Stufe der Leibhaftigkeit ist daher die *Reinheit* oder Reinigung, das syrische Wort ist mehrdeutig. Die Reinheit nämlich ist der natürliche geschöpfliche Zustand des Menschen, die Leidenschaften hingegen sind Verschmutzungen, eine Verfremdung der guten natürlichen Kräfte[138].

Den Elan zu diesem Kampf gewinnt der Mensch aus den natürlichen Samen[139], das heißt den Kräften des Guten, die ihm bei seiner ersten Schöpfung mitgegeben wurden und die unverlierbar sind. Sie warten, wie Samenkörner in der Erde, auf eine günstige Gelegenheit, einen guten Willen, um sich sogleich zu regen. Selbst auf dieser untersten Stufe tut der Mensch also nichts aus sich selbst. Sondern Gottes

Heilsplan, der den Fall voraussah, hat ihn im voraus mit den nötigen Kräften versehen, um den Kampf gegen die Verfallenheit an die Sünde bestehen zu können[140]. Ganz konkret spielt hier die Heilige Schrift eine große Rolle, denn ihre Worte sind mehr als alles andere dazu geeignet, diese Samenkräfte zu wecken[141]. Es ist dann dem freien Willen, dem Jausep wie alle orientalischen Theologen eine große Bedeutung beimißt, anheimgestellt, ob er diese natürlichen Samenkräfte des Guten nutzt oder nicht. Die Antwort des Menschen ist so frei wie Gottes Ruf — auch wenn Gott dem Menschen alles mitgegeben hat, um frei zu antworten und er dies nie aus sich selbst könnte.

Nachdem der Mensch zu seiner natürlichen Reinheit gelangt ist, betritt er damit zugleich die Stufe der *Seelenhaftigkeit.* Wurde der Leib einem Reinigungsprozeß unterworfen, so nun die Seele einem Läuterungsprozeß. Denn auf der Stufe der Seelenhaftigkeit geht es darum, auch die Seele von allen Befleckungen durch die ihr eigenen Leidenschaften zu befreien — und die sind weit gefährlicher und übler als die des Leibes! Jausep wird sie in allen Details behandeln[142], ein Thema, das er allgemein sehr schätzt[143], ganz wie sein großer Lehrmeister Evagrios. Das Ziel dieses Läuterungsprozeßes ist die *Lauterkeit* der Seele, die Jausep bewußt von der Reinheit unterscheidet[144]. Um ein Bild zu wählen: Bei der Reinigung schabt man den Rost ab und bringt das Metall, so zu wieder zum Glänzen, ein Zustand, der ihm „natürlich" ist. Bei der *Läuterung* hingegen wird das Metall ins Feuer geworfen und jedes fremde Element wird ausgeschmolzen. Im Bild ist damit bereits angedeutet, daß es sich bei diesen drei Stufen eher um Stadien einer immer größeren Umwandlung des ganzen Menschen handelt.

Mit der Stufe der Lauterkeit ist der Mensch an die Grenzen seiner kreatürlichen Möglichkeiten gelangt, die er auch nur mit göttlicher Hilfe zu erreichen vermochte. Denn auf der Stufe der Seelenhaftigkeit ist der Mensch der Leitung des *Schutzengels* anvertraut. Diese Anwesenheit des Engels deutet bereits an, daß sich die Aktivität Gottes ständig verstärkt, und zwar in dem Maße, wie sich auch das Bemühen des Menschen intensiviert. Denn die Stufe der Seelenhaftigkeit ist im wahrsten Sinn des Wortes eine Zwischenstufe, sie besteht nicht für sich alleine, sondern im Hinblick auf die nun folgende Stufe der Geisthaftigkeit.

Die Stufe der *Geisthaftigkeit* zeichnet sich zunächst, wie schon der Name sagt, durch das Wirken des Heiligen Geists oder der Gnade aus, die nun immermehr die schließlich alleinige Führung übernehmen. Denn konnte man bislang von einer echten Synergie von Gott und Mensch sprechen, so besteht die Mitwirkung des Menschen nun in einer immer größer werdenden Passivität, einem *Gott-Erleiden.* Denn was sich nun ereignet, ist im strengeren Sinne „übernatürlich", das heißt jenseits dessen, was Gott an Möglichkeiten in die erste Schöpfung gelegt hat. Mit anderen Worten, es vollzieht sich unter Einwirkung des Heiligen Geistes eine neue Schöpfung, in der die Taufgnade zu ihrer vollen Entfaltung kommt. Die Gnade des Heiligen Geistes reißt die Natur über sich selbst hinaus und vollendet sie in Gott. In diesem Leben geschieht dies allerdings nie anders als *angeldhaft*, ahnungshaft, wie Jausep mit anderen Mystikern deutlich heraushebt[145]. Diese neue Schöpfung wird daher auch als eine Art Entrückung erfahren, die dem Menschen im Gebet widerfährt. Das hier von Jausep ständig verwandte Wort gibt man indessen am besten mit *Staunen* wieder. Es ist das Staunen über die unfaßbare Liebe des unendlichen Gottes zu seinem so unendlich kleinen Geschöpf.

3.2. Die drei Stufen der Gotteserkenntnis

Dieses Grundschema der drei Stufen hat Jausep nun in dem langen Brief, und dies macht seinen Reiz und seine Besonderheit aus, mit dem Verlauf der Heilgeschichte Israels verwoben, indem er mittels einer allegorischen Deutung die einzelnen Etappen vom Auszug aus Ägypten bis zum Aufstieg auf den Zion mit den drei Stufen in Verbindung brachte[146]. Zudem hat er das Ganze dann noch mit dem üblichen Verlauf der monastischen Berufung in Parallele gesetzt. Auf diese Weise entsprechen nun auch einzelne Stufen bestimmten Etappen des Mönchslebens. Lassen wir einmal bestimmte Details außer Acht, die die typologische Schriftauslegung mit sich brachte, so ergibt sich folgendes Schema:

Flucht aus Ägypten = Flucht aus der Welt, denn Ägypten ist Symbol dieser Welt und des Bösen allgemein. Dem entspricht der Eintritt ins Koinibion. Diese erste Etappe bleibt also bewußt außerhalb des Dreierschemas; sie ist nur deren Voraussetzung[147].

Wüstenzeit = *Stufe der Leibhaftigkeit* = Leben im Koinobion, das Noviziat sozusagen.

Übergang über den Jordan und Eintritt in das gelobte Land = *Stufe der Seelenhaftigkeit* = Verlassen des Koinobions und Eintreten in die Zelle des Eremiten.

Aufstieg auf den Berg Zion = *Stufe der Geisthaftigkeit.* Ihr entspricht keine eigene Etappe des Mönchslebens, sondern sie vollzieht sich in der Stille der Eremitenzelle. Nur wenige gelangen dorthin.

Was auf den ersten Blick nur wie eine, zwar reizvolle aber dem heutigen Menschen doch fernerstehende Allegorie aussieht, hat bei genauerem Zusehen eine tiefe Bedeutung. Denn auch dieses Schema: Auszug — Zion, ist überkommenes Gut, und zwar stand hier der „Vater" par excellence, Evagrios Pontikos, der „Heilige Mar Evagrios", wie Jausep gerne sagt, Pate. Der wichtigste Text, den Jausep zwar nie in extenso zitiert, den er aber selbstverständlich kannte, da er ja einen verlorenen Kommentar dazu verfaßte[148], ist Cent VI, 49. Er sei zunächst vollständig wiedergegeben[149].

„Ägypten ist das Symbol des Bösen,
Die Wüste hingegen ist das Symbol des Tuns[150].
Das Land Juda das der Kontemplation der Körperlichen,
Jerusalem aber das (der Kontemplation) der Körperlosen.
Und der Zion schließlich (das Symbol der Kontemplation)
der Heiligen Dreifaltigkeit[151]."

Hier finden sich einmal alle jene Elemente zusammen, die Evagrios sonst, jeder systematischen Darstellung seines Denkens abhold, stets über sein ganzes Werk verstreut hat[152]. Der biblischen Allegorie liegt also ein anderes Schema zugrunde, das die menschliche Erkenntnis Gottes und seiner Schöpfung als einen *stufenweisen Aufstieg* betrachtet. An anderer Stelle faßt Evagrios dieses Schema, nun aber als stufenweisen Abstieg gefaßt, in seinen fünf Kontemplationen zusammen, von denen hier nur die drei wichtigsten erfaßt sind.

„Fünf sind die Haupt-Kontemplationen,
unter deren Zeichen alle Kontemplationen zusammengefaßt sind.
Die erste ist, wie die Väter sagen,
die Kontemplation der anbetungswürdigen Dreifaltigkeit.
Die zweite und die dritte aber
die Kontemplation der Körperlichen und der Körperlosen.
Die vierte und die fünfte schließlich
die Kontemplation des Gerichtes und der Vorsehung Gottes."

(Cent I, 27)[153]

Jausep hat dieses Fünferschema natürlich gut gekannt und bezieht sich auch ständig darauf[154], doch zieht er im allgemeinen das mehr biblische Dreierschema vor und fügt ihm die evagrianischen Elemente ein, so gut es geht. Der Entwicklung von der Leibhaftigkeit über die Seelenhaftigkeit zur Geisthaftigkeit entspricht nun auch eine Entfaltung des Erkenntnisvermögens des Menschen. Auf der Stufe der Leibhaftigkeit unterscheidet sich die Erkenntnis des Menschen, trotz seines gewandelten Lebens, zunächst noch nicht von der aller Menschen. Er kann Gott nicht anders als in materiellen Bildern erfassen. Alle Offenbarungen über göttliche Dinge widerfahren ihm, wie den Gerechten des Alten Bundes, in Form sichtbarer und leiblicher Bilder.

Dies ändert sich erst, wenn er zur Reinheit, dem Ziel dieser Stufe und zugleich dem Übergang zur folgenden gelangt ist. Symbol der Vollendung der Stufe der Leibhaftigkeit ist die Farbe des *Saphirs*, die blaue Farbe des Himmels in seiner Reinheit. Und ihr Typos ist Moses auf dem Berge Sinai: „Und sie schauten den Gott Israels. Und unter seinen Füßen war es wie das Werk von Saphir-Fliesen, und wie die Himmelshöhe in ihrer Reinheit.“ (Ex 24, 10)[155] Die LXX liest hier: „Und sie schauten den *Ort*, an dem Gott steht“, und aus dieser Lesart entwickelte Evagrios seine Lehre vom „Ort Gottes“[156]. Wenn die Seele zu ihrer natürlichen Reinheit zurückkehrt, wird sie zum saphirblauen Himmelsfirmament, an dem die Sonne Gottes wieder aufleuchtet. Zur Zeit des Gebetes erblickt der gereinigte Intellekt daher sich selbst als blaues Firmament und im Lichte der göttlichen Sonne auch die anderen Geschöpfe[157]. Denn dieses Sich-selbst-Schauen und das Schauen der anderen Vernunftwesen ist der natürliche Zustand des Intellektes in seiner adamitischen Reinheit vor dem Fall[158]. Jausep übernimmt diese Deutung des Evagrios ganz, wiewohl sein Schrifttext dazu weniger Handhabe bot als die Septuaginta, und beschreibt ausführlich all die Gaben, die dem Menschen auf dieser Stufe verliehen werden, bzw. zurückerstattet werden, da er ja sein verlorenes Erbe wiedererlangt[159].

Auf die Stufe der Seelenhaftigkeit erhebt sich der Mensch dann vollends über diese materielle Verhaftetheit und betritt die Ebene der Kontemplationen. In Form von „Einsichten“, das heißt durch ein inneres Begreifen, Verstehen, das sich auch begrifflich fassen und verbal aussagen läßt, erlangt er nun Zugang zu dem geheimen göttlichen Sinn der materiellen Schöpfung (zweite natürliche Kontemplation)[160] und der geistigen Welt der Engel (erste natürliche Kontemplation), sowie in den Sinn der Geschichte der Schöpfung (Kontemplation der Gerichte Gottes) und deren Vollendung im Heilsplan Gottes (Kontemplation der Vorsehung Gottes). Jausep besteht ausdrücklich darauf, daß es sich hier nur um *Einsichten* handele, wie sie dem geläuterten Geschöpf wesenhaft eigen sind, jedoch durch die Leidenschaften unmöglich gemacht werden[161].

Symbol dieser Stufe ist das *Feuer*. Der gereinigte und im Feuer geläuterte Intellekter blickt sich nun zur Zeit des Gebetes nicht mehr bloß als klares, saphirblaues Firmament, sondern als Feuer[162], das den ganzen Menschen, Leib und Seele erfaßt. Das Bild des Feuers, das bereits die bevorstehende totale Umwandlung andeutet, entstammt der Engellehre. Der Engel, dessen Wirken ja diese Stufe der Seelenhaftigkeit kennzeichnet, ist wesenhaft Feuer.

Auf der Stufe der Geisthaftigkeit gelangt der Mensch dann schließlich zum *Schauen*[163]. Gegenstand dieses Schauens, das ja schon im Bild eine gewisse Passivität andeutet, sind zunächst dieselben göttlichen Geheimnisse, die auch die Stufe der Seelenhaftigkeit kennzeichneten. Also die materielle und geistige Schöpfung, sowie Sinn und Ziel der Geschichte der Schöpfung. Doch nun *sieht* der Geist dies alles. Das, was dieses Sehen ermöglicht, ist das Aufstrahlen der göttlichen Herrlichkeit, das Licht der Heiligen Dreifaltigkeit. Dieses Licht erhellt dem Menschen, was er aus sich selbst nicht sehen, sondern nur im Äußersten einsehen kann. Was der Mensch nun sieht, vermag er nicht mehr zu formulieren oder auszusprechen. Das große und immer wieder zitierte Beispiel ist Paulus: „Ich kenne einen Menschen in Christo, der vor 14 Jahren, ob im Leib oder außer dem Leib, ich weiß es nicht, Gott weiß es, bis zum dritten Himmel entrückt wurde. Und ich weiß von diesem Menschen, ob im Leib oder ohne den Leib, ich weiß es nicht, Gott weiß es, daß er ins Paradies entrückt wurde und unsagbare Worte hörte, die auszusprechen einem Menschen nicht gestattet ist.“ (2 Kor 12, 2—4).

Symbol dieser Stufe ist das Licht „sonder Form“[164]. Denn nun befindet sich der Mensch ja jenseits alles Geschaffenen, das ihm bislang das Bild- und Vorstellungsmaterial, die Form seiner Gotteserkenntnis lieferte, zuerst noch ganz dinglich, dann bereits in vergeistigter Form als Einsicht. Dieses Licht sonder Form ist das Licht der Heiligen Dreifaltigkeit, das ihn nun überkleidet[165], so daß er sich selbst, sein eigenes Licht nicht mehr von diesem göttlichen Licht zu unterscheiden vermag. Was der Mensch nun erschaut, ist das Göttliche der Schöpfung, Gott selbst in der Schöpfung, nicht mehr bloß sein Wirken. Wenn Jausep trotzdem von dem *Licht* der Heiligen Dreifaltigkeit spricht, dann um das Wesen Gottes vor jedem Zugriff durch das Geschöpf zu schützen. Denn dieses Wesen vermag kein Geschöpf zu schauen. Gottes Licht ist das Sichtbare des Unsichtbaren[166].

Wie verhält sich nun diese Gotteschau zu dem Mysterium der Dreifaltigkeit? Es geht ja für den Christen nicht einfach um das Schauen der Gottheit! In seinem langen Brief geht Jausep nicht näher auf diese Frage ein, wohl aber in anderen Schriften, die den ganz trinitarischen Charakter dieser Mystik deutlich hervortreten lassen. Was der Mensch, was z. B. Paulus in seiner Entrückung unter der Einwirkung des Heiligen Geistes schaut, ist Jesus Christus in seiner Gottheit[167]! Einige Texte mögen dies verdeutlichen. In den ‚Capita scientiae' heißt es:

„8. Für alle Vernunftwesen, die sichtbaren wie die unsichtbaren, wird die Menschheit unseres Herrn der Spiegel sein, in dem sie den Gott-Logos erblicken werden, der in ihnen wohnt.

9. Forsche und schaue Christus unseren Herrn in seiner leiblichen Ökonomie. Seine Gottheit aber bekenne und bete im Glauben im Schweigen an.

10. Außerhalb der Menschheit unseres Herrn gibt es keine Schau Gottes, weder für die Engel noch für die Menschen, weder in dieser Welt noch in der kommenden[168]."

Das Wort Gottes hat also durch seine Inkarnation jenen einzigartigen und einmaligen Modus geschaffen, der es dem Geschöpf, allen Geschöpfen, sowohl Engeln wie Menschen! möglich macht, den in sich unsichtbaren Vater zu sehen. Diese absolute und niemals überholte Mittlerstellung Christi kommt besonders deutlich in folgendem Zitat zum Ausdruck:

„(in der neuen Welt) gibt es zwischen uns und Gott keinen Mittler mehr, außer dem Menschen Jesus Christus. Denn in der Person des Menschen Jesus, dem Sohn unseres Geschlechtes, werden alle Vernunftwesen in der kommenden Welt den unsichtbaren Gott schauen[169]."

Wie andere Stellen dann deutlich machen, ist dieses Licht der Heiligen Dreifaltigkeit nichts anderes als das „Licht der Schau unseres Erlösers[170]." Es gab nie und wird nie einen anderen Zugang zum Vater geben als über den Sohn.

Dies ist nun die erste der fünf Kontemplationen des Evagrios. Sie stürzt das Geschöpf in einen Abgrund des Staunens, sowohl Engel als Menschen, und raubt dem Begnadeten, der schon in diesem Leben einen Vorgeschmack dieser zukünftigen Herrlichkeit erfährt, die Sprache: Er vermag nicht mehr auszusagen, was er sieht und erfährt. Doch ist diese Stummheit nur eine vorläufige. Denn nun kommt es zu einem ganz wunderbaren und kaum mit Worten zu beschreibenden Phänomen: Dem „Wort-Ausbruch". Auf der höchsten Stufe der Erleuchtung, die ja an sich reines Empfangen ist, bricht in dem vor Staunen verstummten Geschöpf etwas auf, eine neue Zunge wird ihm vom Heiligen Geist verliehen und er vermag plötzlich auf das Erfahrene und Empfangene zu antworten! Er bleibt nicht stumm, sondern bricht in den englischen Jubel aus!

Jausep Ḥazzaya spricht an vielen Stellen seiner Werke von diesem Aufbrechen des geistlichen Wortes und wir wollen abschließend diese wunderbarste aller mystischen Erscheinungen im Zusammenhang darstellen, da sie mehr als alles andere deutlich macht, daß wir es hier nicht mit abstrakter philosophischer Spekulation zu tun haben, sondern mit einer zutiefst erlebten Gotteserfahrung, und zwar einer streng personalen und zutiefst biblischen, christlichen.

Jausep spielt zwar an mehreren Stellen seiner Werke auf diesen Wort-Ausbruch an[171], gibt aber eine zusammenhängende Beschreibung nur in dem langen Brief. Erstmals kommt es zu dieser Erscheinung unter der Einwirkung des Schutzengels, also auf die Stufe der Seelenhaftigkeit, doch dauert sie hier nicht lange an[172]. Unter dem Einfluß der Gnade des Heiligen Geistes aber, also auf der Stufe der Geisthaftigkeit, bricht dieser Strom jedoch Tag und Nacht nicht mehr ab[173]. Jausep stellt diese Erscheinung bewußt in den Rahmen des Sprachenwunders an Pfingsten, ja stellt sie ihm sogar gleich[174]. Wiederholt ist auch von dem „Gesang" der Engel die Rede, in den der Mensch einstimmt. Der Begnadete erlebt also ganz allgemein ein erneutes Aufbrechen jener Begeisterung, von der die ersten christlichen Generationen gekennzeichnet waren, wenngleich kaum an das gedacht ist, was man heute vielfach unter Glossolalie versteht und praktiziert.

Jausep nennt den, zunächst noch sporadisch auftretenden, Wort-Ausbruch „geheimnisvoll", weil sich in ihm die Geheimnisse der Naturen der Geschöpfe ganz deutlich offenbaren[175]. Es heißt da ausdrücklich, daß es sich nicht um Geheimnisse handele, die jenseits der Welt wären, also übernatürliche im strengen Sinn. Im evagrianischen Schema der fünf Kontemplationen handelt es sich also um die zweite natürliche Kontemplation, die Einsicht in die Geheimnisse der materiellen Schöpfung zum Inhalt hat. Unter dem Einfluß der Gnade bricht dieser Strom dann nicht mehr ab. Die sich hier offenbarenden Geheimnisse stammen nicht aus Büchern, sind also nicht angelerntes Wissen, sondern existentielle Erfahrung. Inhaltlich sind diese Einsichten zunächst noch nicht verschieden von den vorhergehenden, denn sie erscheinen in Form eines Sternes[176], dem Symbol der zweiten natürlichen Kontemplation nach Evagrios Cent III, 84. Indessen sind sie nicht mehr formulierbar wie bislang.

Wie schon der Begriff „Wort-Ausbruch" *(thriuth mamla)* zeigt, eine Bildung analog dem geläufigen Tränen-Ausbruch, handelt es sich jedoch nicht bloß um Einsichten, sondern diese rufen eine Reaktion des Menschen hervor, einen „Ausbruch", und zwar einen Ausbruch im Wort, in der Rede. Sie finden also ein Echo auf der Ebene des Intellektes, jedoch nicht in Form von Konzepten[177]. Wie der Vergleich mit dem Pfingstwunder, da die Apostel mit Zungen von Feuer in neuen Sprachen die *magnalia Dei* priesen, lehrt, ruft das Wirken der Gnade einen unsagbaren, übermenschlichen und übernatürlichen Lobpreis Gottes hervor angesichts der Schau der Geheimnisse der Geschöpfe.

In diesem Sinne ist der Begriff *l'az* zu verstehen, den

Jausep absichtlich statt des zu erwartenden *leshana* (Zunge, Sprache) wählt[178]. Allgemein bezeichnet er damit immer den „Gesang" der Engel, den Klang ihrer Stimmen, die der Begnadete hört. Dieser „Gesang" ist unsagbar, nicht in menschliche Worte zu fassen und auch für den menschlichen Geist in seinem tiefsten Sinn nicht zu erfassen. Es ist dies die Sprache der Engel, von der Paulus spricht (1. Kor 13, 1). Die Schrift hat ihn in die Worte „Heilig, Heilig, Heilig" gefaßt (Is 6, 3). Im Gebet des Herrn kehren diese Worte als erste Bitte wieder: „Geheiligt werde dein Name"!

Auf der höchsten Stufe, der Geisthaftigkeit, ereignet sich also im Gebet unter Einwirkung des Heiligen Geistes ein Aufbrechen der Fähigkeit des menschlichen Geistes zum Wort. Das Überkleidetwerden mit der Gnade verleiht dem vor Erstaunen stumm gewordenen Geschöpf eine neue, feurige Zunge, mit der er nun in Gemeinschaft mit den Engeln Gott ob all der staunenswerten Geheimnisse verherrlichen kann, die in dieser Schöpfung verborgen sind. Dieses neue Reden schafft einen unsagbar vertrauten Umgang zwischen Schöpfer und Geschöpf[179]. Alle von dem Schöpfer dem Geschöpf überreich verliehenen Gaben der liebenden Einsicht und Erkenntnis versinken nicht in einem Abgrund des Schweigens, sondern werden zur Antwort, einer Antwort, die reiner Lobpreis ist. In diesem Wunder des neuen Redens und Preisens mit Feuerzungen ist die Schöpfung durch das WORT Gottes zu ihrer letzten Vollendung gelangt. Denn Wort und Antwort schwingen hier in vollkommener Einheit und Harmonie.

*

Daß wir Jausep in diesem Sinne richtig verstanden haben, lehrt *Bar Hebraeus,* der ganz offensichtlich unseren Autor benutzt hat, ohne ihn allerdings namentlich zu nennen[180]. In seinem *Ethicon* stellt der große Gelehrte in der Tat eine Liste von 12 Stadien auf, die der Vollkommene durchläuft[181]; der Text findet sich fast wörtlich in dem für Mönche bestimmten *Buch der Taube* wieder[182]. Tatsächlich handelt es sich hier um eine genaue Zusammenfassung des entsprechenden Teiles des „Briefes an einen Freund über die Wirkungen der Gnade“[183]. Bar Hebraeus hat die einzelnen Stadien nur durchnumeriert, wie wir in unserer Übersetzung auch.

Auf der zwölften Stufe lesen wir im „Ethicon:“

„Der zwölfte Zustand ist der des Wort-Ausbruchs,
und der Vorhersage der zukünftigen Dinge[184]
und der Deutung verborgener Dinge,
die in dem Erz-Buch, welches das Buch der
Erkenntnis Gottes ist, niedergechrieben sind,
und welche sich dem Intellekt durch ihr Lesen
hier offenbaren.“

Im „Buch der Taube“ heißt es folgendermassen:

„Der zwölfte (Zustand) ist der des Wort-Ausbruchs
und der Deutung verborgener Dinge
und die Erforschung zukünftiger Dinge,
welche in dem Erz-Buch, welches das
Buch der Erkenntnis Gottes ist,
geschrieben stehen.“

Vergleicht man damit den Brief Jauseps, dann ist zunächst deutlich, daß Bar Hebraeus nicht nur diesen allein benutzt haben kann; denn dort heißt es bloß lapidar:

„Nach diesem Zustand aber kommt es zu einem anderen Zustand, dem des Wort-Ausbruchs, der eine Wirkung des zweiten Sinnes (d. h. des Gehörs) ist[185]." Ob Bar Hebraeus allerdings die übrigen Details aus dem langen Brief hat, scheint fraglich zu sein. Möglich ist, daß Jausep, wie er es ja auch andeutet[186], über diese Dinge auch in seinen *Capita scientiae* gesprochen hat, näherhin vielleicht in den Kapiteln 28 und 29, wie deren Titel bereits andeutet: „Memra über die neue Welt und über die göttlichen Erscheinungen und Offenbarungen, die er mit dem Auge des Geistes sah" (Kapitel 28), und „Von demselben seligen Mar 'Abdisho' Ḥazzaya, welche die natürlichen Früchte des Geistes sind, und welche die übernatürlichen und welche die außernatürlichen" (Kapitel 29)[187].

Wie dem im einzelnen auch sei, auf der letzten und höchsten Stufe kommt es also bei Bar Hebraeus wie bei Jausep zu einem Wort-Ausbruch, bei dem der Mensch in alle Geheimnisse der Schöpfungen Gottes eindringt, der bestehenden wie der zukünftigen, und im Lobpreis Gottes darauf antwortet. Wenn Jausep in diesem Zusammenhang von einem Wirken des *zweiten Sinnes,* des Gehörs also redet[188], dann deshalb, weil er hier den Gesang der Engel vernimmt, dessen Inhalt ja eben der Lobpreis Gottes für die Herrlichkeiten seiner Schöpfungen bildet, und dann in ihn einstimmt[189]. So entsteht hier eine unsagbare Gemeinschaft zwischen Schöpfer und Geschöpf, fern jeder pantheistischen Vermengung, bei der der eine in vollkommener Liebe alles schauen läßt, was er je tat und tun wird, und der andere in liebender Bewunderung im Lobpreis darauf antwortet. Hier endlich sind Schauen, Erkennen und Lieben vollkommen eins geworden.

*

4. Zu den Übersetzungen und Anmerkungen

Jausep Ḥazzaya bedient sich eines technisch-asketischen Vokabulars, das ihm aus der Tradition zugeflossen ist. Diese Tradition hat die einzelnen Begriffe mit einen ganz spezifischen Sinn gefüllt, den es zu erfassen und wiederzugeben gilt. Weder das eine noch das andere ist ohne Probleme. Letzteres schon deshalb nicht, weil ein entsprechendes technisch-asketisches Vokabular im Deutschen weitgehend fehlt; jeder übersetzt, wie er es für gut befindet. Im Französischen z. B. hat sich seit geraumer Zeit ein solches Vokabular durchgesetzt, allerdings mit Hilfe großzügiger Übernahme von Fremdworten, wie z. B. acédie — ἀκηδία usw. Wir haben hier versucht, ein möglichst präzises Vokabular zu verwenden, auch wenn manche Begriffe zuerst etwas steif wirken mögen. Im Index findet sich zudem ein Verzeichnis wichtiger syrischer Fachausdrücke, samt deren Erklärung[190]. Die Erfassung des genauen Sinnes eines Begriffes im Syrischen, schon an sich einer an Synonymen sehr reichen Sprache, wird durch die Tatsache, daß das asketische Vokabular zum guten Teil auf *Evagrios* zurückgeht, jedenfalls bei Jausep und vielen seinen Zeitgenossen, nicht erleichtert. Denn etliche Werke des Evagrios sind mehr als einmal ins Syrische übersetzt worden[191], und das dabei jeweils gewählte asketische Vokabular ist durchaus nicht immer dasselbe. Je nachdem welche Übersetzung ein syrischer Autor dann zugrundelegte, konnte er so den Eindruck haben, Evagrios rede von verschiedenen Dingen, wo doch im Griechischen derselbe Begriff steht. Als Beispiel sei hier die Liste der *acht Hauptlaster* aufgeführt, wie sie in zwei von Jausep sehr oft benutzen Werken vorliegt, dem Praktikos und dem Antirrhetikos.

Praktikos[192] *gr.*	*Praktikos syr.*[193]	*Antirrethikos*[194]
1. γαστριμαργία (Gaumenlust)	la‘ butha (Gefräßigkeit)	rabuth karsa (Freßlust — gros ventre)
2. πορνεία (Unzucht)	zaniutha (Unzucht)	zaniutha (Unzucht)
3. φιλαργυρία (Geldgier)	reḥmath kespa (Geldgier)	reḥmath kespa (Geldgier)
4. λύπη (Traurigkeit)	‘aqtha (Kummer)	kariutha (Traurigkeit)
5. ὀργή (Zorn)	rugza (Zorn)	rugza (Zorn)
6. ἀκηδία (Widerwillen)	ma’inutha (Trägheit)	quta‘ re‘yana (Widerwillen)
7. κενοδοξία (eitler Ruhm)	shubḥa sriqa (eitler Ruhm)	shubḥa sriqa (eitler Ruhm)
8. ὑπερηφανία (Überheblichkeit)	ramutha (Hochmut)	shabhranutha (Überheblichkeit)

Die Unterschiede springen in die Augen und das Bild würde sich noch verkomplizieren, wenn wir z. B. ein anderes Werk des Evagrios, De octo spiritibus malitiae, hinzunähmen, das ja auch in der Ordnung der Hauptlaster angelegt ist. Diese Unterschiede in der Wiedergabe der griechischen Fachausdrücke finden ihren Niederschlag natürlich auch im Werke eines so auf Genauigkeit des Vokabulars bedachten Autors wie Jausep Ḥazzaya. So unterscheidet er stets, um nur diesen einen, wichtigsten Begriff herauszugreifen, zwischen *quta‘ re‘yana* und *ma’inutha.* Im „Buch der Fragen und Antworten" ist sogar eine eigene Frage dem Unterschied zwischen beiden Begriffen und dem *qutapha* (Mutlosigkeit) gewidmet[195]. Man sieht daran, daß es ganz falsch wäre, stets unterschiedslos mit „Widerwillen" zu übersetzen, nur weil Evagrios tatsächlich nur von der berühmten ἀκηδία redet. Wir haben in den Übersetzungen auf diese Nuancen, die ja in Wirklichkeit nur Nuancen des Griechischen widerspiegeln, nach Möglichkeit Rücksicht genommen. Im allgemeinen hält sich die Übersetzung so getreu wie möglich an das Syrische, auch wenn das Deutsch dabei gelegentlich etwas hölzen wirkt, so vor allem bei den Abstrakta („Seelenhaftigkeit"), die das Syrische wie das Deutsche mit Leichtigkeit und Vorliebe bildet.

*

Die Texte haben außer dem Titel, der aber meist ebenso wenig wie die gelegentlich vorkommende Subscriptio auf den Autor selbst zurückgeht[196], keine Unterteilungen. Die Untertitel und Paragraphen stammen also von uns, außer im Falle der Texte 2 und 3, wo wir die Paragrapheneinteilung der Ausgabe R. BEULAYS übernommen haben. Das Bedürfnis nach größerer Übersichtlichkeit macht sich übrigens bereits in der handschriftlichen Tradition bemerkbar. So finden sich z. B. in der kurzen Version des Briefes über die drei Stufen verstreute Untertitel[197]. Ähnliche Textunterteilungen finden sich auch in dem Brief über die Wirkungen der Gnade. (Text 2)

*

In den *Anmerkungen* zu den Texten wurde weitgehend darauf verzichtet, Sekundärliteratur anzuführen. Stattdessen werden zahlreiche, nur handschriftlich vorliegende Werke Jauseps und anderer Autoren angeführt, die dem

Leser meist unzugänglich sein dürften. Die Absicht war hier, die Aufmerksamkeit auf diese Quellen zu lenken und vor allem Jausep aus seinem eigenen geistigen Kontext zu erklären, seien es seine eigenen, noch unveröffentlichten Werke, seien es seine zitierten oder nichtzitierten Quellen. Die Erklärungen beschränken sich möglichst auf das unmittelbar Notwendige.

*

Ebenso wurde bei der Identifizierung der *Zitate* und sonstigen Verweise verfahren. Jausep gibt zumeist nicht an, wen er zitiert; ganz allgemein heißt es da, „unsere heiligen Väter sagen" o. ä. Soweit uns dies möglich war, und bei dem Stand der Dinge war dies oft nicht eben einfach, wurden alle direkten Zitate oder Verweise identifiziert. In einigen wenigen Fällen konnten wir die Quelle bislang nicht ausfindig machen; vielleicht hat ein einsichtiger Leser hier mehr Glück. Bei den Schriftzitaten ist zu beachten, daß Jausep natürlich die *Pshita* zitiert.

*

Zum Schluß gilt es noch all jenen zu danken, die uns bei der Zusammenstellung und Übersetzung der Texte behilflich gewesen sind. Besonderer Dank gebührt zunächst den Besitzern der Handschriften, die uns nicht nur großzügig mit Mikrofilmen versehen, sondern auch bereitwillig die Erlaubnis zur Veröffentlichung gegeben haben[198]:
The British Library (London). Besonders möchten wir hier auch Mr. Emanuel Silver (Assistent Keeper, Department of Oriental Manuscripts) danken, der die Mühe nicht gescheut

hat, mehrere Handschriften auf unseren Wunsch hin zu untersuchen.
Bibliotheca Apostolica Vaticana
Mingana Collection of Oriental Manuscripts in the Library of the Selly Oak Colleges in Birmingham. Herzlich sei hier der Bibliothekarin, Miss Frances H. B. Williams für ihre hilfsbereite Freundlichkeit allen Wünschen des Verfassers gegenüber gedankt.
Cambridge University Library
Staatsbibliothek Berlin
India Office Library (London)
Dr. J. Sanders (Amsterdam),
sowie Herrn Prof. A. Guillaumont und P. Robert Beulay für die freundliche Überlassung von in ihrem Besitz befindlichen Filmen. Besonderer Dank gebührt auch Dr. Sebastian Brock (Oxford), der für uns freundlicherweise einige auf dem Film unlesbare Stellen des „Briefes der drei Stufen" am Original der British Library überprüft hat, sowie Herrn P. Ignace Phillips (Chevetogne), ohne dessen unermüdliche Bereitwilligkeit, schwierige Textstellen zu diskutieren, dieses Werk wohl nicht das Tageslicht erblickt hätte. Nicht vergessen seien auch die vielen ungenannten Freunde, die uns großzügig mit Literatur und Photomaterial versehen haben, ohne die heute niemand mehr auskommt.

*

[1] Zur Geschichte der persischen Kirche allgemein vgl. die im Index 5 I.1 verzeichnete Literatur. — Zur Person und zum Werk Jausep Ḥazzayas vgl. die im folgenden nur mit dem Namen des Verfassers zitierten Abhandlungen: A. SCHER: Joseph Ḥazzaya, Écrivain syriaque du VIIIe siècle, in: Rivista degli Studi Orientali III (1910) 45—63 (erweiterte Fassung eines compte rendu gleichen Titels, erschienen in: Académie des Inscriptions et Belles Lettres, Comptes rendus des séances de l'année 1909, 1—8). A. GUILLAUMONT: Sources de la doctrine de Joseph Ḥazzaya, in: L'Orient Syrien 3 (1958) 3—24. E. J. SHERRY: The Life and Works of Joseph Ḥazzāyâ, in: The Seed of Wisdom. Essays in honour of T. J. Meek, London 1964, 78—91. R. BEULAY: Artikel 'Joseph Ḥazzāyā', in: Dictionnaire de Spiritualité VIII, col 1341—1349. Andere Arbeiten desselben Verfassers werden in den folgenden Anmerkungen zitiert.

[2] Er verfaßte sein Werk, das diesen kuriosen Namen übrigens nur im Katalog des 'Abdisho' von Ṣoba trägt, zwischen 849—850 oder eher 860—870, vgl. J. M. FIEY: Icho'dnah, Métropolite de Basra, et son œuvre, in: L'Orient Syrien 11 (1966) 431—540.

[3] Der syrische Text wurde ediert von J. B. CHABOT: Le Livre de la Chasteté, Mélanges d'Archéologie et d'Histoire 16 (1896) 225—291 (mit franz. Übersetzung), sowie von P. BEDJAN: Liber Superiorum, Paris 1901, 437—517 (unter dem Titel 'Historia fundatorum monasteriorum in regno Persarum et Arabum'). Daneben haben wir die Berliner HS or. quart 1168 (A. D. 1895) benutzt. Alle diese Ausgaben gehen auf eine einzige HS zurück, wie bereits BEDJAN bemerkte; die „Varianten" sind Abschreibefehler.

[4] Diese Identifizierung findet sich z. B. auch im „Buch in Fragen und Antworten" (s. u.), wo in den Unterschriften und Überleitungen des öfteren zwischen beiden Namen gewechselt wird.

[5] Wohl Nemrod am Tigris, südlich von Moussul, vgl. SHERRY 80.

[6] So BEULAY 1341. CHABOT a.a.O. 278 übersetzte: „et lui-même fut chef des Mages", ebenso SHERRY 78. Aus der Vita des Giwargis von Mar Babai dem Großen erfahren wir, daß der spätere Märtyrer im Alter von weniger als sieben Jahren die heiligen Opferhandlungen der Magier vollzog (Übersetzung BKV² 22 (1915) 223). Man wird die Frage also offenlassen müssen, was genau gemeint ist.

[7] Vgl. dazu ausführlich SHERRY 81 f. und BEULAY 1341. 'Umar-ibn-al-Kattab (634—644) kann nicht gemeint sein, sondern nur 'Umar II, d. h. 'Umar-ibn-'Abd- al- 'Aziz (717—720). FIEY (a.a.O. 442) hält wohl zu Recht die Worte „ibn-al-Kattab" für einen anachronistischen Zusatz eines Kopisten. Jausep wurde also etwa 710/13 geboren.

[8] Heute Balad Sindjar, westlich von Mossul, im Djebel Sindjar gelegen.

[9] Nach J. PAYNE-SMITH, A Compendious Syriac Dictionary, Oxford 1903, sind 1 Susa =1 Drachme = 1 Dirham = ca. 10 pence.
[10] Im Süden der heutigen Türkei gelegen.
[11] Im Gebiet von Qardu gelegen, vgl. J. M. FIEY: Assyrie Chrétienne, 3 Bde., Beyrouth 1965—1968, hier III, 143.
[12] Nestorianische Diözese, im Norden des heutigen Iraq gelegen. Zum Kloster des Abba Silva vgl. FIEY, Ass. Chr. II, 793—795.
[13] Vgl. SHERRY 82
[14] Stadt am Tigris, heute Eski-Mossul, nördlich von Mossul, vgl. FIEY, Ass. Chr. II, 558 ff.
[15] Wörtlich „er saß" (in seiner Zelle), der alte technische Ausdruck für die monastische *stabilitas loci* im eigentlichen Sinn, das Ausharren in seiner Zelle.
[16] Vgl. FIEY, Ass. Chr. II, 820
[17] Zwischen dem großen und dem kleinen Zab gelegen, vgl. FIEY, Ass. Chr. I, 128 f.
[18] Im selben Gebiet vgl. die Karte bei FIEY.
[19] Vgl. dazu ausführlich FIEY, Ass. Chr. I, 123 f. In der Diözese von Hadita (Ḥdatha) gelegenes Kloster.
[20] Der Grund für diese Namensänderung ist nicht recht ersichtlich, wird aber durch die Werke Jauseps bestätigt. Isho'dnaḥ scheint dieses und andere Details aus der Vita Jauseps aus der Feder des Bischof Nestorios von Beth Nuhadra genommen zu haben. Wie BEULAY 1344 zutreffend bemerkt, gibt die Wahl des einen oder anderen Namens leider keinen Hinweis auf die *Chronologie* der Werke Jauseps, da offensichtlich ältere Schriften den Namen 'Abdisho's tragen und jüngere den Jauseps. Wie gerade das „Buch in Fragen und Antworten" lehrt, hängt die Namenswahl in den HSS wohl zumeist von den Kopisten und Kompilatoren ab.
[21] Katholikos der Ostsyrischen Kirche 780—823; vgl. zu dieser vielschichtigen Persönlichkeit H. LABOURT, De Timotheo I, Nestorianorum Patriarcha, Paris 1903.
[22] D. h. der Haschemiten. Diese Synode fand indessen nicht 170 sondern 174 Hid. statt, d. h. 790, vgl. SHERRY 83; FIEY, Îchô'dnaḥ de Basra 449. Beulay 1347 behält als Datum 170 Hid. bei.
[23] Diese Biographie ist leider verloren. Von Nestorios von Beth Nuhadra liegt noch ein Brief „Über den Beginn des Sichregens der göttlichen Gnade" vor, enthalten in N. D. des Semences 237 (vgl. J. M. VOSTÉ: Recueil d'auteurs ascétiques néstoriens du VIIe et VIIIe siècle, in: Angelicum 6 (1929) 143—206, unter Nr. LIII). Diese HS wird weiter unten noch eingehender besprochen.
[24] Dieser Vorwurf ist vielleicht nicht so unberechtigt. Jausep selbst läßt an mehreren Stellen seiner Werke durchblicken, daß er mit der Eifersucht anderer zu rechnen habe und daher nicht mehr sagen könne, vgl. z. B. Text 1.125.

[25] Die Interpunktion der Ausgaben und HSS ist schwankend und je nachdem wie man interpunktiert, *regierte* Jausep lange als Abt oder *starb* als Abt. Die Frage ist insofern von Interesse, als sie ein Licht auf die Auswirkungen des Anathems werfen könnte.
[26] Vgl. FIEY, Ass. Chr. II, 795 f. und 816 ff.
[27] Vgl. z. B. seine vehemente Polemik gegen den Übersetzer der Werke des Dionysios Areopagita ins Syrische (wohl Sargis von Resh'aina), in seinem ,,Buch der Fragen und Antworten", Diarb 100, 144 ff. (zu dieser HS s. weiter unten).
[28] Vgl. zum folgenden J. VAN DER PLOEG, Oud-Syrisch Monniksleven, Leiden 1942, der alle bis dahin bekannten Quellen ausgewertet hat. Bisher nur die ältere Periode erfassend ist das groß angelegte Werk von A. VÖÖBUS, History of asceticism in the Syrian Orient. II Early monasticism in Mesopotamia and Syria, CSCO 197. Subs. 17 (1960). Manches interessante Material auch in dem Werk desselben Autors: Syriac and Arabic Documents Regarding Legislation Relative to Syrian Asceticism, Papers of the Estonian Theological Society in Exile 11 (Stockholm 1960).
[29] Vgl. Brief der drei Stufen § 53 u. ö. Jausep rechnet offenbar nie mit der Möglichkeit, daß die Klosteroberen einen Mönch daran hindern könnten, seiner natürlichen Berufung zum Leben in der Zelle zu folgen. Vgl. dagegen die bitteren Klagen des Dadisho' Qatraya über Äbte, die mehr an das Kloster, als an ihre Mönche denken, in seinem ,,Memra über die Abgeschiedenheit der sieben Wochen", übersetzt bei A. MINGANA, Early Christian Mystics (Woodbrooke Studies VII), Cambridge 1934, 76 ff., hier 112.
[30] Eine Ausnahme indessen haben wir finden können: den langen und sehr schönen Lobgesang auf die brüderliche Liebe unter Mönchen im ,,Buch der Fragen und Antworten", Diarb 100, 405 ff., der indessen auch kein koinobitisches, sondern ein halberemitisches Leben voraussetzt.
[31] Vgl. ASSEMANI, Bibliotheca Orientalis III, 1, 102—103, übersetzt bei SCHER 45 und SHERRY 88 f. Die alte Ausgabe von A. ECCHELLENSIS, Rom 1653, ist hier schrecklich fehlerhaft.
[32] So übersetzen die Neueren. ASSEMANI scheint eher an *Kontemplation* und *Praxis* gedacht zu haben. Der syr. Text scheint nicht ganz in Ordnung zu sein. — SCHER 53 erwähnt in seiner Analyse des verlorenen Codex Se'ert 78, der großen Sammlung von Werken Jausep Hazzayas, im Teil II unter Nr. 5° ein ,,traité sur la méditation". BEULAY 1342 vermutet sicher zu Recht, daß die beiden hier (Nr. 5 und 6) übersetzten Fragmente aus eben diesem Memra stammen.
[33] Das sogenannte ,,Buch in Fragen und Antworten", erhalten in der HS Diarbekir 100 (heute Bagdad), aus dem 16. Jh. Wir verdanken Herrn Prof. A. GUILLAUMONT eine Kopie seines Filmes. Der Titel des Werkes, den ihm 'Abdisho' hier beilegt, erklärt sich wohl aus dem *Widmungsbrief* des Schülers, dem die Sammlung von Fragen und Antworten in fünf Memre

zu verdanken ist. Jausep wird hier als „Schatzmeister der intellegiblen Dinge" betitelt (Diarb 100, 2). Aus diesem Brief geht deutlich hervor, daß Jausep das Werk als *Abt* des Klosters verfaßte, aber welches Klosters?

[34] Wohl sicher identisch, wie Titel und Inhalt zeigen, mit dem „Memra über die Gottheit" usw., erhalten in der Sammelhandschrift mystischer Autoren N. D. des Semences 237 (s. o. Anm. 23), auf den Jausep selbst in dem „Buch in Fragen und Antworten" verweist (Diarb 100, 45), und nicht, wie BEULAY 1342 meint, der 5. Memra dieses Buches, der allerdings das gleiche Thema behandelt. Jausep verweist auf ein selbständiges Werk und nicht auf einen Teil des „Buches in Fragen und Antworten".

[35] Vermutlich eine Erklärung der *Logoi* des Abba Isaias, im weltlichen Leben ein Kaufmann, die bei den Syrern sehr beliebt waren. Vgl. die Ausgabe von R. DRAGUET, Les cinq recensions de l'Ascéticon syriaque d'Abba Isaïe, CSCO 289, 293, 294 und die Übersetzung der Mönche von Solesmes „Abbé Isaïe, Recueil ascétique", Spiritualité Orientale 7 (Bellefontaine 1970). Dadisho' Quatraya widmete ihm ebenfalls einen Kommentar, ed. R. DRAGUET, Commentaire du Livre d'Abba Isaïe (logoi I—XIV) par Dadišo' Quatraya (VIIe s.), CSCO 326, 327, BAUMSTARK 223 vermutete seinerzeit in einem fragmentarisch vorliegenden Kommentar zu den *Logoi* des Abba Isaias eben dieses Werk Jauseps. Indessen handelt es sich um eine Kompilation des Kommentars Dadisho's, ed. R. DRAGUET, Commentaire anonyme du Livre d'Abba Isaïe (fragments), CSCO 336, 337.

[36] Leider verlorenes Pendant zu dem großen „Paradies der Väter" des 'Enanisho', einer Kompilation des 7. Jh. Johanan bar Kaldun, der Biograph des Jausep Busnaya, ein glühender Verehrer Jausep Ḥazzayas, zitiert es im 10. Jh., vgl. J.-B. CHABOT, La vie du moine Rabban Youssef Bousnaya, in: Revue de L'Orient Chrétien III (1898) 293.

[37] Wohl eine Erklärung der Vision des Thronwagens Gottes. Bisher keine Spur nachgewiesen.

[38] Offenbar nicht erhalten.

[39] D. h. eine Erklärung der ‚Kephalaia Gnostika' des Evagrios, ed. A. GUILLAUMONT, PO XXVIII, 1 (1977). Jausep verweist auf dieses Werk, von dem ebenfalls keine Spur nachgewiesen werden konnte, in seinem „Brief der drei Stufen" § 4. Davon zu unterscheiden sind die von 'Abdisho' nicht erwähnten ‚Capita scientiae' aus der Feder Jauseps selbst.

[40] D. h. des Dionysios Areopagita. Jausep spricht ausführlich über das Werk des Areopagiten in seinem „Buch der Fragen und Antworten" (Diarb 100, 139 ff.), erwähnt aber, entgegen seiner sonstigen Gewohnheit, nicht, daß er diesem Autor ein eigenes Werk gewidmet habe.

[41] Gemeinhin verweist man seit ASSEMANI, Bibliotheca Orientalis III, 1, 103 auf eine apokryphe Vision des Gregorios von Nazianz. Denkbar wäre aber auch eine Erklärung einer Schrift des Gregorios von Kypern; zu diesem vgl. I. HAUSHERR, Gregorii Monachi Cyprii, De Theoria Sancta,

OCA 110 (1937). ASSEMANI a.a.O. beruft sich auf eine arabische HS aus dem Jahr 1550 in der Bibliothek des Seminars der Maroniten in Rom, die diese apokryphe Vision des Gregorios von Nazianz enthalte. Derselbe Text liegt offenbar in mehreren *Garshuni*- HSS vor (Mingana 22 f. 97b—134a; 458, f. 1-25a; 460, f. 38a—45a; 529, f. 7—10; 543, f. 30a—68b). Diese Vision handelt von den Wonnen der Gerechten und den Qualen der Sünder in der Hölle. Nur in einer von diesen fünf HSS (der Nr. 460) wird der Verfasser „Gregorios" mit Gregorios von Nazianz identifiziert. Es kann sich also ebensogut um Gregorios von Kypern handeln. Dieselbe Unsicherheit besteht z. B. auch bei Gebeten, die unter dem Namen des Gregorios überliefert sind, so z. B. ein Diarb 361, wo auf f. 33b ein Gebet zur Terz erst durch eine Randnote dem Gregorios „Mönch von Kypros" zugeschrieben wird.

[42] Alle erhaltenen Briefe sind im folgenden übersetzt.

[43] Solche Dialoge, die sehr schön das für den Orient so typische Meister-Jünger-Verhältnis widerspiegeln, liegen etliche vor. Z. B. von Evagrios (vgl. J. MUYLDERMANS, Evagriana Syriaca, Bibliothèque du Muséon 31 (1952) 123 f.); von Johannes dem Einsiedler (übersetzt von I. HAUSHERR, Jean de Solitaire, Dialogue sur l'âme et les passions des hommes, OCA 120 (1939) nach der Ausgabe von DEDERING), und zahlreiche anonyme Werke in den asketischen Sammelhandschriften.

[44] Vgl. die sehr aufschlußreichen Überleitungen im „Buch der Fragen und Antworten", Diarb 100, 220 ff., 278 f., 333 f. Diese Unterhaltungen fanden für gewöhnlich abends statt, wie schon aus Johannes Cassianus erhellt.

[45] S. o. Anm. 34.

[46] Doch wendet sich der Autor auch hier immer wieder an „meine Brüder", ermahnt und ermuntert sie. Diese Capita sind keine trockene wissenschaftliche Abhandlung. Sie wollen ja auch Texte zur Meditation bieten, nicht Untersuchungen über ein Problem.

[47] S. u. Einleitung § 2.1.

[48] Entdeckt von R. BEULAY, Des Centuries de Joseph Ḥazzaya retrouvées? in: Parole de l'Orient 3 (1972) 5—44. Eine moderne Abschrift dieser HS liegt in Vat. Syr. 592 (A. D. 1918) 96v—138r vor (von Beulay nicht erwähnt).

[49] Vgl. die Inhaltsangabe bei SCHER 50 ff; s. auch BEULAY 1343 f. Im übrigen SHERRY 89 ff. Die dort unter Nr. 17 aufgeführte kleine Schrift „über die sieben Augen Gottes, die die ganze Welt sehen" (India Office Syr 9, f. 241b—242a), versehen mit einem langen Titel, voll überschwenglichen Lobes auf „unseren heiligen und unter allen ausgezeichneten Vater Mar 'Abdisho' Jausep Ḥazzaya" (sic), sieht eher wie die geraffte Inhaltsangabe einer viel größeren Schrift zu sein. Die in derselben HS enthaltenen „Auszüge" (SHERRY Nr. 11) aus dem „Buch der Fragen und Antworten"

sind ebenfalls in Wirklichkeit eine Raffung gewisser Teile dieses umfänglichen Werkes.

[50] Vgl. I. HAUSHERR, Direction Spirituelle en Orient autrefois. OCA 144 (1955).

[51] „Brief der drei Stufen" § 41 u. ö.

[52] ebd. § 46., 50, 54 u. ö.

[53] ebd. § 62, 63.

[54] Vgl. dazu ausführlich BEULAY 1347—1349, der die älteren Untersuchungen zusammenfaßt. Zum Messalianismus grundlegend I. HAUSHERR, L'erreure fondamentale et la logique du Messalianisme, in: OCP 1 (1935) 328—360.

[55] Vgl. „Brief der drei Stufen" § 78.

[56] Vgl. das überschwengliche Lob eines Evagrios, der ihn persönlich kannte, Antirrhetikos II, 36; V, 6; VI, 16; VII, 19 (ed. W. FRANKENBERG, Evagrius Ponticus, Abh. Königl. Ges. Wiss. Göttingen 1912 passim). Sogar Augustinus verlangte darnach, seine Fragen diesem Orakel vorlegen zu können, vgl. De cura de mortuis habenda 17.

[57] Vgl. BEULAY,, Précisions touchant l'identité et la biographie de Jean Saba de Dalyatha, in: Parole de l'Orient 8 (1977—78) 87—116, hier 89 f.

[58] S. u. Einleitung § 2.2.4.

[59] Datum der HSS Se'ert 78 und Diarb 100. Die HS des Kommentars der ‚Capita Scientiae' von Ephrem von Qirqesion stammt aus dem Jahre 1660 (vgl. BEULAY, Des centuries 6 Anm. 5). Vgl. auch noch Mingana 564, deren Vorlage N. D. des Semences 71 für das Jahr 1817 zeugt. Schließlich wäre noch auf die Auszüge und Zitate zu verweisen, die SHERRY 89 ff. sorgfältig erhoben hat. Moderne HSS sind weniger relevant, da sie meist auf Ersuchen eruopäischer Bibliotheken angefertigt wurden.

[60] S. u. Einleitung § 2.2.1.

[62] Vgl. die Beschreibung von W. WRIGHT, Catal. of the Syr. MSS in the BM, II (1871) 876 (DCCCXL). Die HS stammt aus dem 12./13. Jh. Der Text ist sorgfältig geschrieben und leicht lesbar.

[62] Verzeichnet bei OLINDER (s. u. Anm. 64). Eine Garshuni-Version, offenbar des langen Textes, liegt (von OLINDER unbemerkt und auch von GRAFFIN nicht erwähnt) in Mingana 401 (ca. A. D. 1550) f. 25a—119b vor. Wir haben sie nicht benutzen können.

[63] BAUMSTARK 142 Anm. 13.

[64] G. OLINDER, A Letter of Philoxenus of Mabbug sent to a friend. Acta Universitatis Gotoburgensis, Göteborgs Högskolas Årsskrift SVI (1950: 1), Göteborg 1950.

[65] F. GRAFFIN, La lettre de Philoxène de Mabboug à un supérieur de monastère sur la vie monastique, in: L'Orient Syrien 6 (1961) 317—352. 455—486; 7 (1962) 77—102.

[66] Gestorben 523 in Gangra im Exil. Vgl. dazu ausführlich A. DE HALLEUX, Philoxène de Mabbog, Löwen 1963.

[67] Als Werk des Philoxenos benutze sie auch noch A. GUILLAUMONT, Les ‚Kephalaia Gnostica' d'Évagre le Pontique, Patristica Sorbonensia 5 (1962) 211 ff.

[68] P. HARB, Faut-il restituer à Joseph Ḥazzāyā la lettre sur les trois degrés de la vie monastique attribuée à Philoxène de Mabbug? in: Melto 4 (1968) 13—36.

[69] BEULAY, Des Centuries ... in: Parole de l'Orient 3 (1972) 16 Anm. 27.

[70] S. dazu unten § 3.

[71] Vgl. Mingana 601 f. 260b und 266a

[72] Diarb 100 f. 189, 267, 268.

[73] Diarb 100 f. 45.

[74] Brief der drei Stufen § 3 und 4.

[75] BEULAY, Des Centuries ... passim.

[76] Man hat ja auch Philoxenos solche ‚Capita scientiae' zuschreiben wollen, wohl nur aufgrund unseres Briefes.

[77] S. die Liste im Anhang.

[78] BAUMSTARK 201—203.

[79] Vgl. TISSERANT, Dict. de Theol. Cath. XI (1930) 262

[80] S. u. Texte 6 § 16.

[81] Das Zitat stammt aus dem zweiten Memra, Sentenz 27. Jausep, der es in § 51 des „Briefes der drei Stufen" anführt, hat den Text leicht verkürzt. Hier die vollständige Version: „Das Tor, durch welches die eintreten, die wünschen, im Ungestüm des Eifers der Reinheit gewürdigt zu werden, ist die Hitze des Wirkens des Begehrens der Unzucht, ohne das Erleiden eines Kampfes, — wer es faßt, der fasse es (Mt 19, 12) — zusammen mit Myriaden von Versuchungen und Aufstiegen und Auszehrung und Folterung und Blutvergießen, die darin vorkommen."

[82] Das Werk lag uns in folgenden HSS vor: Vat Syr 562 (A. D. 1487) f. 161r—120v; Charfet, Fonds Rahmani 103 (A. D. 1891) 124v-164r; Berlin or.quart. 1159 (A. D. 1898) 316—425 (aus dem Besitz BEDJANS); Mingana 151 (A. D. 1906) 96 b—129 a (Abschrift einer alten HS aus Mar Matai). Auszüge auch in Mingana 86 (ca. 1300/1450) f. 1 ff. Die Sentenzen sind hier nicht numeriert, wie in der arabischen Übersetzung, vgl. G. GRAF, Geschichte der christl. arab. Lit. 1. Band 439 f. (Studi e Testi 118 (1944)). — Zu diesen Memre „aus dem Buch der Gnade" (so lautet der Titel genau) vgl. allgemein E. KHALIFÉ-HACHEM, Dict. de Spir. VII 2042, und A. Vööbus, Eine neue Schrift von Ishaq von Ninive in: Ostkirchliche Studien 21 (1971) 309—312.

[83] Vierter Memra, Sentenzen 50 und 51.

[84] Vgl. Isho'dnaḥ, Buch der Keuschheit § 124.

[85] Vgl. seine gefälschte Biographie, übersetzt bei G. BICKKELL, Ausgewählte Schriften der syrischen Kirchenväter, Aphraates, Rabulas und Isaak v. Ninive, (BKV) Kempten 1874, 265 f. Dazu GRAF, a.a.O. 439; vgl. auch KHALIFÉ-HACHEM a.a.O. 2052.

[86] Vgl. die Liste bei BAUMSTARK 142.
[87] Vgl. auch die Beobachtungen von HARB 34—36. Der Autor vermutet, ohne Belege anzuführen, daß unser Brief vielleicht schon im 9. Jh. von den Jakobiten anektiert wurde. Daß HARB damit wohl recht gesehen hat, lehrt der „fünfte Brief" Jauseps (s. u. § 2.1) der bereits selbständig, ohne Verfasserangabe, in einer HS des 9. Jh. erscheint (s. u. Anm. 90).
[88] S. o. § 1.2
[89] N. D des Semences 237 und deren Abschriften Vat Syr 509 f. 61a—64a und Mingana 601 f. 85a—90a, dazu die englische Übersetzung von A. MINGANA, Woodbrooke Studies VII (1934) 178—184. Zu dem nestorianischen Sammeldband vgl. J.-M. VOSTÉ, Recueil d'auteurs ascétiques nestoriens du VIIe et VIIIe siècle, in: Angelicum 6 (1929) 143—206.
[90] Zur nestorianischen Tradition dieser beiden Briefe vgl. die HS N. D. des Semences 237 und deren Abschriften Vat Syr 509, f. 102b—104a und 115b—119a, Mingana 601, f. 141a—143b und 158a—162b. Englische Übersetzung des zweiten Briefes: MINGANA, Woodbrooke Studies VII (1934) 169—175. Eine weitere Kopie des ersten Briefes liegt vor (von BEULAY offenbart unbemerkt, aus dem Katalog auch nicht zu erheben) in Mingana 47 (A. D. 1921) f. 248b—249b. Die nicht angegebene Quelle dürfte auch hier N. D. des Semences 237 sein. Zur jakobitischen Tradition (unter dem Namen des Johannes von Dalyatha) s. die kritische Ausgabe von R. BEULAY, La collection des lettres de Jean de Dalyatha, PO Tome XXXIX, Fasc. 3, N° 180 (1978). mit franz. Übersetzung.
[91] Erhalten in BM Add 12.167 (A. D. 876), f. 289a—293b (mit Verlust einer oder mehrerer Seiten); Add 14.729 (A. D. 1172/3), f. 106a—113b; Add 17.163 (9. Jh), f. 49—53 (Fragment); Berlin, Sachau 352 (13. Jh), f. 106a—110a (Textverlust durch Wassereinwirkung); Cambridge Add 2019 (A. D. 1452), f. 97b—103b, herausgegeben, zusammen mit der arabischen Version der Pariser HS BN syr 239 und einer französischen Übersetzung, von E. KHALIFÉ-HACHEM, Deux textes du Pseudo-Nil identifiés, in: Melto 5 (1969) 17—59. Der Herausgeber verweist auch noch auf Harward 36 (Semitic Museum 3974) f. 295 a (A. D. 1797). Die von KHALIFÉ-HACHEM benutzte HS ist leider von sehr geringer Qualität und weist zahlreiche Abschreibfehler auf, die nicht nur seine Übersetzung beeinträchtigt haben, sondern auch seine Bemerkungen zu dem sekundären Charakter der Zusätze.
[92] Der Titel lautet in Sachau 352: „Brief, der von einem Eremiten an einen Eremiten gesandt ward, der ihn gebeten hatte ihm zu zeigen, welcher der Weg ist, der einen voranschreiten läßt und zu Gott bringt, *und über das Ziel des Gebetes.*" In § 6 fügt die lange Version am Ende hinzu: „und es gibt nichts stärkeres als das Gebet". In § 26 werden die Regeln des Gebetes noch weiter präzisiert, s. dort.
[92a] Daß diese Kompilation in jakobitischen und nicht in nestorianischen Kreisen entstanden ist, erhellt wohl aus der Tatsache, daß bereits in der

ältesten HS in § 15 sorgfältig der Hinweis auf den „heiligen und großen Mar (Theodor von Mopsuestia, den) Exegeten" ausgemerzt wurde.

[93] Vgl. oben Anm. 89; zugänglich waren uns nur die Abschriften Vat Syr 509 und Mingana 601. Vgl. im einzelnen die Anmerkungen zu den Texten selbst. Das Fragment „über die geistliche Kontemplation" (Texte Nr. 5) erscheint auch, mit etwas verkürtzem Titel, in der HS Mingana 47, f. 249b—251a.

[94] Diese Überschriften verdienen nicht immer Vertrauen, da die Kopisten hier eine ziemlich große Freiheit hatten. So ist z. B. der lange Titel des in der Sammelhandschrift enthaltenen Auszugs aus dem „Buch der Fragen und Antworten" (vgl. im einzelnen zu Texte Nr. 10) in Wirklichkeit ein Teil des vorhergehenden Textes in stark geraffter Form. Vgl. auch die vorhergehende Anm. (zu Mingana 47).

[95] SCHER 53. S. o. § 1.2. Es wäre dies dann das erste der von 'Abdisho' genannten Werke. Dies ist auch die Meinung BEULAYS 1342 f.

[96] R. BEULAY, Des Centuries de Joseph Hazzaya retrouvées? in: Parole de l'Orient 3 (1972) 5—44. Vgl. auch DERS. L'enseignement spirituel de Jean de Dalyatha, Paris 1974, 13 ff. (Thèse du 3ème cycle déposée à l'École Pratique des Hautes Études (5ème section)).

[97] In den Anmerkungen zu Text 9 ist darauf verwiesen; vgl. auch die Gebete Jauseps (Text 11).

[98] R. BEULAY, dem wir die Einsicht in diese von ihm entdeckte HS verdanken, beabsichtigt, sie herauszugeben.

[99] Ephrem kommentierte nicht *alle* Sentenzen, sondern nur die „schwierigen". Ob die HS den *ganzen* Kommentar enthält, ist nicht sicher. Zum ersten Memra lautet die Rubrik: „*aus* dem ersten Memra".

[100] Vgl. dazu die Anmerkungen zu Text 9, wo auch die anderen HSS besprochen werden.

[101] Die Rubrik deutet vielleicht an, daß diese ersten 40 Sentenzen auch nicht aus einem Guß sind. Das wäre nicht verwunderlich, einmal bildet Nr. 52 ja einen echten Abschluß, zum anderen erhält man, wenn man von Nr. 53 an zehn Sentenzen aufsteigt auch keinen echten Anfang.

[102] BEULAY, Centuries 41.

[103] Zu den benutzten HSS s. u. die Vorbemerkung zu Text 9.

[104] S. o. Text 1, 4.

[105] SCHER 53.

[106] BEULAY, Centuries 42.

[107] Zu dieser Arkandisziplin vgl. Evagrios, Prolog zum Praktikos § 9 (ed. GUILLAUMONT 492 f.) Vgl. auch Evagrios, Gnostikos 139 (FRANKENBERG 550), den Jausep wörtlich in seinem großen Memra über die Gottheit zitiert (Mingana 601, f. 266 b). Vgl. auch Isaak von Ninive, in dem Zitat von Ibn As-Salt, Traités religieux, philosophiques et moraux, extraits des oeuvres d'Isaac de Ninive (VIIe siècle) par Ibn As-Salt (IXe siècle), ed. P. SBATH, Kairo 1934, 73.

[108] Diarb 100 (16. Jh). Verloren ist Se'ert 79 (A. D. 1532). BEULAY konnte allerdings Diarb 100 in Bagdad, wo die HS sich befinden müßte, 1972 bereits nicht mehr auffinden, vgl. Centuries 15 Anm. 23.

[109] Auszüge, abgesehen von den bei BAUMSTARK verzeichneten im Orient, die unzugänglich sind, liegen vor in Borgianus Syr. 88 und India Office, Syr. 9. Bei beiden HSS handelt es sich eher um eine starke Raffung bestimmter Partien, die für die ursprüngliche Textgestalt von sehr geringem Wert ist. Dieselbe Textgestalt scheint in Mingana 604 (A. D. 1933), f. 82b—100a vorzuliegen; die Titel sind identisch. Die von SHERRY übersehene HS (MINGANA selbst erkannte nicht, daß es sich um ein Werk Jauseps handelt) gibt sich selbst als Kompilation vieler HSS aus. Wir haben sie nicht eingesehen.

[110] Jene geheimnisvolle Gestalt aus 2 Thes 2,3 ff., von der Jausep ausführlich im Memra über die Gottheit handelt (Mingana 601, f. 286b ff.). Christus wird ihn bei seiner Parusie mit dem Hauch seines Mundes vernichten, d. h. er wird buchstäblich zu dem Nichts, aus dem er geschaffen wurde.

[111] Eine energische Gegenstimme wird in Job von Edessa laut, vgl. A. MINGANA, The Book of Treasures, Cambridge 1935, 290 ff.

[112] Vgl. E. A. WALLIS BUDGE, The Book of the Bee, Oxford 1886, 139 ff. der Übersetzung.

[113] Zu Isaak vgl. z. B. sein Kap. XXVI (BEDJAN 189 ff.), das bezeichnenderweise in der griechischen Übersetzung fehlt!

[114] BUDGE a.a.O. 140.

[115] Vgl. Evagrios, Cent I, 40 (mit zahlreichen Verweisen in der Anmerkung), vgl. auch den Kommentar von Babai (FRANKENBERG 84). In extremer Form findet sich dieser Origenismus bei dem als Häretiker verurteilten syrischen Mystiker Stephan Bar Sudaili, (vgl. F. S. MARSH, The Book of the Holy Hierotheos, London-Oxford 1927), den der Monophysit Philoxenos vehement bekämpfte, und dem Jahrhunderte später durch den Monophysiten Bar Hebraeus die Ehre eines Kommentars zuteil wurde.

[116] Evagrios, Gnostikos 139 (FRANKENBERG 550).

[117] Vgl. Anm. 106.

[118] Zu Jausep vgl. BEULAY 1347 ff.

[119] Jausep redet an zahlreichen Stellen seiner Werke davon, vor allem in dem unter Text Nr. 6 übersetzten Fragment. Zu Isaak von Ninive vgl. besonders I. HAUSHERR, Par delà l'oraison pure. OCA 176 (1966) 8—12, und die Richtigstellung dazu von E. KHALIFÉ-HACHEM, La prière pure et la prière sprirituelle selon Isaac de Ninive, Memorial G. Khouri-Sarkis, Löwen 1969, 157—173.

[120] Vgl. dazu I. HAUSHERR, Noms du Christ et voies d'oraison, OCA 157 (1960).

[121] SCHER 53.

[122] Zu der Katastrophe der ostsyrischen Kirche im 1. Weltkrieg vgl. J. NAAYEM, Shall this Nation die? New York 1920, mit zahlreichen Photos der Opfer.

[123] Mingana 564 (A. D. 1931) f. 178b—181b (Abschrift von N. D. des Semences 71 (A. .D. 1817)). In einer handschriftlichen Notiz von A. SCHER, erhalten am Ende einer Abschrift von Teilen der HSS Se'ert 38 und 57, die der Erzbischof A. RÜCKER zusandte (heute in Maria Laach), ist zu lesen: ,,Voici vos desiderata. J'y ai ajouté encore le calendrier nestorien avec la prière de Joseph Hazzaya touchant l'Eucharistie ...". Wahrscheinlich handelt es sich um dasselbe Gebet. Über den Verbleib dieser Abschrift haben wir leider nichts in Erfahrung bringen können.

[124] Vgl. Diarb 100, 416 ff. (über den Empfang der Hll. Geheimnisse).

[125] S. vorhergehende Anm. Zur Taufe s. u. Text 10, 19 ff.

[126] S. u. § 2.2.3 a)

[127] Die Einsicht in diese HS Diarbekir 361 (A. D. 1800), geschrieben in Deir Zafaran, verdanken wir der Liebenswürdigkeit von Herrn Dr. J. SANDERS (Heemstede), der ihr selbst einen Artikel gewidmet hat: Un manuel de prières populaire de l'Église Syrienne, in: Le Muséon 90 (1977) 81—102; dort auch einige Illustrationen. Solche Gebetbücher sind nicht selten. SANDERS erwähnt zwei aus dem Orient. In London finden sich einige (Add. 14.723 und 17.221), mehrere in Birmingham (Mingana 176. 185. 284. 331. 348. 438). Desgleichen in Berlin, Paris etc. Es scheint ein bestimmter gemeinsamer Grundstock zu bestehen, dem nach Belieben andere Gebete beigefügt werden. Diarb 361 zeichnet sich durch eine ungewöhnliche hohe Zahl an Gebeten aus, mehr als 90, von denen viele anderweitig nicht belegt sind.

[128] Zum Verhältnis der beiden Versionen des fünften Briefes zueinander s. o. § 2.2.1

[129] Diarb 361, f. 141b—142b, s.u. Texte 11, drittes Gebet.

[130] Zugrunde gelegt wurde der kritische Text der Dissertation von B. E. COLLESS, The Mysticism of John Saba, Melbourne 1969, 14 (145—146 der englischen Übersetzung). I. HAUSHERR, der des Gebet sehr schätzte, hat es ins Französische übersetzt, vgl. ‚Penthos', OCA 132 (1944) 149 f. und ‚Noms du Christ', OCA 157 (1960) 117. Eine Wiedergabe der griechischen und lateinischen Version bietet B. SCHULTZE 340 f. (s. folgende Anm.). Eine ähnliche Kreuzesmeditation findet sich unter den Schriften Isaaks von Ninive (BEDJAN, Appendix 588). HAUSHERR, ‚Noms du Christ' 215 hält sie eher für ein Werk des Johannes von Dalyatha, doch ist nicht einzusehen, warum Isaak von Ninive, der dem Geheimnis des Hl. Kreuzes so bewegende Seiten gewidmet hat, nicht ähnliches hat schreiben können. Lange Kreuzesmeditationen im Stile Johannes' von Dalyatha, die bei allen Details der Kreuzigung verweilen, finden sich schließlich auch als Schlußgebete zu Sext und Non in der mehrfach zitierten HS Diarbekir 361.

[131] Vgl. B. SCHULTZE, Untersuchungen über das Jesus-Gebet, in: OCP 18 (1952) 339—343 und J. MUNITIZ, A Greek 'Anima Christi' Prayer, in: Eastern Churches Review 6 (1974) 170—180. Zu untersuchen wäre einmal, ob etwa Johannes vom Kreuz die Werke des Isaak von Ninive gekannt hat.

[132] Zur Bedeutung dieser Begriffe vgl. Index 4.

[133] Vgl. dazu den guten Artikel von A. GUILLAUMONT, Sources de la doctrine de Joseph Ḥazzâyâ, in: L'Orient Syrien 3 (1958) 3—24, der aber unseren Brief noch nicht verwendet.

134 Vgl. die Driteilung der Menschheit in Fleischliche (1 Kor 3,3), Psychische (1 Kor 2,14) und Geistliche (1 Kor 2,13.15 u.ö.).

[135] Vgl. dazu ausführlich R. BEULAY, L'enseignement spirituel de Jean de Dalyatha 170—197, der auch einen Vergleich zwischen Johannes von Apameia und seinen geistigen Erben (Shemon von Taibuthe, Dadisho' Qatraya, Isaak von Ninive und Jausep Ḥazzaya) durchführt. Dort auch alle bis dahin (1974) erschienene Literatur.

[136] Mingana Syr 601, f. 275 ff.

[137] Diarb ff., f. 228 ff. Auf den foll. 285 ff entwickelt Jausep ebenfalls dieses Schema, jedoch unter dem besonderen Gesichtspunkt der Kontemplation der Körperlichen. Die dritte Stufe bleibt hier außer Betracht.

[138] Vgl. Diarb 100, f. 56 f. (die Seelen verlassen den Leib in dem Zustand ihrer natürlichen, geschöpflichen Reinheit und bleiben so bis zum Gericht); f. 79 (denn die Sünde vermag die Natur nicht zu verderben, sie bleibt stets etwas Fremdes).

[139] Vgl. Evagrios, Gnostikos 146 (FRANKENBERG 552).

[140] Diese sehr optimistische Einstellung begegnet uns auch Gen 4,6: Kain hätte durchaus die Möglichkeit gehabt, der Versuchung zum Mord an seinem Bruder Abel zu widerstehen. Zu einem gewissen „Pelagianismus" der ostsyrischen Theologie vgl. TISSERANT — Amann 302 ff.

[141] Brief der drei Stufen" § 115.

[142] ebd. § 153 f.

[143] Im „Buch der Fragen und Antworten" sind der dritte und Teile des vierten Memra diesen Fragen gewidmet.

[144] „Brief der drei Stufen" § 22. Jausep scheint hier auf eine frühere Schrift zu verweisen, vielleicht die ‚Capita scientiae'.

[145] Das paulinische ἀρραβών — *rahbona* kommt viele Male in seinem Munde vor und charakterisiert sehr schön den *eschatologischen Zug* dieser Mystik.

[146] In geraffter Form erscheint dieses Schema ‚Auszug — gelobtes Land' auch im „Buch der Fragen und Antworten" (Diarb 100, f. 322 f.) im Zusammenhang mit der zweiten natürlichen Kontemplation, die bei Jausep wie eine Leiter zu den höhreren Kontemplationen führt. Jausep adaptiert also sein Schema jeweils dem darzustellenden Gegenstand.

[147] Jausep polemisiert auch gegen die, die etwa das Tun in der *Welt* mit

der Stufe der Leibhaftigkeit gleichsetzen wollen („Brief der drei Stufen" § 22).

[148] S. o. § 1.2. Jausep zitiert diese Sentenz Diarb 100. p. 116 f. teilweise (s. u. Text 10, 116 f.)

[149] Der syrische Text (mit französischer Übersetzung) wurde ediert von A. GUILLAUMONT, Les six Centuries des „Kephalaia Gnostica" d'Évagre le Pontique, PO XXVIII, Fasc. 1, Nr. 134. Wir benutzen stets die *version commune* S_1, die Jausep für die authentische hält. Zum Problem dieser beiden Versionen vgl. A. GUILLAUMONT, Les ‚Kephalaia Gnostica' d'Évagre le Pontique et l'histoire de l'Origénisme chez les Grecs et les Syriens, Patristica Sorbonensia 5 (1962) 200 ff.

[150] D. h. der Praxis der Gebote; gemeint ist damit das ganze Feld der Askese.

[151] In ähnlich summarischer Form faßt Jausep dieses Schema z. B. Diarb 100, f. 212 f. zusammen.

[152] Vgl. z. B. Cent V, 88 (Ägypten der Bosheit); MUYLDERMANS, Evagr. Syr. 170 B (Durchzug durchs Meer, Überschreiten des Jordan, Erben der Palmenstadt, d. h. Jericho), vgl. Antirrhetikos-Vorwort (FRANKENBERG 492); Cent V, 6.88 (Zion).

[153] GUILLAUMONT PO XXVIII S. 28.

[154] Z. B. sehr häufig in den Centurien.

[155] Die Pshita liest genau: ... und wie die Farbe des Himmels in (seiner) Reinheit." Von der *Farbe* des Himmels oder auch des Feuers redet Jausep daher des öfteren.

[156] S. u. Anm. 163.

[157] Vgl. auch Diarb 100, f. 177 f. Zu der Schau seiner selbst vgl. Evagrios, Cent. Suppl. 2 (FRANKENBERG 424) und vor allem Gnostikos 147 (FRANKENBERG 552), wo diese Lehre auf Basileios den Großen, den Lehrer des Evagrios, zurückgeführt wird!

[158] Jausep identifiziert Cent I, 85 den *Saphir* mit dem *Kristall* und spricht dann auch allgemein von den „Wolken von kristallenem Licht" (Text 6, 12), ein Ausdruck, der, soweit wir sehen konnten, nicht von Evagrios stammt, der nur von dem Saphir oder der Farbe des Himmels redet. Welche Vorstellungen hier im Hintergrund stehen, lehrt die syrische Schatzhöhle (Übersetzung von W. BUDGE 52): Der Leib des ersten Adam glich dem Funkeln des *Kristalls*, heißt es dort. Jausep verbindet also offenbar die altsyrische Vorstellung von der Schönheit des ersten Adam mit der ihm von Evagrios zugeflossenen Lehre vom Ort Gottes. — Vgl. auch noch Diarb 100, 171 ff, wo Jausep ausführt, daß der Fall der Dämonen deren Sicht, d. h. ihre Erkenntnis, geblendet habe. Darum sehen sie nun weder die Engel noch die Seelen der Menschen. Ähnlich ist es dem gefallenen Menschen ergangen. Einmal zum Urstand der Reinheit zurückgekehrt, sieht er auch wieder sich selbst, die anderen Seelen und die Engel. „Sehen" ist hier immer gleichbedeutend mit „Erkennen".

[159] „Brief der drei Stufen“ § 148 ff.
[160] Eine genaue Analyse dieser Kontemplation, dargestellt als eine Stufenleiter, gibt Jausep Diarb 100, f. 285 ff., vgl. 321 f. Jausep bezeichnet sie 317 ff. als „Brot der Engel“ (Ps 78,25), von dem der Intellekt dann zur Gabe des „Brotes des Lebens“ (Christus) voranschreitet.
[161] Die Unterscheidung zwischen Einsicht und Schau wird am vorgenannten Ort herausgearbeitet.
[162] Vgl. Evagrios, Cent. Suppl. 6 (FRANKENBERG 428).
[163] Es lohnt sich, hier einmal die Ausführungen des Evagrios zur symbolischen Bedeutung des *Zion* im Zusammenhang zu betrachten. Wichtiges Material liefert dazu auch der Psalmenkommentar des Evagrios, den Jausep aber nicht kannte, vgl. M.-J. RONDEAU, Le commentaire sur les Psaumes d'Évagre le Pontique, OCP 26 (1960) 307—348. Allgemein heißt es zunächst, *Jerusalem* symbolisiere das reine Herz, in dem bekanntlich Gott geschaut wird (zu Ps 134,21); die *Mauern* Jerusalem bedeuten dabei die Apatheia (zu Ps 50,20). Näherhin bedeutet dann der *Zion* die erste Kontemplation, d. h. die der Heiligen Dreifaltigkeit (Cent V, 88, vgl. VI, 49 und zu Ps 86,2). Genauer heißt es dann in symbolischer Ausdeutung von Ps 75,3 (Cent. Suppl. 28 FRANKENBERG 452): „Von dem heiligen David lernen wir deutlich, welcher der *Ort Gottes* ist. Er sagt nämlich: „In Salem wird sein Zelt sein und seine Wohnung in Zion“ (Ps 75,3). Der Ort Gottes ist also die vernünftige Seele, seine Wohnung aber der mit Licht bekleidete Intellekt, der auf die Verlockungen der Welt verzichtet hat und deutlich unterwiesen war, um die Sinngehalte (λόγοι) alles dessen, was auf Erden ist, zu erforschen“. Schließlich heißt es zu Ps 13,7, Zion symbolisiere den *Vater*, aus dem der *Erlöser* komme (vgl. auch zu Ps 52,7). Damit ist das ganze Spektrum dieser eigentümlichen symbolischen Schau umrissen. Die vernünftige Seele ist der natürliche, d. h. von Gott eben dazu geschaffene, Ort der Schau der Heiligen Dreifaltigkeit; sie ist das mystische Jerusalem, in dem sich der Zion befindet, der Intellekt, in dem Gott eigentlich wohnt. Daß der Begriff der *Heiligen Dreifaltigkeit* nie seines Sinnes entleert wird, wie man gelegentlich behauptet hat, lehrt der Kommentar zu Ps 13,7 ebenso deutlich wie Cent. Suppl. 53! Der *Vater*, nicht einfach die Gottheit, bleibt stets das letzte Ziel.
[164] Vgl. Evagrios, Cent. Suppl. 21 (FRANKENBERG 440). „sonder Form“, weil gänzlich immateriell. Alles materielle ist zusammengesetzt (aus den vier Elementen), und hat daher Bild und Form und Zahl. Gott aber ist gänzlich einfaltig und daher bildlos.
[165] Evagrios, Cent. Suppl. 53 (FRANKENBERG 464); vgl. Diarb 100, f. 111 f.
[166] Vgl. ausdrücklich Text 9, 14!
[167] So „Brief der drei Stufen“ § 167.
[168] Diesen Text zitiert auch BEULAY, Centuries 10 f.
[169] „Buch der Fragen und Antworten“, Diarb 100, f. 106 f.

[170] ebd. f. 111.
[171] So im ,,Brief der drei Stufen" §§ 117, 118, 134, 143; im Brief an einen Freund § 17 (s. Texte 3); im ,,Buch der Fragen und Antworten", Diarb 100, f. 28 (s. Texte 10); sowie in den Centurien II, 36 und III, 6. u. ö.
[172] § 117.
[173] § 118.
[174] § 134.
[175] § 117.
[176] Vgl. Diarb 100, f. 184.
[177] § 118.
[178] § 134.
[179] § 141.
[180] Die Texte finden sich bei P. BEDJAN, Liber Ethicon seu Moralia, Paris 1898, 502 sowie 575. Eine englische Übersetzung bietet A. J. WENSINCK, Bar Hebraeus's Book of the Dove, Leiden 1919, 57 f und 113.
[181] Ethicon IV, 15.14 (BEDJAN 502).
[182] Buch der Taube IX (BEDJAN 575).
[183] S. u. Texte 3.
[184] Ebenso Diarb 100, f. 296!
[185] S. u. Text 3.17.
[186] Brief der drei Stufen § 3 f.
[187] SCHER 52.
[188] Zur traditionellen Liste der *fünf Sinne des Intellektes* vgl. Evagrios, Cent II, 35.
[189] *Was* der Intellekt auf der Stufe der Geisthaftigkeit *hört,* das sind die Offenbarungen des Geistes (Diarb 100, f. 442 f.). Das *Hören* steht daher noch höher als das *Sehen* (Diarb 100, f. 330), weil es gleichbedeutend ist mit *Verstehen*. In der Schau werden alle Seligen gleich sein, selbst die Verworfenen werden den Erlöser sehen! (Diarb 100, 89 ff.), ihr Vertehen aber wird ihrem Wandel entsprechend sein. Was die tiefste Vertrautheit schaft, ist also ganz johanneisch das *Erkennen Gottes*. Mit ,,Intellektualismus" hat das nichts tun tun, ebensowenig wie bei dem oft mißdeuteten Evagrios.
[190] S. u. Index 4.
[191] Vgl. dazu ausführlich C. GUILLAUMONT, Praktikos 319 ff., die alles Wesentliche zusammenträgt.
[192] Nach der Ausgabe von GUILLAUMONT.
[193] Nach der HS Mingana Syr 68.
[194] Nach der Ausgabe von FRANKENBERG.
[195] Diarb 100, f. 203 ff. Auf diese Analyse stützt sich unsere Übersetzung der Begriffe. GUILLAUMONT (Praktikos 86) z. B. gibt *quta' re'yana* mit ,,brisement" wieder, und *ma'inutha* mit ,,ennui" Im Sinne *Jauseps* schien uns zutreffender, dem ersten Begriff seine technische Bedeutung ,,Widerwillen" *(taedium vitae)* zu belassen, und den zweiten mit ,,Trägheit"

wiederzugeben, da ihn Jausep säuberlich von der Mutlosigkeit *(qutapha)* absetzt.

[196] Das ersieht man nicht nur aus dem 5. Brief (s. o.), sondern auch aus den verschiedenen Überschriften, die die anderen Briefe (Texte 2 und 3) in der Sammlung der Briefe des Johannes von Dalyatha bzw. in dem Sammelband N. D. des Semences 237 tragen.

[197] Vgl. die Ausgabe von OLINDER.

[198] Eine genaue Liste aller benutzten Handschriften findet sich im Literaturverzeichnis.

5. Texte

5.1 Ferner ein Brief des Philoxenos, den er an einen seiner Schüler schrieb, über das Verlassen der Welt und über das Tun im Koinobion und über die Abgeschiedenheit und über das Verweilen in der Zelle[1]

(76 v)

Einleitung

5.1.1 *Das Bild vom Kaufmann und der Königsperle*

Es ist Brauch bei den klugen Kaufleuten, oh unser geistlicher Bruder, jenen, die ausgezeichnet sind in der Kunst des Handels, daß sie, wenn ihr Handel sich stark vervielfältigt hat, weil sie wollen, daß die schwere Last der Unsicherheiten des Handels nicht auf sie falle und von daher ihr Geist durch die Kalkulation der Berechnung zerstreut werde und ein Schaden an dem Knoten ihrer Börse entstehe, (daß sie dann) die große Last der mittelmäßigen Geschäfte des Handels aufgeben und auswählen, was das Feinste daran ist, was (zwar) klein ist hinsichtlich seines Umfanges, aber groß hinsichtlich seiner Gewinne. Wie jene Perle, die man „Schahmarvarid"[2] nennt, die (zwar) hinsichtlich ihres Formates im Vergleich zu dem Reichtum der Kaufleute klein ist, deren Gewinn aber um ein Vielfaches größer ist. Wie auch unser Lebensspender Christus sagte: „Das Reich des Himmels gleicht einem Kaufmann, der viele Perlen suchte. Und als er eine Perle von großem Wert fand, ging er hin und verkaufte alles, was er besaß und kaufte sie". (Mt 13, 45).

5.1.2 *Anwendung des Bildes auf den Bittsteller*

(77 r) So habe auch ich, oh geliebter Freund meiner Seele, da ich (überallhin[3]?) schaute, das erblickt, worauf die Absicht deines Sinnes hinzielte. Und dieweil sich der Reichtum deines Handels um ein Vielfaches vermehrt hat, hast du, wie ein kluger Kaufmann, von mir eine Sache erbeten, die (zwar) klein ist, was ihren Umfang betrifft, aber deren Gewinn groß ist.

Du hast in der Tat gesagt: „Schreibe mir mittels eines Briefes in kurzer Form über folgende Gegenstände, das heißt über die Abgeschiedenheit[4] und über das Verweilen in der Zelle und über die Versuchungen, die den Gottesfürchtigen in der Abgeschiedenheit widerfahren, und über die Heimsuchungen der Gnade, welche ihnen durch die Barmherzigkeit unseres Herrn verliehen wird," zusammen mit den anderen Gegenständen, von denen du mir Freund meiner Seele, gesagt hast: „Notiere sie mir in kürze!".

5.1.3 *Über die „Capita scientiae" des Verfassers*

Du sollst indessen wissen, oh unser Bruder, daß wir, auch wenn wir über diese Gegenstände nicht im einzelnen gesprochen haben, sondern im allgmeinen und unter anderen Dingen in den *Capita scientiae* des ersten Buches[5], doch ausführlich über das Problem der Abgeschiedenheit gehandelt haben, und über das mühevolle Verweilen in der Zelle, und auch über die Versuchungen, die den gottesfürchtigen Einsiedlern auf diesem Weg der Tugend zustoßen, und über die Heimsuchungen, die ihnen seitens der Gnade widerfahren, durch die Observanzen der beständigen Abgeschiedenheit. Über die Stufen nämlich und die Teile und die Kräfte der Seele haben wir völlig ausreichend in diesem Buch der *Capita* gesprochen. Über die unterschiedlichen Regungen aber des Intellektes (bei seinem Voranschreiten) von der Leibhaftigkeit zur Seelenhaftigkeit, und von der Seelenhaftigkeit zur Geisthaftigkeit[6] haben wir in der zweiten Hälfte des ersten Buches (der Capita) hinlänglich gesprochen, wie es uns der Heilige Geist diktiert hat[7]. (77 v)

5.1.4 Und wie ich meine, oh mein geliebter Bruder, haben wir nichts unterlassen, was für den göttlichen Handel günstig ist und um damit die Barken der reinen Seelen zu füllen, indem wir es nicht in den beiden ersten Hälften (der Capita) behandelt hätten, und in der Übersetzung der *Capita* des seligen MAR EVAGRIOS[8], welche durch den Geist durch unsere Vermittlung erklärt wurde, wie denn auch die Gottesfurcht, die in dir ist, dies (sehr wohl) weiß. Aber weil du von uns diese Sache erbeten hast, die (zwar) klein ist hinsichtlich ihres Umfanges, aber groß hinsichtlich ihrer Gewinne, indem du mir sagtest: „Auf verborgene Weise wurde in dem ersten Werk über diese Gegenstände geredet und es ist nicht jedermanns Sache, aus ihnen einen Gewinn zu ziehen, sondern bloß (Sache) der Gnostiker[9], die Schwachen aber bleiben draußen vor dem Tor des Allerheiligsten stehen“, hast du mich (also) gebeten, oh Freund der Tugend „lege diese Gegenstände in einem Brief in kurzer Form nieder, um des Gewinnes willen, der durch sie für alle Stufen (des geistlichen Lebens) entsteht[10].“

5.1.5 *der Plan des Briefes*

Und so habe ich, da ich den Eifer deiner Liebe bedachte, wie sehr sie die Tugend begehrt, deiner göttlichen Liebe gehorcht, obwohl es uns zuerst, vor allem anderen gebührt, das Fundament für unseren Traktat zu legen, auch wenn du dies nicht erbeten hast, in Bezug auf das Ziel unseres Verlassens dieser Welt und das Tun im Koinobion[11]. Und dann werden wir über jene Gegenstände reden, die du erwähntest, indem wir sie einen nach dem anderen durch den Beistand des Herrn ordnen, bis wir in jenes große Meer einmünden, über das man nicht hinauszukommen vermag. Und wir fügen die Antriebe für das Verlassen (der Welt) hinzu, und dem Verlassen das Wirken der (jeweiligen) Stufe. Und für jede Stufe geben wir ihre (entsprechenden) Versuchungen an, und die Heimsuchungen, die ihr durch die Gnade folgen, und welche Kontemplationen[12] den Intellekt[13] bei jeder Stufe, auf der er sich befindet, begleiten.

I. Teil: Die Flucht aus der Welt

5.1.6 *Die ersten Antriebe zum Verlassen der Welt*

Die ersten Antriebe nun für das Verlassen der Welt, oh mein Freund, sind die natürlichen Samen[14] des Guten, die (78 r) von Gott in uns, in die Natur unserer ersten Schöpfung gesät worden sind, weil sie sich beständig in uns regen. Wenn sie einen Willen finden, der (wenn auch nur) ein wenig zum Guten hinneigt, dann geben sie sofort dem Schutzengel[15] Gelegenheit, sich der Seele zu nähern. Und wenn er sich ihr genähert hat, dann ist die erste Regung, die er in sie trägt, die Furcht und das Grauen vor dem kommenden Gericht, dieweil er ihr die Wonne der Gerechten und die Qual der Sünder vor Augen stellt.

5.1.7 *Das Wirken des Schutzengels*

Und wenn sich nun die Seele in diesen beiden wechselnden Zuständen befindet, indem sie bisweilen die Furcht quält und bisweilen die Freude erregt, dann erweckt der Schutzengel in ihr eine andere Regung, die sie noch mehr ins Leid versenkt und sie der Buße nahebringt. Daß heißt, er stellt der Seele alle Fehler und Schwächen vor Augen, die sie begangen hat. Und in dem Maße, wie sie ihre Schwächen sieht, werden ihr die Welt und all ihre Leidenschaften und Lüste verhaßt. Und in dem Maße, wie (ihr) die Welt verhaßt wird, gewinnen die Antriebe der natürlichen Samen an Kraft. Und in dem Maße, wie das Feuer der natürlichen Samen die Kräfte der Seele erwärmt, gewinnt jene engelhafte Regung an Kraft und ermutigt die (Seele) in Bezug auf die Auferstehung der Toten[16]. Und diese beiden wechselnden Zustände, der eine der Qual und der andere der Wonne, die bei der Auferstehung sein wird, bleiben in der Erinnerung der Seele erhalten. Und durch diese Erinnerung wird in der Seele der Antrieb geweckt, die Welt zu verlassen.

5.1.8 *Die Rolle der Hl. Schrift*

Und wie die Finsternis vor dem Licht vergeht, so vergeht die Liebe zur Welt vor jener Regung, von der ich sprach. Und (der Schutzengel) beginnt damit, in den Menschen diese Regung zu tragen, auf die Reichtümer und Besitztümer zu verzichten, und (der Mensch) gibt alles, was er hat, den Armen und Waisen und Witwen. Und diese Regung gewinnt dermaßen Macht über ihn, daß er sich nicht einmal mehr um den täglichen Bedarf kümmert. Und beständigt weckt (der Engel) in ihm das Wort des Herrn an jenen jungen Mann, da er ihm sagte: ,,Wenn du vollkommen sein willst, dann geh hin und verkaufe alles was du (78 v) hast und gib es den Armen, und nimm dein Kreuz und folge mir nach" (Mt 19, 21; 16, 24). Und jenes andere (Wort), das er sprach:" Sorget euch nicht um den morgigen Tag, der morgige Tag wird für sich selbst sorgen" (Mt 6, 34). Und dieses (Wort): ,,Ein Knecht kann nicht zwei Herrn dienen, und ihr könnt nicht Gott dienen und dem Mammon" (Mt 6, 24).

5.1.9 *Der Ruf der Wüste*

Und durch diese Texte entflammt der Schutzengel wie mit einem Feuer den Menschen mit zärtlicher Liebe zu seinem Schöpfer. Und weil (der Engel) ihn gänzlich von den Besitztümern entblößen will, legt er ihm den Gedanken an den Auszug in die Einöde nahe und mit den wilden Tieren zu leben, indem er ihm die vielen Männer ins Gedächtnis ruft, die in ihrer zärtlichen Liebe zu unserem Herrn ihre Besitztümer verteilten und in die Einöde hinauszogen, und deren Nahrung die Wurzeln und Pflanzen des Feldes war.

Es gibt nämlich keinen Menschen, der im Gedanken der Gottesfurcht die Welt verläßt, in dem sich nicht diese Regungen gerührt hätten. Denn wenn diese Regungen nicht in den Gedanken des Menschen fielen, vermöchte er sich nicht von den Fesseln der Welt zu befreien, da er durch (die Besitztümer) wie mit einer Kette gefesselt ist.

5.1.10 ,,*Willst du vollkommen sein...*"

Wie auch unser Herr sagte, da er sah, wie die Menschen durch die Welt gefesselt sind und verschlungen in ihren

Besitztümern: „Wie schwer ist es für die, die Reichtümer besitzen, in das Himmelreich einzutreten. Es ist in der Tat leichter für ein Kamel durch ein Nadelöhr zu gehen, als für einen Reichen in das Reich Gottes hineinzukommen." (Mk 10, 24 ff.). Und unser Herr Christus hat (uns) dadurch zu verstehen gegeben, daß, gleichwie bei einem Feuer, das die Stoppeln verzehrt, ebenso durch diese Regungen, über die ich oben sprach, die in die Seele fallen, alle Fesseln der Welt von der Seele abgehauen werden. Und wie ein finsteres Gefängnis, so erscheint die Welt und alle ihre Güter in den Augen der Seele.

5.1.11 *Die Versuchung der Eigenliebe*

An diesem Punkt (der Entwicklung) macht indessen der Gedanke des Dämons der Eigenliebe[17] dem Menschen den Krieg. Und wie sehr jene ersten Regungen der Reue in der Seele die Liebe zur Welt abgekühlt hatten, so sehr entzündet sie der Gedanke der Eigenliebe mit der Liebe zu den Dingen dieser Welt, indem (der Dämon) vor den Augen des Menschen alle Vergnügungen und guten Dinge und Lüste und die Ehre und die Macht dieser Welt (bildhaft) darstellt, wie er auch unserem Herrn gegenüber verfuhr, da er ihm in einem kleinen Augenblick alle Reiche der Erde und ihre Herrlichkeit zeigte (Mt 4, 1 ff.). Und er stellt (dem Menschen) auch die Schande und die Ärmlichkeit und die Verfremdung[18] des Weges des Mönchslebens vor, indem er in ihn solche Gedanken wie diese sät und spricht: „Siehe, heute bist du groß und ein Herr vieler Besitztümer. Und du hast Herrlichkeit und Macht, und wenn du der Gerechtigkeit pflegen willst, ist es dir ein leichtes, (dies) auch in der Welt (zu tun)" Dieweil er ihm auch gerechte

(79 r)

Männer, die in der Welt lebten und die Gerechtigkeit übten, ins Gedächtnis ruft, Abraham nämlich und Isaak und Jakob, und den Priester Melchisedek, und Hiob den Berühmten, und David, den König und Propheten.

5.1.12 „*Bleibe doch in der Welt* ...“

Und er flüstert ihm zu und spricht: „Diese alle, haben sie nicht in der Welt die Gerechtigkeit geübt? Und in der Welt hatten sie Herrlichkeit und Macht, und bei Gott waren sie geehrt! Aber du, du willst heute aus der Welt fliehen, die mit allen Segensgütern die ergötzt, die sie (die Welt) besitzen! Bleib' also auch du in der Welt und lebe rechtschaffen in ihr, wie jene früheren gerechten Männer, die diese Welt erbten und durch ihre Almosen zu Erben der neuen Welt wurden. Diese also ahme nach und übe auch du die Gerechtigkeit in der Welt, gleich wie sie, und verlasse nicht die Welt und geht nicht hin und werde zur Schande und zum Gespött für die Menschen, sie die nicht einmal wert wären, daß du mit ihnen redetest. Und du gehst jetzt hin, um ihnen Knecht und Diener zu sein. (Mt 20, 27). Denn das verlangt der Wandel des Mönchtums von dir!“

5.1.13 „*Der Weg ist zu schwierig* ...“

Und (der Dämon) trägt Furcht in ihn und spricht: „Wer vermöchte wohl diesen schwierigen Weg des Mönchtums zu Ende zu bringen? Denn er wird nicht vollendet, es sei denn durch den Tod! Wie denn auch unser Herr den Kreuzestod dem vorgeschrieben hat, der auf dem (Weg) wandelt (Mt 10, 38; 16, 24). Denn „er ist schmal und eng und wenige sind es, die ihn finden „(Mt 7, 13 f.), gemäß dem eigenen Wort unseres Herrn. Und was ist wohl leichter für dich, daß du in der Welt bleibst und die Gerechtigkeit übst, wie sie die früheren Gerechten geübt haben, oder daß du mit diesem mühsamen Weg anfängst, ihn aber nicht zu Ende bringst und für alle, die dich sehen, zum Gelächter wirst? (79 v)

Aber setzte dich hin, (komm) zu dir selbst und berechne die Rastplätze und die Kosten dieses Weges, und dann fang mit ihm an. Wie auch dein Herr dir diesbezüglich geboten hat und sprach: „Wer ist der, der einen Turm baut und sich nicht vorher hinsetzt und seine Kosten berechnet, ob er (genug) hat, um ihn zu vollenden. Auf daß er nicht, wenn er anfängt und nicht zu vollenden vermag, zum Gelächter für alle des Weges Kommenden wird, die spotten und sagen: „Dieser Mann fing an und führte nicht zu Ende!" (Lk 14, 28 ff.).

5.1.14 „*Wehe dem, der anfängt ...*"

Und wenn du die Welt verläßt und die Werke des Mönchtums in Wirklichkeit nicht erfüllst, dann empfängst du von Gott eine Verwünschung wie der Prophet Jeremia gesagt hat: „Verflucht ist, wer das Werk des Herrn mit Arglist tut!" (Jer 48, 10). Da, siehe, daß die Verwünschung über den verhängt ist, der mit diesem Wege anfängt und ihn nicht zu Ende bringt."

Und (die Dämonen) säen in ihn noch andere Gedanken und sprechen: „Siehe, wie du die Leute deiner Familie und deiner Rasse zu Feinden hast, die nur darauf warten, was du tun wirst, um deine Felder und deine Reichtümer in Besitz zu nehmen!"

Und wenn das Herz des Menschen mit diesen Gedanken angefüllt worden ist, dann verfällt er in Verzweiflung und Verwirrung, und große Furcht befällt ihn, und er befindet sich inmitten von Unsicherheiten, ohne zu wissen, welches von beiden er tun soll, weder ob er die ersten Gedanken ausführen soll, noch ob jene (anderen), die ihm an zweiter (Stelle gekommen sind.)

5.1.15 *Der Auszug aus Ägypten — Symbol der Flucht aus der Welt*

Der Auszug des Menschen aus der Welt gleicht in der Tat dem Auszug der Söhne Israels aus Ägypten. Denn Ägypten wird als Symbol dieser Welt genommen, gemäß dem Wort der Väter[19]. Und gleichwie die Söhne Israels, als der selige Moses ihnen den Auszug aus Ägypten ankündigte, zuerst mit Freude erfüllt wurden, weil sie von der Knechtschaft (80 r) der Ägypter befreit waren (Ex 4, 31), welche ein Symbol der Fesseln dieser Welt ist, und von der Bosheit des Pharao, der das Symbol des Fürsten des Bösen ist (vgl. Mt 9, 34 u. ö.), aber bald darauf Furcht und Verzweiflung über sie herrschte (Ex 5, 19 f.), ob der Worte des Pharao und des mühevollen Frondienstes des Lehmes und der Ziegel, wozu sie die Ägypter gezwungen hatten, weil sie hörten, daß Gott das Volk aus ihrer (der Ägypter) mühevollen Knechtschaft befreien wolle, — ebenso verhält es sich auch mit der Flucht aus der Welt.

5.1.16 *Entfaltung des Bildes*

Denn wenn der Intellekt-Moses von dem Schutzengel die frohe Boschaft erhält und (der Engel) in ihm jene Regungen weckt, von denen ich oben sprach, dann herrscht Freude über den Menschen. Aber wenn die Dämonen in ihm wahrnehmen, was er zu tun beabsichtigt, dann legen sie ihm die Last zahlreicher Gedanken[20] auf, gleichwie der Pharao und die Ägypter, als sie wahrnahmen, daß die Söhne Israels Ägypten verlassen wollten, ihnen die Last zusätzlicher Ziegel auferlegten, indem sie ihnen kein Stroh mehr gaben, wie der Pharao sagte: „Die Arbeit soll auf (ihrem) Buckel lasten und sie sollen an sie denken, und sie sollen nicht an eitle Worte denken." (Ex 5, 9)

5.1.17 Wenn jedoch der Mensch in diesen Abgrund der Gedanken der Furcht und der Verzweiflung gefallen ist, dann rührt sich plötzlich in ihm jene erste Regung, von der ich sprach, das heißt die Furcht vor dem kommenden Gericht, Und gleichwie der Engel, der in Ägypten vorüberging, alle Erstgeborenen der Ägypter tötete, ebenso ertötet auch jene Regung, die durch den Schutzengel in den Menschen in diesem Augenblick gesät wird, unmittelbar alle bösen Gedanken, die Sprößlinge des Gedankens der Eigenliebe. Und hinfort wird der Intellekt durch den Schutzengel (80 v) gestärkt, bis er die Welt verläßt.

5.1.18 *Die Notwendigkeit, auf allen Besitz zu verzichten*

Und gleichwie der selige Moses den Söhnen Israels gebot, nichts von dem Sauerteig der Ägypter mit sich zu nehmen (Ex 12, 15), ebenso gebührt es auch denen, die die Welt verlassen, nichts von den Besitztümern dieser Welt mitzunehmen. Und gleichwie der Pharao und die Ägypter bis zum Meer die Macht hatten, die Söhne Israels zu verfolgen, ebenso haben auch der Gedanke der Eigenliebe zusammen mit den Gedanken, über die ich oben sprach, Macht über (den Menschen), bis er seine Besitztümer verteilt und den Armen gegeben hat. Und gleichwie bei den Söhnen Israels, bis Moses den Stab in seiner Hand hochhielt und über das Meer streckte und das Meer geteilt ward und Israel hindurchzog und die Ägypter von ihm verschlungen waren, die Furcht nicht von dem Volk des Herrn wich, ebenso auch ist der Mensch, dessen Denken bereit ist für den Auszug aus der Welt, nicht von der Furcht und den Gedanken des Zweifels befreit, bis er auf die Besitztümer und Reichtümer dieser Welt verzichtet hat, sowohl durch die leibliche Flucht, als auch durch die intelligible[21], — denn es gibt für den Menschen zwei Fluchten aus der Welt — und dann erst beginnt er mit dem heiligen Weg des Mönchtums.

5.1.19 *Sinnenhafte und intelligible Flucht aus der Welt*

Denn nicht jeder, der die Welt verlassen hat, ist auch von ihrem Wandel befreit! Viele verlassen in der Tat die Welt dem äußeren Anschein nach, führen aber ihren Lebensstil weiter. Deswegen habe ich gesagt, daß es zwei Fluchten aus der Welt gibt. Weltflüchtige findest du viele, von ihrem (der Welt) Wandel befreite aber (höchstens) einen unter Tausend. Deswegen stellte auch die Flucht der Söhne Israels aus Ägypten das Symbol dieser beiden Fluchten dar. (81 r)

Und gleichwie die Säule, die zwischen den Ägyptern und der Israeliten stand, die Söhne Israels mit Licht überschattete, über die Ägypter aber Finsternis ausgoß, ebenso überschattet der Schutzengel auch den Intellekt mit Licht, aber gießt Finsternis aus über den Fürsten der Bosheit und über alle Gedanken, die aus ihm entstehen. Denn in dem Maße, wie die Augen der Seele durch die Flucht aus der Welt erleuchtet werden, verschwinden gleichermaßen (auch) die Gedanken der Eigenliebe aus ihr.

II. Teil: Das Leben im Koinobion — Die Stufe der Leibhaftigkeit

5.1.20 *Der Aufenthalt in der Wüste — Symbol des Lebens im Koinobion*

Bis hierher reicht die Begrenzung dieser sinnenhaften Flucht aus der Welt, wenn nämlich der Mensch die Welt verlassen hat, welche das Symbol des Ägpytens der Bosheit ist, und ins Koinobion eingetreten ist, welches das Symbol des Tuns in der Wüste ist, und das ehrwürdige Gewand des Mönchtums empfangen hat, da das Koinobion in der Anordnung der Stufen das Symbol der Stufe der Leibhaftigkeit bedeutet, das heißt das Tun in der Wüste.

Viele allerdings behaupten aus Unwissenheit, daß die Stufe der Leibhaftigkeit das Symbol des mühevollen Tuns (in) der Welt sei, dieweil sie weder wissen, was sie sagen, noch worüber sie diskutieren. Die Stufe der Leibhaftigkeit nämlich bedeutet die Reinheit, in welcher das Halten der Gebote zur Vollendung gelangt, als dessen Symbol (d. h. des Haltens der Gebote), man das Tun der Söhne Israels in der Wüste nimmt, und das Koinibion ist (eben) diese (Stufe), die von uns am Anfang unseres Eintritts in den Wandel des Mönchtums gepflegt wird.

5.1.21 *Die Notwendigkeit der Flucht aus der Welt*

Gleichwie der, der noch nicht dies heilige Gewand des Mönchtums empfangen hat, nicht ,,Mönch" genannt wird, sondern ,,Laie", ebenso wird auch von dem, der noch (81 v) nicht mit dem Wandel der Tugend angefangen hat, nicht gesagt, daß er mit der Stufe der Leibhaftigkeit angefangen habe. Und gleichwie den Söhnen Israels, solange sie (noch) in Ägypten waren, das mühevolle Tun der Ägypter nicht gestattete, zu Gott aufzublicken, ebenso ist es auch denen, die (sich noch) in den Mühsalen der Welt befinden, nicht gestattet, ihre Augen zu erheben und zu Gott aufzublicken und mit der Stufe der Leibhaftigkeit anzufangen. Wie (denn) auch Gott zu dem seligen Moses sagte: ,,Geh, sprich zum Pharao, er soll mir mein Volk entlassen, daß es mir diene" (Ex 4, 23).

5.1.22 Wenn Gott gewußt hätte, daß die Söhne Israels seinen Willen (auch) in Ägypten hätten tun können, dann hätte er nicht zu dem seligen Moses gesagt: ,,Geh, führ mir dies Volk in die Wüste und dort sollen sie mir dienen" (Ex 5, 1). Und wenn sich dies so verhält, dann gestattet uns die Welt durch ihre Scherereien auch nicht, zu Gott hin aufzublicken und mit dem Tun der Leibhaftigkeit anzufangen, die das Koinobion bedeutet, mit der die Reinheit verbunden ist, welche sich (noch) unterhalb des Ortes der Lauterkeit befindet. Und weil deine Heiligkeit, oh mein Herr, weiß, daß wir zwischen Reinheit und Lauterkeit mit vielen Gründen eine Unterscheidung angestellt haben, welche sie (d. h. sowohl die Reinheit als die Lauterkeit) ist[22], schweigen wir (hier) davon. Aber denen gegenüber, die behaupten, daß die Stufe der Leibhaftigkeit, auf der die Reinheit erworben wird, die Mühsal der Welt sei, genügt das, was wir gesagt haben.

5.1.23 *Die Haupttugenden des koinobitischen Lebens: Demut und Gehorsam*

Kehren wir also zu unserem ersten Gegenstand zurück und beginnen wir mit dem Tun in der Wüste, welches das Symbol des Tuns im Koinobion ist. Die erste Tugend in der Tat, die denen zu erwerben gebührt, die dieses heilige Gewand empfangen haben, ist die Demut, aus der der Gehorsam geboren wird, der eine Frucht des Geistes ist, (82 r) nach dem Wort des Apostels (vgl. Gal 5, 22 f.), aus dem alle (anderen) Tugenden geboren werden. Denn der Gehorsam wird aus der Demut geboren, wie der selige Apostel über unseren Herrn sagte: „Er demütigte sich selbst und ward gehorsam bis zum Tode“ (Phil 2, 8). Und gleichwie durch die Vermittlung des Ungehorsams Adams der Tod und die Sünde über das Menschengeschlecht kamen, ebenso verschafft der wahre Gehorsam dem, der ihn erworben hat, alle geistlichen Freuden und Wonnen.

5.1.24 *Das Beispiel Josuas und Kalebs: Vorbilder vollkommenen Gehorsams*

Der Gehorsam ist also ein Sprößling der Demut. Er besteht (aber) nicht darin, daß einer tut, was ihm gefällt, sondern dies ist wahrer Gehorsam, der denen gebührt, die im Tun des Koinobions wirken, daß der Mensch alle eigenen Wünsche unterdrücke und den Willen dessen tue, dem er sich ein (für alle) Male anvertraut hat, auch wenn das Herz nicht will, wegen der Begehren des Fleisches, die ihm (noch) anhaften. Wenn du nämlich tust, was dir gefällt, was aber für dich beschwerlich ist, nicht ausführst, dann erweisest du keinen Gehorsam, sondern du führst deinen eigenen Willen aus.

Als Beispiel wahren Gehorsams nimm dir, oh Bruder, der du in der Wüste des Koinobions wirkst, und das gelobte Land zu erben begehrst, welches für seine Bewohner von Milch und Honig fließt, was Josua der Sohn Nuns und Kaleb der Sohn Jephunnes taten, die dem seligen Moses gehorchten und seinem Befehl gemäß hingingen und das gelobte Land auskundschafteten. Und um ihres wahren Gehorsams willen erbten sie das gelobte Land als einzige von den 600 000 Wandernden, die durch Moses (Führung) aus Ägypten auszogen, während alle jene Ungehorsamen dort in der Wüste umkamen und ihre Leichname zerstreut wurden (Num 13, 17).

5.1.25 Sieh' daher zu, oh gehorsamer Bruder, der du dem Tun im Koinobion obliegst und begehrst, durch deine geistlichen Brüder mit Segnungen und Gebeten vorsorgt zu werden[23] und hinauszuziehen, um in der Zelle zu verweilen, die das Symbol des verheißenen Landes ist, ahme Josua (82 v) den Sohn Nuns nach, der dem seligen Moses gehorsam war und den Stamm der Söhne Levis mit Eifer entflammte und sie weihten ihre Hände dem Herrn, ein jeder ob seines Bruders oder seines Verwandten, da Isarael gesündigt und den Kult Gottes verlassen hatte und sie ein Kalb angebetet hatten. Sieh, oh gehorsamer Bruder, den vollkommenen Gehorsam, der selbst nicht von dem natürlichen Erbarmen besiegt wurde! Sondern ein jeder tötete seinen Sohn oder seinen Vater oder seinen Bruder mit der Lanze in seiner Hand (Ex 32).

5.1.26 Und um dieses wahren Gehorsam willen hörte er jene Stimme voller Freuden: „Heute habt ihr eure Hände dem Herrn geweiht!“ (Ex 32, 29) und darum ließ der Zorn des Herrn von seinem Volke ab. Ebenso wirst auch du, oh gehorsamer Bruder, wenn du deinen geistlichen Vätern und Brüdern beständig einen einfältigen Gehorsam erweisest, statt jener sinnenhaften Stimme „heute habt ihr eure Hände dem Herrn geweiht" auf intelligible Weise diese Stimme hören, dieweil sie deine Seele durch die intelligible Beschattung des Heiligen Geistes weiht[24].

5.1.27 *Beispiele des Ungehorsams: Korah, Dathan und Abiron*

Und gleichwie bei der Rotte Korah und Dathan und Abiron, weil sie Moses nicht gehorchten und die Gemeinde des Herrn wider Moses seinen Knecht aufreizten, die Erde ihren Schlund auftat und sie verschlang (Num 16, 32) und sie zum Schrecken für die ganze Gemeinde des Herrn wurden, ebenso auch öffnet bei all' jenen, die mit dem Tun im Koinobion anfangen und den Gehorsam, den Sprößling der Demut, nicht besitzen, die Erde der intelligiblen Unersättlichkeit ihren Schlund und verschlingt sie und sie werden zum Schrecken und zum Entsetzen für alle, die die Tugenden üben und die ihren geistlichen Vätern und Brüdern Gehorsam erweisen. Denn von all denen, die Ungehorsam sind, ergreift diese Leidenschaft der Unersättlichkeit und der Eigenliebe Besitz, weil sie der Urheber aller (83 r) verabscheuenswürdigen Dinge ist. Und mehr und mehr ergreift die Nachlässigkeit von denen Besitz, die nicht um Gottes willen auf ihren (Eigen-)Willen verzichten. Eigensinnigkeit ist die Ursache aller häßlichen Leidenschaften, wie einer der Väter sagte: „Alles was Gott haßt, nimmt in der Seele des Streitsüchtigen und Ungehorsamen Wohnung. Die Krone des Gehorsams hingegen ist zwiefältig"[25].

5.1.28 *Die Versuchung des Murrens*

Sieh, oh gehorsamer Bruder, daß die Dämonen dich so sehr beneiden, daß sie dich (am liebsten) nach dem Ägypten der Bosheit zurückbrächten, indem sie in dich üble Gedanken der Anschuldigungen säen, die sie in deinem Herzen gegen den aufstacheln, dem du Gehorsam erweisest. Wie die Gemeinde Israels, die Anschuldigungen vorbrachte und murrte gegen jenen Großen Gottes, den seligen Moses, da sie die Speise des Manna mißachteten und die abscheuliche Speise der Ägypter begehrten, das heißt den Knoblauch und die Zwiebeln und die Fleischtöpfe in Ägypten.

Ebenso werden auch mit dir selbst, oh unser gehorsamer Freund, der du im Koinobion bist, die bösen Gedanken des Ungehorsams streiten. Und ihre Absicht ist es, dich der Freude zu berauben, die dir aus dem Gehorsam erwächst, welcher das Symbol des Mannas ist, das die Söhne Israels in der Wüste aßen, von dem sich die Seelen der wahren Gehorsamen nähren.

5.1.29 *Die Schlangen in der Wüste: Symbol der bösen Gedanken*

Erkenne und sieh, oh unser Bruder, der du in der Wüste des Koinobions wirkst, daß es viele Schlangen in der Wüste gibt, die das Volk deiner Gedanken (beständig) beißen, das heißt Beleidungen, Schmähungen, Spötteleien, und Murren und Streitereien, und Verleumdungen, die man gegen dich vorbringt, Anklagen, Gewalttätigkeit seitens der Dämonen und seitens deiner Verwandten gilt es für dich zu ertragen — die Last des Tuns im Koinobion. Dies sind die Schlangen, von denen viele sind, die jene beißen, die in der Wüste des Koinobions wirken.

5.1.30 *Das Gegenmittel: Der Blick auf das Kreuz Christi*[26]

Wenn du jedoch von ihnen befreit werden willst, dann tue, wie die Söhne Israels taten, die dem Gebot des seligen Moses gehorchten: Jeder der von einer Schlange gebissen (83 v) ward, stand am Eingang seines Zeltes und blickte auf die Bronzeschlange, die Moses auf der Bergspitze befestigt hatte, und jeder, der den Gehorsam erfüllt, blickte auf sie und ward von dem Gift der Schlangen geheilt. (Num 21, 8 f.). Hefte also auch du, oh unser gehorsamer Bruder, wenn dich eine von den Schlangen beißt, von denen ich oben sprach, den Blick deines Geistes auf unseren Herrn Jesus Christus und blickte auf ihn, wie er am Kreuze hängt um seines Gehorsams willen, und du wirst von dem Gift der intelligiblen Schlangen, das in dein Herz geflossen ist, geheilt.

Wie der selige Apostel sagt: „Laßt uns auf Jesus blicken, der das Haupt und der Vollender unseres Glaubens ist, der statt der Freude, die er besaß, das Kreuz erduldete und die Schande verachtete und sich auf den Thron zur Rechten Gottes setzte" (Hebr 12, 2). Du hast gesehen, daß er zuerst sagte, daß er das Kreuz erduldete, und dann (erst) zur Herrlichkeit der Majestät erhöht wurde, indem er uns damit ein Vorbild gab: Falls du nicht die Bisse der Basiliskenschlangen erduldest, wirst du nicht gewürdigt, das verheißene Land zu betreten.

5.1.31 *Praktische Ratschläge*

Wie es dir nun gebührt, auf ihn zu blicken, wenn du von den Schlangen verwundet wirst, höre in kürze. Wenn du entehrt wirst, dann blicke auf den, der auch um deinetwillen entehrt ward, und den man einen Besessenen und einen Samaritaner genannt hat (Joh 8, 48). Wenn man dich aber beleidigt oder dich verspottet, dann blicke auf den Erlöser der Geschöpfe, wie man ihn verhöhnt und geschlagen hat, und ihm Speichel ins Gesicht gespuckt und ihn mit Essig und Galle getränkt hat, und ihn mit einem Rohr aufs Haupt geschlagen hat. Und wenn dich ein Gedanke des eitlen Ruhmes sticht, um der Tugend deines Tuns willen, dann erinnere dich an jenes Wort, das er sagte: ,,Wenn ihr alles getan habt, was man euch geboten hat, dann sprecht: Wir sind unnütze Knechte. Was wir schuldig waren zu tun, haben wir getan.“ (Lk 17, 10).

(84 r) 5.1.32 Wenn hingegen dein Bruder in deinen Augen wegen seiner Schwachheiten verachtet ist, dann blicke auf ihn, wie er vor allem den Sündern und Zöllnern und Dirnen seine Fürsorge erwies, auf daß er sie zu seiner Erkenntnis bekehre, mehr als den Gerechten, die der Bekehrung nicht bedurften (vgl. Mt 9, 13). Und wenn dich wiederum die natürlichen Leidenschaften und der Dämon bedrängen, dann blicke auf ihn, da er am Kreuze ausgestreckt ist und seine Hände und seine Füße mit Nägeln angeheftet sind, und sein Haupt am Kreuze geneigt ist und der Glanz seines Antlitzes sich zur Blässe des Sterbens wandelt.

5.1.33 *Die Früchte des Gehorsams bzw. Ungehorsams*

Diese Dinge also betrachte unablässig in deinem Herzen, und das Gift der Schlangen wird aus deinem Herzen dahinschwinden. Jesus in seiner Kreuzigung ist dir näher als die Schlange den Hebräern! Denn er wohnt in deinem Herzen (Eph 3, 17), und in den verborgenen Kammern deiner Seele erstrahlt das Licht seines glorreichen Antlitzes. Und in dem Maße, wie du im Tun der Tugenden Gehorsam erweisest, erweist er seine Schönheit deiner Seele und es herrscht Freude und Frohlocken über dich. In dem Maße aber, wie du das Tun der Tugenden vernachlässigst, wird sich das Licht der Schönheit seines glorreichen Antlitzes in den verborgenen Kammern deines Herzen verbergen und deine Seele wird sich nicht an seinen glorreichen Geheimnissen ergötzen.

Gib acht, daß du nicht etwa in der Verkehrtheit der Eigenwilligkeit verharrst und das Gift der Bisse der intelligiblen Schlangen sich in deinem Herzen verbreite und du des intelligiblen Todes sterbest, fern von dem wahren Leben, wie jene, die in der Wüste starben, weil sie das Wort des seligen Moses mißachteten und ihm nicht gehorchten und auf die Bronzeschlange blickten!

5.1.34 *Andere Tugenden des koinobitischen Lebens: Schweigen, Armut und Liebe*

Und zusammen mit der Demut und dem Gehorsam, von denen ich oben sprach, geziemt es den Brüdern, die im Koinobion wirken, daß sie auch diese Tugenden erwerben: Schweigen und Bewahrung der Zunge vor häßlichem Reden, und einen gesenkten Blick und einen geordneten Gang, und Selbstverachtung, und Bescheidenheit der Kleidung und des Schuhwerkes, freiwillige Armut; [außer dem nämlich][27], was die Scham des Leibes bedeckt, sollen sie nichts besitzen, gemäß dem Worte unseres Herrn, der da sagte: „Erwerbet weder Gold noch Silber, noch zwei Gewänder, sondern es genüge euch eines für den Bedarf des Leibes“ (Mt 10, 9). (84 v)

Aber mehr als alles andere sollen sie eine bereitwillige Liebe besitzen, durch die vor allem sie ihre Seelen besitzen werden und befreit werden von Haß und Eifersucht aufeinander. Diese Dinge bewahren die Jugend, nach Gott, vor dem Kampf Amaleks, der mit Israel Krieg machen und sie nach Ägypten zurückbringen möchte (Ex 17, 8 ff.; vgl. Dt 25, 17 ff.).

5.1.35 *Fasten und Wachen*

Indes wappnet eure Seelen, oh geliebte Söhne, mit Fasten und der beständigen Mühe des Wachens und dem Verzicht auf verschiedenartige Speisen und Enthaltsamkeit, der Mutter der Tugenden. Und euer Intellekt weiche nicht von dem Zelt des Gedenkens an Gott, wie Hosea[28] der Diener des Moses, der sich nicht von dem Zelte Gottes entfernte (Ex 33, 11). Und wenn Amalek mit euch kämpft und euch nicht gestattet das gelobte Land zu betreten (Ex 17, 8 ff), dann wird Christus euren Intellekt wie Moses den Josua[29] den Sohn Nuns mit der Waffe des Heiligen Geistes wappnen und ihr werdet Amalek, den Feind der mit euch streitet, durch die Kraft der Hilfe der Ausstreckung der Hände des Moses besiegen und ihr werdet ihn an seinen finsteren Ort zurückschicken und den Jordan überschreiten und die Palmenstadt[30] in Besitz nehmen.

Es geziemt sich daher denen, die (noch) in der Kraft der Jugend stehen und die (noch) im Koinobion wirken, welches ein Schmelzofen der Erprobung ist, in welchem die Tugenden der Stufe der Leibhaftigkeit geübt werden, daß sie, solange sie sich noch auf der Stufe der Jugend befinden, wenn sie sich schlafen legen wollen, sich nicht auf die Erde (ausgestreckt) hinlegen, sondern wenn sie etwas Schlaf zu erhaschen begehren, entweder im Sitzen[31] oder wenn sie auf ihren Füßen (im Gebet) stehen dem Schlaf gestatten, sie zu überkommen.

5.1.36 *Das Beispiel des Heiligen Makarios*

Und sie mögen sich an die Entsagung des seligen MAKARIOS erinnern, der während 20 Jahren weder Brot noch Wasser noch Schlaf zur Genüge nahm, wie er selbst sagte: (85 r) „Mein Brot habe ich gewogen gegessen und mein Wasser habe ich abgemessen getrunken, und dieweil ich meinen Rücken an die Wand lehnte, erhaschte ich ein wenig (vom) Schlaf"[32] und so gelangte ich zur Wachsamkeit." Und welcher Lohn ward dem seligen MAKARIOS durch diese mühsame Entsagung? Dieser nämlich, daß er zu einem zweiten Gott unter den Menschen ward, indem er, auf die Weise, wie Gott die ganze Erde überschattet, auch selbst gleicherweise die Fehler und Schwächen der Menschen trug[33].

5.1.37 *Das persönliche Zeugnis eines Bruders*[34]

Auch ich kenne in der Tat einen gewissen Bruder, der in dem Zeitraum von 12 Jahren, während deren er der Observanz, der Stufe der Leibhaftigkeit obgelegen hatte, sich nie auf eine seiner Seiten gelegt hat, außer im Falle einer Erkrankung, dem (ja) keine verpflichtende Vorschrift auferlegt ist.

Auch ihr, oh meine Brüder, die ihr die Reinheit, welche die Vollendung (des Tuns) im Koinobion ist, und die

Früchte der Stufe der Leibhaftigkeit zu erwerben begehrt, bewahrct und übet aufmerksam alle jene Dinge, von denen ich oben gesprochen habe. Und dies sei euch versichert und zweifelt nicht daran, daß unser Herr, wenn ihr diese Vorschriften bewahrt, das Licht seiner Erkenntnis, sogar während ihr noch im Koinobion seid, in euren Herzen wird aufstrahlen lassen und euch die Geheimnisse der Einsichten seiner Erkenntnis offenbaren wird, wenn auch (noch) auf körperhafte Weise (d. h. der Stufe der Leibhaftigkeit entsprechend.).

5.1.38 *Göttliche Heimsuchungen*

Und gleichwie Gott die Kinder Israels 40 Jahre lang, da sie in der Wüste umherwanderten, oblgeich sie gesündigt hatten, doch nicht seiner Fürsorge beraubte, noch dessen, daß er beständig durch Moses seinen Knecht, mit ihnen sprach, und ihnen bisweilen Wasser aus dem Felsen hervorquellen ließ (Num 20, 11; Ps 78, 15), und ihnen bisweilen Manna aus der Höhe herabsandte (Ex 16, 4 ff.; Ps 78, 23 f.), und ihnen bisweilen Vögel vom Meer her aufsteigen ließ (Ex 16, 13; Ps 78, 26 ff.); und wenn sie wiederum gesündigt hatten, sie durch verschiedenartige Plagen züchtigte, nämlich durch Völker, die ihnen den Krieg machten (Num 21), und (85 v) Schlangen, durch die ihnen Schaden zugefügt wurde (Num 21, 6—9), und Feuer, das ausbrach und die Gottlosen verzehrte, wie bei jenen, die ein fremdes Feuer darbrachten, und Feuer ging aus ihren Räucherpfannen hervor und verzehrte sie; und wie es Korah und Dathan und Abiron (widerfuhr), da die Erde ihren Schlund öffnete und sie verschlang (Num 16); und wie bei der Plage, die sie überkam wegen der Sünde Simris des Sohnes Salus, den Pinchas, der Sohn Aharons tötete (Num 25); mit dem Rest der anderen Plagen, durch die sie Gott in der Wüste züchtigte, wenn sie gesündigt hatten.

5.1.39 Ebenso sucht Gott auch alle jene, die dem Tun im Koinobion obliegen und die gebotenen Observanzen bewahren, von denen ich oben gesprochen habe, welche das Tun der Stufe der Leibhaftigkeit ausmachen, beständig durch seine Gnade heim. Das heißt, er verschafft ihnen Freude im Tun ihrer Mühen und bisweilen ergötzt er sie durch die Einsichten der Erkenntnis, die in den (heiligen) Schriften liegt, und bisweilen macht er sie froh durch die Zuversicht hinsichtlich der Vergebung ihrer Sünden, und bisweilen verleiht er ihnen die Gabe maßloser Tränen, nicht jener (allerdings), die die Väter des „gelobte Land" nennen, welche denen verleihen werden, die sich auf der Stufe der Seelenhaftigkeit befinden. Wir werden aber auch über diese sprechen, wenn wir zu ihrem Ort gelangt sind[35].

5.1.40 *Über die Gabe der Tränen des „ersten Eifers"*

Die Tränen hingegen, die auf dieser Stufe verliehen werden, sind jene, von denen der heilige AMMONIOS sprach, indem er sie den „ersten Eifer" nannte, der „trübe" und „wirr" ist[36]. Diese Tränen, oh Freund meiner Seele, kommen auf der Stufe der Leibhaftigkeit bei den Anfängern vor, und sie dauern bei dem Bruder nicht lange an. Bisweilen ist Freude in ihnen, und bisweilen wenden sie sich in Trauer, weil sie aus folgendem Anlaß angeregt werden: Entweder entstehen sie aus der Freude an den Mühen[37], und dann erzeugen sie eitlen Ruhm, oder (sie entstehen) aus der Erinnerung an die Sünden der Vergangenheit, und dann erzeugen sie Traurigkeit. Deshalb nennt der heilige AMMONIOS den ersten Eifer (86 r)

„trübe", weil seine Freude eitlen Ruhm erzeugt und seine Traurigkeit Verzweiflung.

5.1.41 *Die Notwendigkeit eines erfahrenen geistlichen Führers*

Hier, an diesem Punkt, oh Freund, ist ein verständiger (geistlicher) Führer notwendig, auf daß er die Freude dieser Stufe durch Demütigung mäßige und ihre Traurigkeit durch die Hoffnung auf die Verheißungen des Erbarmens, welches durch die Buße die Vergebung der Sünden verleiht. Denn wenn der Bruder an diesem Punkt keinen (geistlichen) Führer hat, dann erheben ihn entweder die Dämonen durch den eitlen Ruhm und er nimmt Schaden an seinem Intellekt durch die Bilder, die sie ihm vormalen[38], oder sie stürzen ihn in Traurigkeit und Kummer und Verzweiflung und bringen ihn (so) in das Ägypten der Bosheit zurück.

5.1.42 *Über die Pflichten von Meister und Schüler*

Ihr hingegen, oh geliebte Anfänger, die ihr im Koinobion auf der Stufe der Leibhaftigkeit wirkt, geht ein jeder, wenn ihm einer von diesen Wechselfällen[39] widerfährt, zu seinem (geistlichen) Führer, wenn er weiß, daß dieser verständig ist, und er spreche sich vor ihm aus, auf daß er ihm einen guten Rat gebe, um auf diesem Pfad wohlgeordnet zu wandeln. Er gebe jedoch acht, daß er von seinem Rat weder nach rechts noch nach links abweiche, und nicht etwa die Erde des Ungehorsams ihren Schlund öffne und ihn verschlinge[40], wie jene Halsstarrigen, die dem seligen Moses nicht gehorchten und die Erde öffnete ihren Schlund und verschlang sie (Num 16).

Auch ihr, meine Brüder, denen die Führung eurer Brüder anvertraut ist, seht zu, wenn einer von denen, die sich auf dieser Stufe befinden, die dieses trüben Eifers gewürdigt wurden, zu euch kommt! Sehet zu, welchem Rat ihr ihm gebet, damit ihr ihm nicht etwa in eurer Unwissenheit etwas sagt, was ihn zurückstößt, und er durch euren Rat in das Ägypten der Bosheit zurückkehre oder von der Erde der Verzweiflung verschlungen werde. Gott wird das Blut (86 v) seiner Seele von euren Seelen fordern, wie er das Blut des Nabot von Jesreel von Achab forderte und um seinetwillen das Blut der Isebel vergoß (1 Kg 21, 19).

5.1.43 *Über den Zustand des Eifers der Freude*

Vielmehr sollt ihr, oh (geistliche) Führer, denen dieses Amt und die geistliche Führung anvertraut ist, wenn einer von den gottesfürchtigen Brüdern zu euch kommt, der sich auf dieser Stufe befindet, wenn er vor euch von einem der Wechselfälle spricht, die ich oben erwähnt habe, wissen, welchen Rat ihr ihm diesbezüglich gebt. Wenn es sich um den Zustand des Eifers der Freude handelt, dann erniedrigt ihn durch eine Demütigung und mehrt ihm die Mühe des Fastens und der Entsagung und des Wachens der Nacht und des Tages, zusammen mit unterwürfiger Ehrfurcht vor jedermann, und er soll einem jeden im Friedensgruß zuvorkommen, gemäß dem Wort unserer geistlichen Väter[41].

5.1.44 *Über die Notwendigkeit der Verschwiegenheit*

Wenn ihr ihnen nun diese guten Ratschläge gebt, dann lehret sie (auch), für sich zu behalten, was ihnen widerfährt, und sie sollen nicht die Geheimnisse der Freude, die ihnen widerfahren, vor jedermann offenbaren und (so) den anderen Anstoß bereiten, damit ihnen nicht deshalb etwa ein Überlassenwerden in die Hände des Versuchers widerfahre und er sie versuche, noch ehe sie die Kraft aus der Höhe empfangen haben, welche für die Gottesfürchtigen mit den widrigen Mächten streitet. Vielmehr, solange sie sich auf dieser Stufe befinden, säet in ihre Herzen Worte der Demut und des Gehorsams und der Unterwürfigkeit, zusammen (mit Worten) der Liebe und der Güte, damit so alle jene, die diese Dinge verachten, als Strafe ihres Ungehorsams heftige Versuchungen emfpangen, und ihr von (jedem) Vorwurf befreit seid.

Sehet zu, daß ihr sie nicht etwa aus ungebührlichen Gründen nicht die Wahrheit lehret und nicht eine Bestrafung für euch gefordert werde seitens unseres Herrn, der gesagt hat: „Du hättest mein Geld auf die Bank legen sollen und ich wäre gekommen und hätte das Meine zusammen mit seinen Zinsen eingefordert!" (Mt 25, 27). Dies genügt hinsichtlich des Zustandes des Eifers, der Freude der auf dieser Stufe (vorkommt). (87 r)

5.1.45 *Über die Tränen der Traurigkeit*

Jetzt aber wollen wir über jenen (Zustand) sprechen, der aus den Tränen der Traurigkeit entsteht. Wenn jemandem dieser Zustand der Freude widerfahren ist, wie lange Zeit auch immer, dann folgt auf ihn jener Zustand des Leides der Tränen der Traurigkeit, welcher die Seele austrocknet und sie (so hart) wie Steine macht. Und wenn die Tage dieses (Zustandes) nicht abgekürzt würden, dann würde kein Fleisch am Leben bleiben. Wie der Weise sagt: „Die

Gebeine des bekümmerten Mannes trocknen aus" (Prov 17, 22).

5.1.46 *Die Kunst, den richtigen Rat zu geben*

Ihr aber, oh (geistliche) Führer der Brüder, sehet zu, wenn ein frommer Bruder zu euch kommt, der sich in diesem Zustand der Tränen der Traurigkeit befindet, welchen Rat ihr ihm diesbezüglich gebet. Denn dieser Zustand führt ihn, wenn er lange bei dem Gottesfürchtigen andauert, zur Verzweiflung. Indessen, es geziemt uns, die wir der (geistlichen) Führung der Brüder gewürdigt wurden, dem, der uns fragt, dazu einen guten Rat zu geben. Das heißt, daß wir in die Herzen unserer Brüder, die sich in dieser Angelegenheit an uns wenden, die Hoffnung auf die Buße säen und auf die Verheißungen, die unser Herr in seinem Evangelium bezüglich der Vergebung der Sünden gemacht hat: „Wenn ein Mensch (auch) 70 mal sieben Mal an einem Tage sündigt, vergibt ihm Gott (doch) in seinem Erbarmen auf einen Gedanken der Reue hin" (vgl. Mt 18, 21 f.). Und füllet ihre Herzen mit Freude durch die Verheißungen Gottes bezüglich der Umkehr der Sünder und durch den Eid, den Gott durch den seligen Ezechiel geschworen: „Ich habe kein Wohlgefallen am Tode des Sterblichen und Sünders, sondern (daran), daß er sich von seiner Gottlosigkeit bekehre und lebe" (Ez 18, 32).

5.1.47 *Heimsuchungen der göttlichen Gnade*

Denn nach diesem Zustand der Traurigkeit wird der Seele die Heimsuchung der Gnade zuteil[42]. Das heißt, das Feuer (87 v) der Liebe Gottes brennt im Herzen des Menschen, und Nacht und Tag kreuzigt er sich selbst durch die Mühen der Tugend, ich will sagen; (durch) Fasten und beständiges Niederfallen vor dem Kreuz. Und bis zu einem solchen Grade gelangt der Mensch durch das Feuer der Liebe zu den Mühen, daß er jenseits aller natürlichen Bedingungen des Leibes zu sein begehrt.

5.1.48 *Die Verpflichtung zum Maßhalten*

Ihr aber, meine Brüder (und geistlichen) Führer, legt ihnen mit Ordnung und Maß eine Lebensregel auf, damit sie (die asketischen Mühen) nicht etwa übermäßig vermehren und (schließlich) der Eifer ihrer Liebe erkalte. Und erinnert sie an die Söhne Israels, daß bei dem, der das Gebot des seligen Moses übertrat und in der Wüste sich zuviel von dem Manna eingesammelt hatte, (ihm dies) verfaulte und zu Würmern wurde, aber der, der das Wort des Mundes Gottes bewahrte, das ihm durch den seligen Moses zugesprochen ward, und sich (nur) den Tagesbedarf einsammelte, sich davon ernährte.

So sollt auch ihr, oh meine gehorsamen Brüder, die ihr euch durch diesen geistlichen Kriegsdienst müht (d. h. im Koinobion), das Wort des Mundes des Herrn bewahren, welches euch durch eure geistlichen Väter zugesprochen wird; und übertretet ihr Gebot nicht, indem ihr euch übertriebene Mühen ansammelt und eure Seele (auf diese Weise) durch den eitlen Ruhm verfaule. Vielmehr glaubet alles, was euch der (geistliche) Führer, dem ihr eure Seele anvertraut habt, sagt, so als ob ihr es aus dem Munde des Herrn (selbst) gehört hättet, und es wird euch von der Gnade Gottes geholfen werden.

5.1.49 *Die Verbindung zwischen erstem Eifer und sinnlicher Lust*

Dieser erste Eifer, der trübe und wirr ist, ist nämlich mit der Leidenschaft der Unzucht verbunden. Wie das? Es ist notwendig, dies darzulegen.

Wenn (dieser) Zustand des Eifers bei einem Gottesfürchtigen eintritt, (und) wenn er (dann) keinen verständigen (geistlichen) Führer hat, und (wenn der Zustand) lange Zeit bei ihm andauert, und (der Mönch) Gedanken des eitlen (88 r) Ruhmes annimmt und das Unterscheidungsvermögen des Intellektes geblendet worden ist, dann verwandelt sich dieser Eifer der Liebe zu den Tugenden in den Eifer des Begehrens der Unzucht. Und hinfort brennt das Herz des Gottesfürchtigen wie mit Feuer. Und da die Leidenschaft der Unzucht sich selbst unter einem (falschen) Anschein verbirgt, zeigt sie sich nicht offen, weil Begehren mit Begehren vermischt ist, und Eifer mit Eifer und Liebe mit Liebe, und der Gottesfürchtige nicht weiß, zwischen dem Eifer für die Mühen und diesem anderen Eifer, der sich unter dem Anschein der Tugend verbirgt, zu unterscheiden. Und die Seele wird in ein Ungewitter der Verwirrung geworfen und sie ist nicht in der Lage, (den falschen Eifer) zu unterscheiden. Darum wird dieser erste Eifer „trübe" und „wirr" genannt.

5.1.50 *Wehe den unklugen geistlichen Führern*

Oh, wie schwer ist dieser Punkt zu unterscheiden! Hier wird die Erkenntnis des klugen Gnostikers auf die Probe gestellt. Ich habe (schon) viele gesehen, die sich selbst zutrauten, Gnostiker und Weise zu sein, und die an diesem

Punkte übel gestrauchelt sind und einen Sturz getan haben, von dem es kein Aufstehen gibt. Und durch ihre Unwissenheit haben sie auch die Seelen vieler (Brüder) fern von der Erkenntnis der Wahrheit zugrunde gerichtet, weil sie nicht zwischen Wahrheit und Täuschung zu unterscheiden wußten. Und jedesmal, wenn einer der Gottesfürchtigen, der sich in diesem Zustand des Eifers befand, zu ihnen kam, haben sie ihn, da sie den Weg vor ihm nicht zu unterscheiden vermochten, entweder erhoben und mit eitlem Ruhm aufgeblasen, indem sie ihm sagten: „Du bist bereits zur Stufe der Geisthaftigkeit gelangt!"; oder sie versetzten ihn in den Abgrund der Verzweiflung, indem sie ihm sagten: „Du bist von den Dämonen in die Irre geführt worden, und dieser Eifer und diese Begeisterung für die Mühen stammt von den Dämonen!"

5.1.51 *Die Kunst, zwischen Wahrheit und Täuschung zu unterscheiden*

Denn wie oft kommt es durch die Heftigkeit der Begeisterung dieser beiden Zustände des Eifers bei dem Bruder (88 v) auch zu einem Samenerguß im Schlaf der Nächte, ohne daß er eine Erinnerung daran hätte, einen Streit der Unzucht erlitten zu haben[43]. Wie einer von den heiligen Vätern bezeugt, indem er erst: „Das Tor, durch welches die eintreten, die nach der Reinheit verlangen, ist die Hitze des Begehrens der Unzucht, ohne das Erleiden eines Kampfes. Wer es faßt, der fasse es (Mt 19, 12)."[44] Dieser Heilige aber will (damit) zu verstehen geben: Wenn der (geistliche) Führer Unterscheidungsvermögen besitzt, um zwischen Begehren und Begehren zu unterscheiden, dann gelangen die Gottesfürchtigen durch diesen Eifer zur Reinheit, welche die Vollendung der Stufe der Leibhaftigkeit ist. Und durch diesen selben Eifer wird dem Intellekt (auch) die Schau seiner selbst verliehen[45].

5.1.52 Darum sagt dieser wahre Gnostiker: „Dieser Eifer ist das Tor, durch welches die Gottesfürchtigen zur Reinheit eintreten", indem er (zugleich) zu erkennen gibt, daß nicht jeder beliebige in der Lage ist, diesen Punkt zu unterscheiden; deshalb sagt er: „Wer es zu fassen vermag, der fasse es (Mt 19, 13), anstatt zu sagen: „Wer es versteht, der verstehe es, zwischen dem Begehren des Eifers der natürlichen Samen und dem Begehren der Unzucht ohne einen Kampf zu erleiden, zu unterscheiden", denn er will das Ungestüm dieses Eifers über die natürlichen Bedingungen des Leibes hinausleiten, wie ich oben gesagt habe.

5.1.53 *Das Beispiel des Johannes Kolobos*

Wie die (Geschichte lehrt), die über Abba JOHANNES KOLOBOS geschrieben steht: Als er zu diesem Eifer gelangte, sprach er zu seinem Bruder: „Ich möchte gerne, daß ich sorglos wäre, wie die Engel Gottes, die keine Sorge haben um irgendetwas von den Dingen auf der Erde!" Und im Eifer seiner Liebe warf er, weil er seinem (geistlichen) Führer nicht gehorchte, seine Kleider von sich und ging in die Wüste. Und da er nicht zu verwirklichen vermochte, was unmöglich war, kehrte er zu seinem Bruder zurück[46].

Viele hat der Satan in der Tat durch diesen Eifer getäuscht, indem er sie veranlaßte, hinauszughen und für sich alleine (in der Zelle) zu leben, bei denen jener Eifer der natürlichen Samen (dann), wenn sie ihm gehorchen und hinausziehen, wegen ihres Ungehorsams ihren Vätern (89 r) gegenüber erlischt und (stattdessen) jener Eifer des Begehrens der Unzucht die Herrschaft über sie erlangt. Darum habe ich oben gesagt, daß die Schüler ihren geistlichen Oberen gehorchen müssen, wenn sie verständig sind in der Erkenntnis und geschickt, um diese beiden Wege zu unterscheiden.

5.1.54 *Wehe den unklugen Oberen!*

Wehe aber den Oberen, die nicht verständig (genug) sind, um diese beiden Wege zu unterscheiden, und die sich den Titel „Meister" zulegen und zu (geistlichen) Führern für die anderen werden, obwohl sie ihre eigenen Leidenschaften noch nicht gebessert haben. Sondern aufgrund einer geringen Beruhigung, die sie in sich selbst empfunden haben, oder (weil) sie einen kleinen Schimmer ihrer selbst wahrgenommen haben, haben sie sich mit dem eitlen Ruhm der Selbstzufriedenheit aufgeblasen und es unternommen, (geistliche) Führer der anderen zu werden. Wehe denen, von denen unser Herr (ihr) unwissendes Urteil einfordert und die Seelen ihrer Schüler! Gleicherweise (aber) wird auch von unserem Herrn von den ungehorsamen Schülern die Bestrafung ihres Ungehorsams und der Vernachlässigung ihrer Oberen eingefordert.

5.1.55 *Selig die verständigen geistlichen Führer und die gehorsamen Schüler*

Selig hingegen der verständige (geistliche) Führer, der (seinen) Rang wahrt, bis ihm vom Geist die Leitung der anderen gestattet wird; er wird von unserem Herrn den Lohn für seine Mühe empfangen. Es ist dies jene Seligkeit, von der unser Lebensspender sagte: „Recht so, guter Knecht, über weniges bist du getreu gewesen, über vieles will ich dich setzen. Geh ein zur Freude deines Herrn!“ (Mt 25, 21) Und jene andere Seligkeit, von der er sagte: „Selig der Knecht, den sein Herr, wenn er kommt, bei solchem Tun vorfindet. Wahrlich, ich sage euch, er wird ihn über all (89 v) seine Habe setzen“ (Mt 24, 46). Selig aber auch der gehorsame Schüler, der als Lohn für seinen Gehorsam die Segnungen und Gebete seiner geistlichen Väter empfängt.

5.1.56 *Biblische Vorbilder des Gehorsams: Jakob, Joseph, Josua und Kaleb*

Gleichwie Jakob, der seiner Mutter gehorchte und die Segnungen von seinem Vater empfing. Und er bekleidete ihn mit der Rüstung der Gebete und Segnungen und sandte ihn nach Harran, allein mit seinem Stab und seinem Mantel und einer Flasche Öl. Und um seines Gehorsams willen weilte der Segen seines Vaters auf seinem Haupte und er kehrte mit zwei Lagern und zahlreichem Gepäck zu ihm zurück (Gen 28 ff.).

Ebenso empfing auch Joseph, der seinem Vater gehorsam war, Segnungen und ward zum Herrscher über Ägypten. Und es ward ihm um seines Gehorsams willen ein größerer Anteil im gelobten Land gegen als seinen Brüdern (Gen 48, 22). So erweist (denn) auch ihr, oh meine Brüder, euren geistlichen Vätern Gehorsam, und ihr werdet Segnungen empfangen und euch durch sie mit der Rüstung des Gebetes bekleiden.

Wie Josua, der Sohn Nuns, der dem seligen Moses gehorchte und das gelobte Land betrat und in Besitz nahm, welches Milch und Honig fließen läßt für die, die es erben. Gleichwie nämlich Josua der Sohn Nuns und Kaleb der Sohn Jephunnes als einzige von den 600 000 Mann um ihres Gehorsams willen das gelobte Land betraten, deshalb weil sie das Wort des Moses bewahrten und Gott vollkommen nachfolgten, das ganze Volk aber in der Wüste ob seines Ungehorsams dem seligen Moses gegenüber umkam, ebenso sind auch alle jene, die ungehorsam sind, Fremde, was das abgeschiedene Verweilen in der Zelle und die Ruhe in ihr betrifft.

5.1.57 *Abschließende Ermahnungen*

Dieses (Verweilen in der Zelle) stellt das Symbol des gelobten Landes und der Stufe der Seelenhaftigkeit dar, auf der (90 r) der Intellekt die sieben Leidenschaften tötet, welche das gelobte Land besetzt gehalten hatten[47], ehe Israel den Jordan überschritt. Also erweiset auch ihr, oh meine Brüder, Gehorsam und Willigkeit in dem mühevollen Tun im Koinobion, damit, wenn ihr in der Wüste geplagt worden seid und wahren Gehorsams erwiesen habt und all eure Wünsche abgeschnitten habt, alle bösen Gedanken aus eurem Herzen abgetötet sind, jene, die euch in das Ägypten der Bosheit zurückbringen möchten.

5.1.58 Wenn ihr nämlich in dem Tun im Koinobion wahren Gehorsam erweist, werdet auch ihr den Jordan überschreiten und das gelobte Land in Besitz nehmen, welches die Reinheit bedeutet. Wenn ihr aber keinen einfältigen Gehorsam, ohne Nachforschen, erweist, dann seid ihr tot im Hinblick auf die Erkenntnis Gottes. Wie jenes murrende Volk, welches nach den Scheußlichkeiten in Ägypten gierte und dem Gebot Gottes nicht gehorchte; und es starb ganz in der Wüste hin und betrat das gelobte Land nicht, außer Josua dem Sohne Nuns und Kaleb dem Sohne Jephunnes, welche dem Volk des Herrn zum Erbe des gelobten Landes verhalfen (Dt 1, 38).

5.1.59 So tötet denn auch ihr, oh meine Brüder, die ihr im Koinobion wirkt alle Gedanken, die von Ägypten her mit euch in die Wüste des Tuns der Stufe der Leibhaftigkeit eingetreten sind, damit, wenn jene Gedanken, die mit euch aus der Welt gekommen sind, abgetötet und verschwunden und aus euren Seelen vergangen sind und an ihrer Stelle aufrichtige Gedanken entstehen, die von den natürlichen Samen (herrühren), jene, die die Früchte der Reinheit sind, — dann der Moses-Intellekt aus dieser Welt hin zum Herrn auswandere, das heißt von der sinnlichen Schau und von (90 v) jener, die auf sinnliche Weise die geistlichen Dinge begreift.

Denn es ist nunmehr an der Zeit, daß das Volk Gottes den Jordan überschreite und mit den Fremdvölkern kämpfe, die in dem gelobten Land wohnen, das heißt, daß die Zeit des Tuns im Koinobion beendet ist, um (nun) hinauszugehen und einsam in der Zelle zu weilen, welche das Symbol des gelobten Landes darstellt und die sieben Fremdvölker zu bekriegen, die in ihm wohnen, um zur Lauterkeit zu gelangen, welche die Vollendung der Stufe der Seelenhaftigkeit ist.

5.1.60 *Zusammenschau des Tuns im Koinobion, d. h. der Stufe der Leibhaftigkeit.*

Die Leidenschaften nun, welche mit jenen kämpfen, die sich im Koinobion befinden, sind die folgenden: Streitsucht, Eigensinnigkeit, Unghorsam, Faulheit, eitles Gerede, Schamlosigkeit, Falschheit, Doppelzüngigkeit, Ungeordnetheit der Sinne, übertriebene Sorge um den Bedarf des Leibes, Mißachtung, eifersüchtiges Auge, ungeordnete Schlafsucht, und, was schlimmer ist als alle oben genannten Leidenschaften, Lustbarkeit und ungeordnetes Lachen und Gefräßigkeit und die Leidenschaft der Unzucht, welche den Glanz der Seelen jener verdirbt, die ihr gehorchen.

Alle diese Leidenschaften, oh unser geliebter Bruder, machen jenen, die in der Wüste des Tuns im Koinobion geplagt werden, und denen verliehen wird, die Früchte der Reinheit einzusammeln, welche die Vollendung der Stufe der Leibhaftigkeit ist, den Krieg, jenen die, wenn sie sie durch die Kraft des Beistandes unseres Herrn besiegt haben, Segnungen und Gebete von ihren geistlichen Vätern empfangen.

III. Teil: Das Leben in der Zelle — Die Stufe der Seelenhaftigkeit

5.1.61 *Überblick*

(91 r) Gleichwie Josua der Sohn Nuns, der durch die Handauflegung des seligen Moses den Geist empfing (Dt 34, 9), und den Jordan überschritt und das gelobte Land betrat und sie (d. h. die Israeliten) nahmen es in Besitz, ebenso auch empfangen die wahren Schüler, jene die dem Tun der Gottesfurcht im Koinobion obliegen, Segnungen und Gebete von ihren Vätern und überschreiten den Jordan, der die Grenze der Stufe der Seelenhaftigkeit ist, und sie nehmen das gelobte Land in Besitz und nähren sich von seinen Gütern, welche die Einsichten und Geheimnisse eben die-

ser Stufe der Seelenhaftigkeit sind. Und sie werden des mühevollen und abgeschiedenen Verweilens in der Zelle gewürdigt, welche das Symbol des gelobten Landes darstellt, in welchem dem gottesfürchtigen Intellekt die Einsicht in die Geheimnisse und Erkenntnisse aller Welten die waren und die sein werden gegeben wird und in welchem er Geheimnisse und Offenbarungen über all dies empfängt[48].

Jetzt also, o Freund meiner Seele, sind wir zur Überschreitung des Jordans gelangt, welche das Verlassen des Koinobimus und das Verweilen in der Zelle bedeutet, in der Ordnung der Stufen aber den Übergang von der Stufe der Leibhaftigkeit zu jener der Seelenhaftigkeit.

5.1.62 *Die Frage des Adressaten und die Veranlassung der Schrift*

Auch wenn wir [zunächst], oh mein Herr, unsere Darstellung vom Anfang an über die Flucht des Menschen aus der Welt und das tugendhafte Tun im Koinobion ausgedehnt haben, und unterschieden haben zwischen denen, die auf der Stufe der Leibhaftigkeit stehen, und denen, die damit noch nicht angefangen haben, (und zwar) derjenigen Leute wegen, die in ihrer Unwissenheit behaupten, daß alle Weltkinder auf der Stufe der Leibhaftigkeit stehen, so bestand (91 v) doch, was dich betrifft, oh (mein) Freund, deine ganze Bitte an uns darin, (dir) über das abgeschiedene Verweilen in der Zelle zu schreiben und über das Tun des mühevollen Wandels in ihr und welche Tugenden jenen zu pflegen sich geziemt, die in der Abgeschiedenheit der Zelle verweilen, (über) jene Dinge, die sie beständig und nicht nachlässig zu erfüllen haben, und welche die Heimsuchungen sind, die ihnen seitens der Gnade widerfahren, und welche Geheimnisse der Erkenntnis ihnen offenbart werden, und welche die Leidenschaften sind, die ihnen im Ausharren in der Abgeschiedenheit der Zelle den Krieg machen, und welche die harten Kämpfe sind, die ihnen seitens der Dämonen widerfahren, und zu welcher Stufe sie, nach dem Sieg über die Leidenschaften und den Kämpfen (mit den Dämonen), gelangen.

5.1.63 Ferner hast du mir gesagt: „Unterscheide mir (genau) zwischen Stufe und Stufe, und setze in ihr (der Stufe) die Erkennungsmarken und erbringe für (die Stufe) die Belege aus den Heiligen Schriften". Dies alles hast du von mir erbeten, oh mein lieber Freund. Da ich sah, daß deine Seele die Entdeckungen neuer Dinge der Gottesliebe verfolgt, siehe, so beginnen wir (nun), die Bitte deiner Liebe durch die Hilfe unseres Herrn zu erfüllen. Denn es ist nun an der Zeit, daß wir den Jordan überschreiten und das gelobte Land betreten und mit den sieben Völkern kämpfen, die sich in ihm befinden und ihre Könige mit eisernen Banden fesseln (Ps 149, 8) und ihre Festungen und Städte in Besitz nehmen und uns von den Gütern dieses Lande nähren, daß heißt von Milch und Honig, welche die Schau der (verschiedenen) Kontemplationen und ihrer entsprechenden Erkenntnisse bedeuten.

5.1.64 *Der zweifache Übergang über den Jordan*

(92 r) Zweimal indessen haben die Söhne Israels den Jordan überschritten und dann (erst) betraten sie das gelobte Land. Den ersten Übergang über den Jordan taten sie wie jedermann, ohne daß ein Wunderzeichen vor ihnen erschienen wäre, weil damals der selige Moses das Volk geführt hatte.

Bei diesem Übergang hatte Amalek Israel bekriegt und hatte sie in die Wüste zurücktreiben wollen, damit sie das Land der Amalekiter nicht beträten und in Besitz nähmen (vgl. Ex 17, 8 ff.)[49]. Dieser erste Übergang aber stellt das Symbol der Stufe der Leibhaftigkeit dar, auf der kein Wunderzeichen erscheint und (auf der) die Erkenntnis des Gottesfürchtigen (auch) nicht verschieden ist von der jedermanns, wiewohl ihre Lebensweisen verschieden sind. Wie bei dem Volke Israel, dessen Wandel (dank) seiner Gesetze verschieden war von (dem) aller (anderen) Völker, nichtsdestoweniger aber seine Erkenntnis der jedermanns gleich war; ebenso verhält es sich bei allen denen die sich (noch) auf der Stufe der Leibhaftigkeit befinden, deren Erkenntnis, wiewohl ihr Wandel von dem jedermanns verschieden ist, doch leibhaft ist, wie die jedermanns. Jener zweite Übergang der Söhne Israels über den Jordan aber, bei dem ein staunenswertes Wunder erschien (Jos 3, 5 ff.), durch welches sie das gelobte Land betraten, stellt ein Symbol der Stufe der Seelenhaftigkeit dar, jener (Stufe), auf der sich die Erkenntnis des Intellekts von der jedermanns unterscheidet.

Lassen wir jedoch einstweilen, oh Freund meiner Seele, die Darstellung der Stufe der Seelenhaftigkeit und reden wir jetzt über das Verweilen in der Zelle, wie wir deiner Liebe versprochen haben. Und dann wollen wir die Ordnung der Stufen (wieder) aufnehmen und über sie sprechen, wie es die Schicklichkeit erheischen mag[50].

5.1.65 *Über die Feier der Einweihung der Zelle*[51]

Wenn nur der gottesfürchtige Mönch das mühevolle Tun im Koinobion beendet hat, in Demut und im Gehorsam

(92 v) und im Ertragen aller Vorwürfe, die von den anderen gegen ihn vorgebracht werden, und die Regel der Gemeinschaft erfüllt hat, wie es sich gebührt, dann wird ihm von seinen geistlichen Vätern gestattet, in die Zelle hinauszugehen, welche das mühevolle Verweilen in der Abgeschiedenheit bedeutet. Und er bestimmt einen Tag zu einem geistlichen Fest für alle seine geistlichen Väter und Brüder, damit sie ihn mit der geistlichen Rüstung ihrer Gebete bekleiden und damit er (fähig werde), mit den Fremdvölkern zu kämpfen, die das gelobte Land bewohnen. Gleichwie der selige Moses dem Josua dem Sohne Nuns, weil er ihm gehorsam war, die Hände aufs Haupt legte und ihn segnete, auf daß er das gelobte Land betrete und in Besitz nehme (Num 27, 18), ebenso auch kommt auf alle, die im Koinobion dem Tun der Demut und des Gehorsams obliegen, die göttliche Kraft durch die Fürbitte und das Gebet herab, das ihnen von der ganzen heiligen Versammlung ihrer geistlichen Väter und Brüder zuteil wird, am Tage, an dem sie die Festversammlung der Einweihung der Zelle begehen.

5.1.66 *Liturgiefeier zur Einweihung der Zelle*

Und gleichwie Gott dem Josua dem Sohne Nuns, als er das Volk über den Jordan brachte, gebot, das Fest des Tages der Beschneidung zu feiern (Jos 5,2), damit er durch die Beschneidung des Fleisches von ihren Herzen jede Erinnerung an das mühsame Tun in Ägypten abschneide und sie mit göttlicher Kraft bekleide, um mit den Völkern zu kämpfen, die das gelobte Land gewohnten, ebenso auch bekleiden sich all jene, die zum ersten Male nach der Vollendung (des Tuns) im Koinobion in die Zelle hinausgehen, durch jenes lebendige Opfer des Leibes und Blutes Christi, das für sie dargebracht wird, mit göttlicher Kraft und kämpfen (fortan) mit den Leidenschaften der Sünde.

5.1.67 *Wehe denen, die unvorbereitet in die Zelle gehen!*

Keiner von jenen Nachlässigen und Schlaffen soll sich (indessen) einbilden, daß der Bruder um des heiligen Wachens willen, das er in der Zelle vollzieht, Erquickung finden und (93 r) in ihr (der Zelle) verweilen wird, dieweil er sich im Koinobion nicht in Vollkommenheit geübt hat, in Demut und Gehorsam seinen geistlichen Vätern und Brüdern gegenüber! Da sei nämlich Gott vor, daß dem, der sich im Koinobion nicht geübt hat, in der Zelle Erquickung zuteil werde. Der, der solches redet, möge sich an Achar erinnern, der auch wie ganz Israel beschnitten wurde, dem jedoch seine Beschneidung nichts nutzte, weil er das Wort des Mundes des Herrn nicht bewahrte; er ward vielmehr zu einem Zeichen des Entsetzens für ganz Israel (Jos 7, 1 ff.)

So ist es nämlich auch bei denen, die sich im Koinobion üben, aber sich nicht so üben, wie es sich gebührt: Sobald sie in die Zelle hinausgehen, sammelt sich der Steinhagel der bösen Gedanken und überfällt sie, und die Zelle schleudert sie aus sich heraus, wie ein Stein, der von einer Schleuder herauskatapultiert wird, und sie werden jeglichem Mönchsleben und den in ihm enthaltenen Gütern fremd, wie Achar, der von der ganzen Vesammlung des Herrn ausgeschlossen ward und zu einem Fremden für das gelobte Land und die in ihm enthaltenen Güter wurde.

5.1.68 *Praktische Anweisungen für das erste Jahr in der Zelle*

Derjenige nun, der zum ersten Mal in die Zelle hinausgeht, muß folgende Dinge bewahren: Beständiges Schweigen, dies, daß er absolut keinen vertrauten Umgang[52] mit irgendjemandem habe, Trennung von Familie und Stamm; ferner soll man ihn tagsüber nicht außerhalb der Tür seiner Zelle sehen, ausgenommen eine Notwendigkeit der Gemeinschaft oder eine Erkrankung, Dinge, für die kein Gesetzt auferlegt ist. Wer nämlich die süßen Früchte zu kosten begehrt, die in der Abgeschiedenheit (reifen), soll im ersten Jahr, da er in der Zelle weilt, keine Nacht außerhalb von ihr verbringen.

Sein Fasten und Wachen aber geschehe mit Ordnung und mit Maß, das heißt das abendliche Fasten (d.h. bis zum Abend)[53]; und die (eine) Hälfte der Nacht (sei) dem Wachen und die (andere) Hälfte der Erquickung des Leibes (gewidmet), nach dem Wort des seligen ABBA ISAIAS[54].

5.1.69 *Von der Kunst, sich langsam einzugewöhnen*

(93 v) Sei nicht begierig nach übertriebenen Mühen, oh Bruder, der du (erst) jüngst in die Zelle hinausgegangen bist, auf daß du nicht von den Dämonen verspottest werdest! Denn die Dämonen stacheln den Einsiedler im ersten Jahr, da er in die Zelle hinausgeht, sehr zum Eifer an. Denn die verwünschten Dämonen wissen, daß sie, wenn der Bruder ihnen im ersten Jahr gehorcht und durch übertriebene Mühen ihren Willen tut, seinen Leib und seine Seele schädigen werden. Seinen Leib schädigen sie durch Krankheiten und Schmerzen und seine Seele erheben sie durch den eitlen

Ruhm, und (dann) versenken sie ihn in den Abgrund der Leidenschaft der Unzucht.

Denn wenn der Leib nicht Tag für Tag durch die Mühen einen Zuwachs (an Widerstandsfähigkeit) gewinnt, nimmt er Schaden und endet bei Schmerzen und Krankheiten, bis er in die Hand der Söhne GALENS[55] fällt, und die Dämonen all ihren bösen Willen in ihm ausführen. Darum habe ich gesagt, daß die Mühen des Fastens und Wachsens und Lesens im ersten Jahr mit Ordnung und mit Maß geschehen sollen. Durch diese drei Übungen der Tugend nämlich wird der Leib geschwächt und nimmt Schaden, ehe er sich an sie gewöhnt. Das Fasten nämlich fügt dem Magen Schaden zu und der Leber und der Milz, und das Wachen fügt den Beinen und den Nieren Schaden zu, und durch das unmäßige Lesen wird ein Teil des Gehirnes geschädigt und es entsteht ein Schaden an den Augen.

5.1.70 *Über die Anpassung des Leibes an die asketischen Mühen*

Ein Töpfergefäß nämlich,wenn es geformt wurde, verdirbt, wenn es nicht (vorher) im Feuer gebrannt wurde, sobald du Wasser hineingießt. Wenn es aber voll der Hitze des Feuers ausgesetzt wird, dann magst du alles was du willst hineintun, es wird nicht verderben, ob nun Wasser oder Wein oder Öl.

Ebenso ist es auch mit dem Leib: Wenn du ihm im ersten Jahr die Mühen vermehrst, ehe er sich im Brennofen der Zelle ein ganzes Jahr lang eingewöhnt hat, nimmt er Schaden und eignet sich nicht mehr für die Mühen. Wenn er aber durch die Mühen eingewöhnt wurde, dann magst du (94 r) ihm aufladen was du willst, sei es das Fasten (ganzer) Wochen, oder das Wachen (zahlloser) Nächte, oder endloses Lesen, der Leib wird nicht erkranken, weil er sich an diese (Mühen) gewöhnt hat. Der Magen ist geschrumpft, das Gehirn hat sich durch zusätzliche Flüssigkeit verfeinert, die Augen sind klarsichtig geworden, Leber und Milz haben die Gewohnheit angenommen, (nur) Wasser zu trinken und sie ermüden nicht vor Blutarmut, weil sich die Blutbahnen zusammengezogen haben und nur noch mässig (Flüssigkeit) erfordern. Die Nieren haben die ihnen eigentümliche Wärme erworben und erfordern keine zusätzliche Wärme. Die Entzündung der Schwellung der Beine hat sich gelegt, und wegen der Magerkeit des Leibes werden (die Beine) nicht mehr müde und nehmen keinen Schaden durch häufiges Wachen[56].

5.1.71 *Selig die Vernünftigen — wehe den Unklugen!*

Selig jene, die während des ersten und des mittleren und des letzten Jahres mit Verstand wirken! Je mehr sie die Mühen der Tugend vermehren, desto mehr verlangt ihr Leib. Und in dem Masse, wie sie sich in den Mühen abplagen, wird ihr Intellekt erleuchtet und verfeinert und atmet ihre Seele auf.

Wehe der Unwissenheit! Noch ehe sie durch die Mühen aufblüht, ist sie (schon) verwelkt. Und während sie begehrt, sich zu erfreuen, ist Widerwillen und Traurigkeit und Verzweiflung ihrer Freude gefolgt. Und dieweil der, der von der Unwissenheit besessen ist, meint, sein Intellekt sei tatsächlich erleuchtet und seine Seele habe sich ob seiner Mühen geweitet, ist sein Intellekt in Wirklichkeit aufgeblasen und sein Herz voll von Finsternis und seine Seele geschrumpft und seine Unterscheidungsgabe ist durch den eitlen Ruhm, welcher sie mit bösen Gedanken anfüllt, geblendet. Denn die Erkenntnis ist ganz Licht und die Unwissenheit ist (ganz) Finsternis.

5.1.72 *Von der Ausdauer eines wohlgeübten Leibes*

Es besteht hingegen kein Hindernis, wenn der Leib (einmal) eine Schulung in den Mühen erworben hat, daß man, wenn man es wünscht, (während) der Dauer (mehrerer) Tage ohne Nahrung bleibt, weil sich des Leibes, wenn er in den Mühen der Askese eine lange Zeit über zerrieben (94 v) worden ist, keine Schmerzen und Krankheiten mehr bemächtigen, es sei denn, wenn ihm ein Verlassenwerden von seiten Gottes[57] widerfährt, durch die rebellischen Dämonen. Wie der Satan dem seligen Hiob gegenüber handelte, indem er seinen Leib, da er in ihm keinen Raum des Bösen fand, von der Sohle seines Fußes bis zu seinem Scheitel schlug, und an seinem Leib keine heile Stelle ließ (Hiob 2, 7). Aber jener Selige verharrte in seiner Unschuld und ließ nicht ab von seinem Ausharren und seiner Liebe zu Gott.

Ebenso verhält es sich auch, oh lieber Freund meiner Seele, mit denen, die auf dem geraden Weg der Gebote unseres Lebensspenders wandeln und deren Leiber durch die Mühen der Askese geübt wurden: Wie lange auch ihr Kampf mit den Leidenschaften dauert, ihre Leiber erkranken nicht durch die Mühen, bis die Zeit des Alters herannaht, dem niemand zu entgehen vermag.

5.1.73 *Praktische Fastenregeln*

Der schnelle Weg zum Königsreich indessen, den uns unsere Väter vermacht haben, ist dieser: Das Fasten von Abend zu Abend[58], ohne daß man sich den Bauch füllt. Einem vollen Bauch nämlich folgen stets Schmerzen und Krankheiten und sehr schwerer Schlaf, und dem Übermaß des Schlafes folgen Träume und scheußliche Gesichte abscheulicher Phantasiegebilde, und diesen Dingen folgt der Dämon des Widerwillens und jener der Zerstreutheit der Gedanken und, was schlimmer ist als alles, Verzweiflung und Gram und Traurigkeit, welche die Verfassung des Intellektes schädigen und das Unterscheidungsvermögen der Seele blenden.

Alles geschehe mit dem Rat Erfahrener

Was aber die Tatsache betrifft, daß einer, nachdem er sich in die Mühen eingeübt hat, je zwei Tage faste oder drei oder eine ganze Woche, so besteht darüber kein Gesetz. Jedermann mag sein Leben so führen, wie er es wünscht; indessen soll er mit Erkenntnis und dem Rat der Gnostiker handeln! Denn der, der sich ohne Rat müht, kämpft mit der Luft und fruchtlos ist sein ganzes Tun, wie die Schrift (95 r) sagt: „Der Weise fragt um Rat und handelt (danach), und der Tor geht in die ihm entgegengesetzte Richtung" (Prov 10, 8). Denn jede Tugend, die nicht mit dem Rat der Gnostiker gewirkt ist, gleicht einem durchlöcherten Krug; alles Wasser, das man in ihn gießt, geht verloren. Selig jener, der um Rat fragt und (danach) handelt, ehe er die Tugend wirkt: Sein Intellekt wird sich an den Früchten ihrer Erkenntnis ergötzen.

5.1.74 *Die Regel für das erste Jahr*

Psalmengebet

Im ersten Jahr also, da er in der Zelle weilt, soll der gottesfürchtige Bruder zwischen Nacht und Tag den David (d. h. den Psalter) beten, ohne etwas hinzuzufügen oder von ihm abzustreichen. Hernach aber mag er soviel hinzufügen, wie er will, oder abstreichen, soviel er will, entsprechend den Gründen, die sich dem Bruder darbieten[59].

Die Offizien

Morgengebet

Es ist indessen notwendig zu sagen, wie er das Offizium zelebrieren soll, auch wenn die heiligen Väter (bereits) darüber gesprochen haben[60]. Wenn der Morgen aufleuchtet, wasche (der Bruder) seine Hände und mache die Verneigungen vor dem Kreuz[61], bis sich seine Gedanken von der Zerstreutheit gesammelt haben und er mit dem Feuer der Liebe unseres Herrn brennt, indem er unseren Herrn mit kummervollen Tränen anfleht und spricht[62]:

„O Gott, mach mich würdig,
daß mein Geist an den Einsichten
der Menschwerdung deines geliebten Sohnes[63]
seine Wonne finde.
Unser Herr,
nimm den Schleier der Leidenschaften hinweg,
der über meinen Geist ausgebreitet ist,
und zünde dein heiliges Licht
in meinem Herzen an,

auf daß mein Geist in das Innere
des äußeren geschriebenen Textes[64] eindringe
und ich mit den erleuchteten Augen meiner Seele
die heiligen Geheimnisse schaue,
die in deinem Evangelium verborgen sind.
Gewähre mir, mein Herr in deiner Gnade,
und würdige mich in deinem Erbarmen,
daß dein Gedenken nie von meinem Herzen weiche,
weder bei Nacht noch bei Tag[65]."

5.1.75 *Zeremonie der Evangelienlesung*

Und wenn du deine Gedanken durch Worte der Bitte wie diese gesammelt hast, oh gottesfürchtiger Bruder, dann grüße das Kreuz und nimm das Evangelienbuch in deine Hände und lege es auf deine Augen und auf dein Herz, und (95 v) stelle dich auf deine Füße vor das Kreuz hin, ohne dich auf den Boden zu setzen. Und bei jedem Abschnitt, den du liest, lege es auf das Kissen und falle vor ihm nieder bis zu zehn Malen, indem du Danksagungen aufsteigen läßt zu dem, der dich gewürdigt hat, das Geheimnis zu betrachten und zu lesen, das verborgen war vor Zeiten und Generationen (Kol 1, 26), nach dem Wort des göttlichen Paulus. Und durch die äußere Anbetung, die du vor ihm vollziehst, entsteht in deinem Herzen jene intelligible Anbetung und Danksagung, von der eine Zunge von Fleisch nicht zu sagen vermag, wie sie ist.

5.1.76 *Das Zeugnis eines Bruders*

Selig derjenige, der dieser beiden Tugendwirken gewürdigt ward, dessen Tun mit den Genossen Gabriels und Michaels ist[66]! Wahrlich, oh Freund, ich kenne einen der Brüder, dessen Herz eines Tages, dieweil er vor dem anbetungswürdigen Evangelium niederfiel, indem seine Hände und seine Augen zum Himmel ausgestreckt waren, plötzlich geöffnet und mit einem unsagbaren Licht erfüllt ward, und er ward jener intelligiblen Anbetung und jener Danksagung gewürdigt. Und jener Bruder erklärte in meiner Gegenwart: „Zwei Tage war ich, ohne Nahrung zu mir zu nehmen und ohne mich zum Schlaf hinzulegen. Mein Denken ist hinweggerafft worden, weg von der Welt und von allem, was in ihr ist". Und er sprach: „Einzig daß mein Geist emporgehoben ward, wußte ich. Daß ich (etwas) gesehen und gehört habe, weiß ich zwar (auch). Was ich aber gesehen und gehört habe, das weiß ich nicht vor dir zu sagen, denn es sind Geheimnisse, die nicht durch eine Zunge von Fleisch ausgesprochen, oder mit Rohr und Tinte beschrieben werden (können), denn sie sind das Angeld jener unaussprechlichen Güter, die Gott der Allherrscher nach der Auferstehung von den Toten verleiht. Jene (Güter), die der selige Paulus wie im Staunen betrachtete und sprach: „Was das Auge nicht gesehen und das Ohr nicht gehört und zum Herzen des Menschen nicht aufgestiegen ist, was Gott jenen bereitet hat, die ihn lieben" (1 Kor 2,9). (96 r)

5.1.77 *Lesung der Apostelbriefe und der Apostelgeschichte*

Und wenn du nun im Evangelium liest, oh gottesfürchtiger Bruder, und du von ihm den Segen empfängst, der deine Seele durch den Heiligen Geist heiligt, der in den lebendigen Worten unseres Herrn Jesus Christus verborgen ist, dann lies darauf im Apostel und in der Apostelgeschichte, bis die dritte Stunde (d.h. 9. 00) herannaht, indem du die

Regel der Verneigungen, jene des Evangeliums, ausführst. Denn wie oft findest du auch durch das Lesen dieser (Schriften) jene Perle voll des Lebens, von der ich oben sprach[67].

Die dritte Stunde

Und wenn die dritte Stunde herangenaht ist, stelle dich vor das Kreuz und sammele deine Gedanken durch die Einsicht der Lesung, die du gelesen hast. Und beuge das Knie und bitte unseren Herrn mit Schmerz und Tränen, daß er dir den Schlüssel der Einsicht der Gesänge des seligen David gebe. Und wenn du mit einem Psalm angefangen hast, dann dränge nicht auf die Menge der Psalmen[68], sondern auf die Suche (nach) der Einsicht, die in ihnen verborgen ist. Denn es besteht kein Schaden darin, daß sich jemandes Intellekt sieben Nächte und Tage mit (nur) einem Vers eines Psalmes beschäftige. Denn unsere heiligen Väter haben gesagt: „Besser ein Vers in der Nähe als 1 000 in der Ferne“[69].

5.1.78 *Wider einen falschen Hesychasmus*

Sieh zu, oh mein Bruder, daß dein Intellekt, wenn du das Offizium zelebrierst, auf intelligible Weise durch die Einsicht der Psalmen lospreise und dein Mund auf sinnenfällige Weise. Denn der sinnenfällige Lobpreis ist ohne den intelligiblen eitel. Indessen ist der sinnenfällige (Lobpreis) die Ursache des intelligiblen. Gleichwie nämlich der Leib die Ursache der Selle ist und ihr im Sein vorausgeht, ebenso ist auch der sinnenfällige Gesang die Ursache des intelligiblen Lobreises.

Es gibt zahlreiche „Weise“[70], die in ihrer Unwissenheit behaupten: „Wir bedürfen dieses sinnenfälligen Gesanges nicht, denn wir besitze den intelligiblen Lobpreis. Wir psalmodieren im Herzen und brauchen den Gesang des Mundes nicht“. Aber dies behaupten sie so, weil sie von dem schwülen Wind des eitlen Ruhmes getroffen wurden. Es geziemte sich diesen törichten Weisen zu begreifen, ob die Seele etwa Leben haben könne ohne den Leib[71]? Oder ob es etwa möglich sei, daß der Mensch nur aus einem (dieser beiden) Teile bestehe? Und wenn das nicht möglich ist, dann auch nicht, daß diese Elenden durch jenen intelligiblen Preisgesang[72] lobsingen, ohne den sinnenfälligen Gesang. Wenn also der Mensch weder in dieser noch in der zukünftigen Welt ohne Leib und Seele bestehen kann, dann sollen jene auch nicht in ihrer Dummheit behaupten, „wir besitzen den intelligiblen Lobpreis ohne den sinnenfälligen Gesang“. Doch weil uns jetzt nicht obgliegt, dem Geschwätz jener zu widersprechen, wollen wir nun davon schweigen. (96 v)

5.1.79 *Lesung der Väterschriften*

Wenn du nun, oh Bruder, die dritte Stunde entsprechend dem Brauch und der Regel, die unsere Väter erstellt haben, zelebriert hast, dann nimm dir das *Buch der Väter*[73] und lies bis zum Mittag, ohne daß dein Geist abläßt von der Betrachtung der intelligiblen Einsichten. Du sollst nämlich deiner sinnenfälligen Zunge nicht Gelegenheit geben, der intelligiblen Zunge deines Geistes beim Lesen zuvorzukommen, sondern ordne beide so, daß sie einträchtig miteinander wandeln.

Die Regel (für die Zeit) zwischen einer Hore und der anderen sei für dich das Erstgesagte, indem du das Buch niederlegst und aufstehst und vor dem Kreuz niederfällst und auf unseren Herrn blickst und seine heiligen Füsse mittels des Zeichens seines Kreuzes (wiederholt) küßt. Verstehe, was ich sage! Ich spreche nicht über jene glorreiche Schau, die weder der (äußeren) Mittel noch der Zeichen (97 r) bedarf, weil sie einzig unvermittelt im Herzen dessen aufstrahlt, der sie empfängt[74]. Ich ermutige nur die Schwachen, daß sie sich durch das Anblicken des (sichtbaren) Kreuzes unseres Herrn jener glorreichen Schau würdig machen, die keine (sichtbare) Form besitzt.

5.1.80 *Handarbeit*

Von der Mittagshore an bis zur neunten Stunde (d. h. 15. 00) verrichte, wenn du hast, eine Handarbeit, ohne um der Handarbeit willen, nach der dich gelüstet, die Regel der Metanie zu verletzen! Sondern zusammen mit der Handarbeit erfülle auch die Regel der Metanie. Unsere geistlichen Väter rechnen nämlich die Arbeit der Hände, die in der Zelle in Gottesfurcht, ohne Habsucht, welche die Mutter aller Bosheiten ist, getan wird, als eine der Tugenden. Auch wenn andere Väter in der Tat gesagt haben, daß die Handarbeit nicht notwenig sei[75]; nicht als ob sie die Gesetze derer, die vor ihnen waren, abschafften, Gott behüte!, sondern (sie haben dies gesagt) wegen des Falles derer, die um der Handarbeit willen die Leidenschaft ihrer Habsucht befriedigt haben.

Unsere geistlichen Väter haben nämlich aus zwei Gründen die Handarbeit als verpflichtende Regel vorgeschrieben und sie als eine der Tugenden gerechnet. Erstens weil sie dem Bruder in der Zelle die Last (des Widerwillens)[76] erleichtert, wenn sie auf ihm drückt. Wie (man aus der Geschichte ersieht, als) dem seligen MAR ANTONIOS in der Wüste ein Engel erschien, da er durch die Gedanken des Widerwillens angeekelt war. Und es kam eine Stimme vom Himmel zu ihm und sprach: „ANTONIOS, geh hinaus!" Und er ging hinaus und sah einen Mann der ihm glich, wie er an einem Seil flocht und es hinlegte und aufstand und betete und sich wieder hinsetzte und arbeitete. Und es sprach zu ihm, der ihn gerufen hatte: „Tu desgleichen und du wirst leben"[77].

Der zweite Grund aber, warum die Handarbeit für den Bruder notwendig ist, ist der, daß er durch die Arbeit seiner Hände seinen Bedaf füllen und davon auch den anderen ein Almosen geben soll[78], auf daß er nicht unter dem Vorwand des Mangels beständig seine Zelle verlasse und deshalb Vertraulichkeit mit den Leuten des Dorfes erwerbe und des abgeschiedenen Verweilens in seiner Zelle beraubt werde und es von daher (schließlich) zu einem Fall komme, von dem es kein Aufstehen gibt. (97 v)

5.1.81 *Die Frucht des Müßigganges*

Viele in der Tat hat der Satan durch diese tödliche und verderbenbringende Falle in die Irre geführt, die, weil sie nicht mit ihren Händen arbeiteten, zu einem (ständigen) Kommen und Gehen der Leute des Dorfes zu ihnen Anlaß gaben, und nicht nur von Männern, sondern auch von Frauen, und die deshalb der Wonne des abgeschiedenen Verweilens in der Zelle beraubt wurden, welches das Symbol die zukünftige Welt darstellt, und von den Dämonen zum Gespött gemacht wurden. Und sie wurden von diesen vier üblen Leidenschaften versklavt, nämlich von der Leidenschaft der Unzucht und der Leidenschaft der Habsucht und der des eitlen Ruhmes und der des Neides. Diese (Leidenschaften) fanden sich bei denen in Vollendung, die das Gebot, das unsere Väter durch den Heiligen Geist erstellt hatten, verlassen hatten und den Wünschen ihres bösen Herzens nachgefolgt waren.

5.1.82 Ich rate also nach meinem Dafürhalten dem, der mich in Liebe anhört: Lege dir die Handarbeit vom Mittag bis zur neunten Stunde (15.00) als Regel verpflichtend auf! Nicht um der Habsucht willen sage ich, daß du so handeln sollst, Gott behüte! Sondern damit du von jenen Übeln befreit seist, von denen ich oben sprach, welche der Müßiggang erzeugt. Nicht den Vollkommenen lege ich ja eine Gesetz auf, jenen, deren Tun jenseits der Observanzen des Gesetzes liegt, sondern jenen, die sich (noch) unterhalb der Vollkommenheit befinden, sagte ich, daß sie für diese Regel Sorge tragen sollen, das heißt jenen, die sich (noch) auf der Stufe der Leibhaftigkeit und der Seelenhaftigkeit befinden. Die sollen billigerweise für eine Handarbeit Sorge (98 r) tragen. Jene aber, die zur Stufe der Geisthaftigkeit gelangt sind, bedürfen dessen nicht, weil sie, selbst wenn der Unterhalt ihres Bedarfs von anderen erstellt wird, dadurch keinen Schaden nehmen.

5.1.83 *Vesper*

Von der neunten Stunde bis zum Abend kümmere sich (der Bruder) um seine Ernährung, wie unsere geistlichen Väter gesagt haben[79], dieweil er das Gedenken Gottes in seinem Herzen (bewahrt) und die Regel der Metanie, von der wir oben sprachen.

Und wenn die Stunde der Vesper genaht ist, steh' auf mit Herzensfestigkeit und Wachsamkeit der Gedanken und laß die Danksagung zu Gott emporsteigen, für (all) seine Gnaden, die er während des ganzen Tages für dich gewirkt hat. Und mehr als bei allen (anderen) Horen sollst du zu dieser Stunde Achtsamkeit über deine Gedanken besitzen, denn mehr als alle (anderen) Opfer des Gesetzes war das Brandopfer des Abends angenehm vor Gott. Wie auch der selige David sagte: „Die Spende meiner Hände sei angenommen vor dir wie die Spende des Abends" (Ps 141, 2).

Um der Furcht der Nacht willen war nämlich diese Spende durch das Gesetz von allen (anderen) Spenden unterschieden worden, die vor Gott dargebracht wurden, weil eben diese (Spende) das Volk vor der Furcht der Feinde während der ganzen Nacht bewahrte. Auch du, oh unser gottesfürchtiger Bruder, bekämpfe also deine Gedanken, um deine Spende in Reinheit vor Gott darzubringen, durch welche du dich die ganze Nacht über mit einer unbesiegbaren Rüstung wider die intelligiblen Feinde bekleidest.

5.1.84 *Abendmahlzeit*

Und wenn du die Vesper dem Brauch gemäß zelebriert hast, dann richte den Tisch dem Kreuz gegenüber und laß den Lobpreis zu Gott aufsteigen, indem dein Leib die sinnliche Nahrung zu sich nimmt und deine Seele sich mit geistlicher Nahrung nährt[80]. Hab acht, daß deine Seele (98 v) nicht aufgrund der sinnlichen Nahrung der geistlichen Nahrung beraubt werde und dein Tisch (etwa) wie der der Tiere sei, von dem keine Danksagung zu Gott aufsteigt! Ein Mensch, dessen Leib allein sich nährt, dieweil seine

Seele der geistlichen Nahrung beraubt ist, unterscheidet sich (ja) nicht vom Vieh[81].

Deine Mahlzeit nun sei in Kärglichkeit und sie soll nicht aus mehreren Speisen bestehen. Wenn du also zu Tische sitzt, dann gedenke der Feinde der Nacht und halte dein Denken von den überflüssigen Dingen zurück. Gib also deinem Leib keine überflüssige Nahrung, ja nicht einmal seinen Bedarf[82].

5.1.85 *Mäßigkeit!*

Denn die Väter sagen: „Es gibt keinen schlimmeren babylonischen Feuerofen für uns als den Leib, wenn er übermäßige Nahrung zu sich nimmt“[83]. Indessen zügele ihn durch eine einfache Speise und das Trinken von Wasser. Damit, wenn die Babylonier anfangen, das Feuer des Ofens des Leibes durch das Feuer der natürlichen Leidenschaften anzufachen, sich um der Wachsamkeit des Fastens willen Ananias, Azarias und Misael erheben (Dan 1 und 3), das heißt Intellekt, Geist und Denken, die in den Ofen des Leibes geworfen sind und durch die natürlichen Leidenschaften entflammt werden, und zum Gott ihrer Väter beten, auf daß er den Tau seiner Milde träufeln lasse, das heißt, daß die Kraft des göttlichen Beistandes über Leib und Seele herabkomme und das Feuer der natürlichen Leidenschaften auslösche. Und die Babylonier werden vernichtet werden und das heilige Licht der Liebe unseres Erlösers wird in Sedrach, Mesach und Abednego aufleuchten und sie werden mit Freude und Frohlocken erfüllt werden, weil sie den Kult des Gottes ihrer Väter nicht verlassen haben und das Bild, das Nebukadnezar, der der Fürst der Bosheit ist, machte, (nicht) angebetet haben.

(99 r)

6.1.86 *Komplet und Nachtwache*

Und wenn du (nun) die Nahrung der Gewohnheit entsprechend zu dir genommen hast, dann erfülle die Regel des (Offiziums) nach dem Tisch, entsprechend dem, was von unseren heiligen Vätern festgesetzt ward[84]. Die Regel der Lesung und der Metanie vom Morgen bis zur Komplet sei so, wie wir oben gesagt haben.

Die ganze Nacht hingegen verbringe in einer wachsamen Vigil des Leibes und der Seele[85], indem du sie in drei Teile teilst: Den ersten (Teil verbringe mit) Psalmen und Kniefällen, den zweiten mit Lesen und den dritten in der Betrachtung des Verstandes und mit den süßen Melodien der Antiphonen und Hymnen[86], die der Heilige Geist gedichtet hat, und sie mögen dir ein Vergnügen sein während der ganzen langen Dauer der Nacht. Der Einsiedler, der vom Abend bis zum Morgen in der Wachsamkeit des Denkens wacht, gleicht den Engeln des Lichtes, die beständig das Geheimnis des dreimal „Heilig" der neuen Welt lobpreisen[87].

5.1.87 *Die Früchte des Wachens*

Selig der Einsiedler, der jener unsagbaren Güter gewürdigt ward, die während der Wache der Nächte denjenigen verliehen werden, die sich selbst zu diesem Gewerbe angetrieben haben! Es gibt in der Tat keinen Einsiedler, der sich die ganze Nacht im Wachen müht, dessen Gedanken nicht am Tage über die Güter der neuen Welt meditierten. Das Wachen der Nächte schwächt nämlich die Leidenschaften des Leibes und verfeinert die Regungen der Seele und erfüllt die inneren Kammern des Intellektes mit Licht und legt den Dämon der Unzucht und des Zornes unter die Füße dieses (Einsiedlers). Jeder nämlich, der in der Nacht wacht, hat bei Tage keine Kämpfe mit den Dämonen (zu bestehen), denn er hat sie durch seine wachsame Vigil der Nacht besiegt. Wer des Nachts nicht wacht, der hat am (99 v) Tage Kampf und Streit mit dem Dämon der Zerstreutheit (zu gewärtigen).

5.1.88 *Das Beispiel Christi, Pauli und der heiligen Väter*

Christus unser Herr hat in der Tat, weil er uns in allem Vorbild war, nach dem Wort des Apostels (Hebr 2, 17), die Nächte im Gebet zu Gott für die Rettung unseres Geschlechtes verbracht (Lk 6, 12; Mk 2, 35). Und über den seligen Apostel Paulus steht geschrieben, daß er vom Abend bis zum Morgen aufgeblieben sei und den Gläubigen das Wort Gottes verkündet habe (Apg 20, 8—11). Und von jenem tapferen Athleten, dem seligen ANTONIOS, wird gesagt, daß er viele Nächte ohne Schlaf verbracht habe[88]. Und über ABBA ARSENIOS sagt PALLADIOS, daß er die Sonne in seinem Rücken ließ und seine Hände im Gebet zum Himmel ausstreckte, bis daß die Sonne über seinem Antlitz aufstrahlte[89].

Denn alle heiligen Väter haben durch die Mühen des Wachens den alten Menschen abgestreift und jenen neuen angelegt, der ganz und gar glorreiches Licht der Schau unseres Erlösers ist[90]. Auch der selige David tränkte, dieweil er um seiner Sünde willen in den Nächten flehte, sein Lager mit Tränen, wie er selbst sagt: „Ich tränkte die ganze Nacht mein Bett und mit meiner Träne netzte ich (mein) Lager“ (Ps 6, 7).

5.1.89 *Über die Notwendigkeit, die sieben kanonischen Horen einzuhalten*

Sieh zu, oh gottesfürchtiger Bruder, daß du nicht jene *sieben Offizien* vernachlässigst, die von unseren heiligen Vätern um der Bewahrung unseres Lebens willen festgesetzt wurden, und nicht (etwa) in die Hände der Dämonen fallest, ausgenommen (natürlich) der Fall einer Erkrankung, der nicht unter eine Regel gestellt ist. Die Beständigkeit des Verweilens in der Zelle erheischt nämlich die Erfüllung der Horen. Derjenige nämlich, der das Offizium der Horen geringschätzt, dessen Verweilen in der Zelle ist eitel und bei Tag und bei Nacht arbeitet er (nur) für seine Leidenschaften. (100 r) Derjenige hingegen, der Sorge trägt um die Erfüllung seines Offiziums, um den trägt Gott Sorge und behütet ihn vor den Dämonen und gewährt ihm die Wonne der Güter der Ruhe in der Zelle.

5.1.90 *Von den Freiheiten der Verständigen*

Sieh zu, mein Bruder, daß du nicht etwa wegen der Menge der Psalmen in Widerwillen verfällst und deine Horen vernachlässigst. Denn es ist kein (Zeichen von) Weisheit, sich knechtischen Gesetzen zu unterwerfen[91] und dir die Festsetzung einer Vielzahl von Psalmen aufzuerlegen und (dann) aufgrund der großen Last in Widerwillen zu verfallen und deine Offizien zu vernachlässigen. Es ist dir doch durch die Erlaubnis des Heiligen Geistes die Freiheit verliehen, bis zu einem *Hulala* und bis zu einer *Marmitha*[92] herunterzugehen, nur gib auf keinen Fall deine Horen auf! Und wenn dich der Dämon des Widerwillens überfällt und dich nicht aufstehen läßt, dann zwinge dich selbst um Gottes willen und stelle dich auf deine Füße und sprich: „Preiset den Herrn alle Völker ...“ (Ps 117), und „Ehre (sei dem Vater ...)“, und „In die Ewigkeit (der Ewigkeiten. Amen)“, und sage das *Trishagion*[93] und mache eine Metanie vor dem Kreuz, und siehe, dein Opfer ist vor Gott angenommen!

5.1.91 *Das Gleichnis von dem Schuldner*

Es liegt nämlich eine Schuld auf dir und wenn du einen Denar gibst, so nimmt man (ihn) vor dir an, und wenn du dem Gläubiger einen Stater gibst, nimmt er ihn mit Freuden von dir an, und wenn du ihm zum fälligen Termin eine Obole gibst, dann freut er sich darüber wie über einen ganzen Denar. Nur zahle ihm auf jeden Fall (etwas) von deiner Schuld (ab), und er wird dich nicht richten hinsichtlich der Quantität; alle Male nämlich, daß er in dir keine Nachlässigkeit findet, gibt es bei ihm (nur) einen Lohn.

Das Gleichnis von den Arbeitern im Weinberg

Und als Beweis dafür hat (Gott) sich selbst uns als Beispiel hingestellt, indem er in einer einzigen Überfülle der Liebe, in der sich kein Ansehen der Person findet, dem den Lohn für die Arbeit in seinem heiligen Weinberg gab, der zur (100 v) elften Stunde in seinen Weinberg ging, ebenso wie dem, der vom Morgen bis zum Abend in ihm arbeitete und die Last des Tages und seine Hitze trug (Mt 20, 1—17).

Weil sie, auch wenn einer dem anderen hinsichtlich der Arbeit unterlegen war, doch hinsichtlich der Bereitwilligkeit gleich waren. Er aber gibt, in der Geradheit seines gerechten Urteils, sein Geld entsprechend der Bereitwilligkeit und nicht entsprechend der Arbeit. Denn da ist einer, der arbeitet vom Morgen bis zum Abend, aber das Ziel seiner Arbeit richtet sich nicht auf das Wohlgefallen des Herrn des Weinberges. Das sind jene, die er aus seiner Hausgemeinschaft austrieb, indem er sprach: „Warum ruft ihr mich ‚Herr, Herr', aber tut nicht, was ich sage?" (Mt 7, 21). Und er verglich sie ferner mit einem törichten Mann, der sein Haus auf den Sand baute (Mt 7, 26). Trage daher Sorge, oh Bruder, um die Beständigkeit in den kleinen Dingen, ohne Nachlässigkeit, und nicht (um Beständigkeit) in der Menge, die ohne gerade Absicht geschieht.

5.1.92 *Das persönliche Zeugnis eines Bruders*

Sieh, ich will (dir) eine Geschichte erzählen, die mir einer der Gnostiker berichtet hat, der sie (selbst) durch persönliche Erfahrung erhalten und nicht von anderen emfpangen hatte. Er sagte nämlich folgendes: „Einmal, als ich in Abgeschiedenheit in der Zelle saß, erhob sich jener verwünschte Dämon der Trägheit wider mich und ließ mich nicht das Offizium rezitieren, weder bei Nacht noch bei Tag. Und dieweil ich eine (ganze) Woche auf dem Boden hingeworfen lag, ob der großen Last, die auf mich drückte, derart, daß sie nicht einmal dem Gedenken Gottes gestattete, in meinem Herzen aufzusteigen, und ich nichts tat, als eitle und abscheuliche Gedanken (zu brüten), und weil ich die ganze Zeit in diesem qualvollen Zustand verblieb, verzweifelte ich (schließlich) an meinem Leben. Und indem ich zu mir selbst sprach: ‚Es ist nützlicher für mich, in die Welt zu gehen, als daß ich das Kleid der Mönche trage und (doch) nichts (Gescheites) tue, als bloß Lässigkeit und eitle Gedanken', beschloß ich bei mir selbst: ‚Daß ich in die Welt gehe ist für mich nützlicher, als daß ich (noch länger) im Kloster bleibe.' (101 r)

5.1.93 Und da ich mich erhob, um die Utensilien meiner Zelle zusammenzulesen, hörte ich plötzlich eine Stimme, die sanft mit mir sprach und zu mir sagte: „Geh' nicht in die Welt, sondern bleib' in deiner Zelle und rezitiere zu jeder Hore diesen Psalm: „Preiset den Herrn alle Völker ..." (Ps 117). Und als diese Stimme in mein Ohr fiel, erhob ich mich zur selben Stunde und betete nach dem Brauch der Altvordern. Und ich begann und sagte diesen Psalm drei Tage lang, ohne mich an seiner Wiederholung zu sättigen, weder bei Nacht noch bei Tag."

Dies hörte ich von jenem Seligen, der es vor mir erzählte. Und ferner sagte er mir: „Kämpfe wie diese kommen gleichsam wie durch ein Verlassenwerden von seiten Gottes vor, um den freien Willen auf die Probe zu stellen, wohin er sich wohl neigt."

Derjenige also, dem diese Kämpfe widerfahren, darf seine Zelle nicht verlassen und nicht aus ihr herausgehen, sondern er soll in ihr ausharren, ohne sie zu verlassen. Und er soll nicht eines von den sieben Offizien unterlassen, die vom Heiligen Geist durch die seligen Apostel festgesetzt wurden. Und um dieses wenigen willen, daß sich der Bruder abzwingt und rezitiert, durch dessen Vermittlung wird unser Herr vor ihm jenes Schatzhaus öffnen, dessen Gnadengabe unermeßlich ist.

Über den Teufelskreis der Versuchungen[94]

5.1.94 *Widerwillen, Trägheit, Unrast*

Der erste Kampf nun, der dem Bruder in seiner Zelle zustößt, ist der (gegen) den Dämon des Widerwillens und den der Trägheit[95]. Wenn er von diesen beiden Dämonen besiegt ward, dann übergeben sie ihn in die Hände dreier anderer Dämonen, die ihn in die Tiefe der Sheol der Unwissenheit hinunterbringen. Das heißt, zunächst dem Dämon der (Sucht nach) Veränderung, welcher das Denken des Einsiedlers von Wohnort zu Wohnort und von Kloster zu Kloster und von Berg zu Berg streunen macht[96]. Dies ist jener Dämon, von dem der selige MAR EVAGRIOS sagte, daß er die Seele von der dritten bis zur zehnten Stunde (9.00—16.00) umlagere[97]. Und wenn die Tage dieses Dämons nicht abgekürzt wären, würde kein Fleisch am Leben bleiben. (101 v)

Und wenn (der Dämon der Unrast) den Intellekt des Einsiedlers an all den Orten herumgeführt hat, von denen ich sprach, dann übergibt er ihn dem Dämon der Freßlust, und der rät ihm, reichlich zu essen um sich für den Weg rüsten zu können. Und wenn er kräftig Nahrung zu sich genommen hat, dann legt jener Dämon der Trägheit eine große Last auf ihn und versenkt ihn in einen schweren Schlaf. Und wenn die Speise in den Magen gelangt ist und sich zersetzt hat, dann strömt sie einen Gestank aus wie ein Grab. Und dann übergeben sie, (nämlich) der Dämon der Freßlust und jener der Trägheit, ihn dem Dämon der Unzucht.

5.1.95 *Unzucht*

Dieser nähert sich ihm zuerst während des Schlafes und läßt vor ihm abscheuliche Phantasiegebilde aufsteigen, bis er seinen Leib durch einen Ausfluß besudelt hat, der von ihm aufgrund der großen (Menge) Flüssigkeit ausgeht, die wegen der Last der übermäßigen Speisen im Leib ist. Und er zerstört das Gleichgewicht des Intellektes durch die Bilder schrecklicher Erscheinungen. Und wenn er (dann) zum Wachzustand gelangt, bildet er alle Erscheinungen und abscheulichen Phantasiegebilde, die er ihm im Traum gezeigt hatte, vor ihm ab und läßt den Bruder sich weder einem Psalm noch der Lesung noch dem Gedenken Gottes nahen, sondern (bewirkt), daß er den ganzen Tag mit den Götzenbildern[98] beschäftigt ist, die er vor ihm abbildet.

5.1.96 *Zorn*

Und wenn dieser (Dämon) all sein Werk vollendet hat, dann nähert sich der verwünschte Dämon des Zornes und versucht ihn und erfüllt ihn mit Zorn und erhitzt ihn mit Grimm wie mit Feuer gegen alle Brüder im Kloster und gegen die Leiter: ,,Sie verwalten nicht gerecht und alles was sie tun, tun sie aus Heuchelei und nicht um Gottes willen. Und was zwingt (einen), daß man einen solch üblen Schaden erträgt? Man sollte vielmehr von hier weggehen, denn es gibt hier niemanden, dessen Liebe zu seinem Genossen aufrichtig wäre, sondern alle verhalten sich mit Hinterlist zueinander!"[99] Und wenn der verwünschte Dämon des Zornes sieht, daß sich (der Bruder) all dem unterworfen hat, dann steht er von ihm ab.

5.1.97 *Wieder Unrast, Unzucht, Eitelkeit*

Und dann nähert sich (wieder) der Dämon der Unrast, von dem ich oben sprach, und erfüllt in ihm alles Begehren seines bösen Willens, indem er ihn an all den Orten herumführt, die er ihm zuvor durch seine Gedanken gezeigt hatte, dieweil der Dämon der Unzucht ihm während dieser

Rundreise eine Vielzahl von Anstößen in den Weg stellt. Wenn nun ein Bruder unserer Zunge geschickt ist in der Sprache der Athener, dann führt auch der Dämon des eitlen Ruhmes reichlich all das Begehren seines Willens in ihm aus. Gehört er aber zu denen, die ungeübt sind in der Rede, dann verbreitet er über ihn den Ruf der Gerechtigkeit und dadurch vollbringt jener selbe Dämon des eitlen Ruhmes all sein böses Begehren in ihm. Auf dieser Rundreise des Weges quälen also zwei Dämonen den Bruder, der Dämon der Unzucht und jener des eitlen Ruhmes.

5.1.98 *Kummer, Traurigkeit, Verzweiflung*

Und wenn ihn jener Dämon der Unrast überall getäuscht hat und er nicht seiner Erwartung entsprechend die Ruhe gefunden hat, dann läßt dieser Dämon von ihm ab und es (102 r) nähert sich ihm der Dämon des Kummers und der der Traurigkeit, und sie quälen ihn durch Kummer, bis er dahin kommt, sich aufzuhängen, indem sie ihn an alle Anstöße und (Sünden-)Fälle erinnern, die ihm widerfahren sind.

Und (dann) überliefern ihn diese beiden Dämonen in die Hände des Dämons der Verzweiflung. Und wenn auch der ihn gequält hat, soviel es ihm beliebt, dann rät er ihm durch seine Gedanken: „Das Einsiedlerleben bringt dir doch nichts ein, es sei denn einen eitlen Ruf, der die ins Verderben bringt, die ihn erwerben. Kehre (also lieber) in die Welt zurück!" Und wenn der Bruder ihm gehorcht und in die Welt zurückkehrt, dann macht er den Wandel des Einsiedlertums hassenswert in seinen Augen. Und wie oft macht er ihn nicht auch vom wahren Glauben hin zum Irrtum der Unwissenheit abwendig!

5.1.99 *Die Lehre aus dem Gesagten*

Sieh doch, oh mein Bruder, von wo eine kleine Nachlässigkeit (infolge) des Dämons des Widerwillens angefangen hat und wo die Lauheit des Willens zur Vollendung kommt! Darum habe ich oben gesagt, daß die, denen dieser Kampf des Widerwillens zustößt, sich um Gottes willen (wenigstens) bis zu einem Psalm zwingen sollen und dreimal lobpreisen sollen in dem geliebten Namen des Vaters und des Sohnes und des Heiligen Geistes, und das *Trishagion* sagen und einen Kniefall machen sollen[100]. Und wenn sie dies getan haben, dann wird dieser Kampf durch die Kraft der Hilfe unseres Herrn von ihnen weichen.

Und wenn dieser Kampf an Stärke wider dich zunimmt, oh Bruder, und dir deinen Mund verschließt und dir nicht gestattet, das Offizium zu rezitieren, nicht einmal so, wie ich oben gesagt habe, dann zwinge dich selbst und stell (102 v) dich auf deine Füße und geh in deiner Zelle auf und ab, indem du das Kreuz grüßt und vor ihm die Metanie machst, und unser Herr wird in seiner Gnade (diesen Kampf) an dir vorübergehen lassen[101].

5.1.100 *Das persönliche Zeugnis eines Bruders*

Ich habe in der Tat, oh mein Bruder, aus jenem wahrhaftigen Munde, der nicht lügt[102], vernommen, was er mir eines Tages sagte, als ich mich vor ihm wegen dieses verwünschten Dämons (des Widerwillens) beklagte. Er sagte mir nämlich folgendes: „Einmal erhob sich dieser Dämon des Widerwillens wider mich und packte meine Zunge und ließ mich nicht das Offizium rezitieren, denn eine schwere Last lag auf meinem Kopf und ein schweres Unwohlsein auf allen meinen Gliedern. Und dieweil ich mich in dieser harten Bedrängnis befand, zwang ich mich und erhob mich, ohne in der Lage zu sein, das Offizium zu rezitieren, weil mich (der Dämon) nicht losließ. Ich grüßte also nur das Kreuz und machte die Metanie vor dem Kreuz. Und während ich eine kleine Weile wartete, ward (der Dämon) durch die Kraft des Kreuzes bezwungen und ließ meine Zunge los und ich begann Gott zu loben. Und ich rezitierte von den Psalmen Davids einen Vers nach dem anderen. Und in dem Maße wie ich in dieser harten Bedrängnis, die auf mir lag, ausharrte, verschwand diese und löste sich vor mir auf.

5.1.101 Und plötzlich sah ich (etwas) wie eine Handfläche, die von meinem Kopf (etwas) wie einen schweren Stein wegnahm und zur gleichen Zeit wurde diese Last mir leicht und ich ward mit Freude und unsagbarem Frohlocken erfüllt, und mein ganzer Leib zusammen mit meiner Seele ward zu einem machtvollen Licht, das ich nicht mit einer (103 v) Zunge von Fleisch zu beschreiben vermag. Und 32 Tage verblieb ich in dieser Freude und unter dem Einfluß dieses heiligen Lichtes, so daß ich mich weder bei Nacht noch bei Tag auf die Erde setzte, weil ich nicht (mehr) wußte, ob ich (noch) in dieser Welt war oder nicht, weil ich wie ein Trunkener dastand."

Dies hörte ich aus jedem wahrhaftigen Mund, der es vor mir sagte. Und er sagte mir (noch): „Jedesmal, wenn du mit diesem Dämon des Widerwillens zu tun hast, geh aus deiner Zelle nicht hinaus und unterlaß deine Horen nicht, auch wenn du dich bloß auf deine Füsse stellst, ohne das Offizium zu rezitieren, es sei denn in deinem Herzen. Und Gott, der dein Aushalten sieht, wird dir Kraft senden und dein Herz mit Freude erfüllen."

5.1.102 *Der härteste Kampf*

Was aber mich betrifft, oh Freund meiner Seele, siehe so habe ich eben diese Dinge in den Brief getan, gemäß deiner Bitte an mich, damit du, wenn dir dieser Kampf widerfährt, im Inneren deiner Zelle ausharrst, ohne aus ihr herauszugehen, und auch all' jene, die diesem Briefe begenen: Sie sollen sich vor der Bosheit dieses Dämons hüten, denn er ist der Anfang aller Kämpfe und er öffnet allen (anderen) Dämonen, seinen Genossen, die Tür. Wenn du aber in deiner Zelle aushältst, oh mein Bruder, zur Zeit da dieser Dämon mit dir kämpft, dann wirst du ihn durch die Karaft des Beistandes unseres Herrn besiegen.

Unsere geistlichen Väter sind in der Tat, als sie vom Heiligen Geist versammelt waren, alle in diesem (Punkt) übereingekommen. „Es gibt keinen härteren Kampf als (104 r) diesen, daß einer seine Zelle (nicht) verläßt und (nicht) vor dem Dämon des Widerwillens weicht. Wenn dieser bezwungen ist, werden alle anderen mit Leichtigkeit überwunden[103]." Der Bruder also, der angesichts dieses Dämons nicht die Widerstandsfähigkeit eines Diamanten besitzt, gibt auf und flieht aus seiner Zelle, und welche Leidenschaft auch immer ihm (dann) den Krieg macht, er wird ihr unterliegen.

5.1.103 *Der Dämon, genannt der „Liederdichter"*

Es gibt indessen noch einen anderen Dämon, der dem Bruder im abgeschiedenen Verweilen in der Zelle den Krieg macht. Es ist der, den die Gnostiker den „Liederdichter" nennen[104]. Dieser Dämon kämpft auf zwei verschiedene Weisen mit dem gottesfürchtigen Bruder. Sein erster

Kampf ist dieser: Er dichtet trügerische Lieder, welche die Leidenschaft der Unzucht aufreizen. Und derart schleppt er die Seele des Bruders durch die Süßigkeit seiner Melodien mit, daß sie sogar aus dem Leibe, der (doch) die Wohnung der Seele ist, auszöge und ihn verließe, wenn nicht die Kraft Gottes sie stützen würde. Welch schändliche Worte, die das Feuer der Unzucht erregen, dichtet dieser verruchte Dämon nicht in seinen Liedern! Fallen die in die Ohren des Bruders, dann wird sein Herz wie mit einem Feuer durch die Leidenschaft der Unzucht entflammt. Oh unser Herr, in deiner Barmherzigkeit, nimm das Wirken dieses verruchten Dämons von deinen Anbetern hinweg!

5.1.104 *Ein unblutiges Martyrium*

Jener Verruchte aber nähert sich, in dem Maße, wie er jene Lieder dichtet, (auch) dem Tastsinn des Leibes und reizt ihn auf[105]. Oh wie hart ist diese Stunde! Und wie mächtig und gefährlich ist der Kampf, der gegen den Bruder in jener Stunde aufgezogen ist. Dies ist die Stunde, in der die Gottesfürchtigen mit der Krone des Martyriums gekrönt werden[106]. Wahrlich, oh Freund, glaube mir, was ich dir sage: (104 v) Wilder als das Feuer und alle Marterwerkzeuge, durch welche der Leib in den Leiden des Martyriums um Christi willen gefoltert wird, ist diese Stunde und bitterer ihr Leid.

5.1.105 Selig derjenige, der sich selbst dem Tod um Christi willen ausgeliefert hat und diese Stunde erduldet und der Schwächlichkeit keinen Raum gegeben hat, und der weder die Arena verlassen hat noch geflohen ist, dem nach diesem harten Leiden die Krone der Keuschheit aufs Haupt gesetzt wird[107], die ganz im Lichte der Leidenschaftslosigkeit erstrahlt, welche unsere Väter die „Schau der Schönheit des Wesens des Intellektes" nennen[108], und über der (d. h. der Krone) die große „Sonne der Gerechtigkeit" aufleuchtet[109], das heißt das Licht der Schau unseres Herrn[110].

Dieser Kampf dauert nicht lange, weil die Gnade Gottes es ihm nicht gestattet; anderenfalls würde er die Seele des Bruders vernichten. Auch an den Nieren würde er durch die Hitzigkeit der Gewalt seines Leidens einen Schaden verursachen. Wie oft kommt es durch diesen Kampf auch zu einem Blutandrang (im Kopf), der dem Gehirn einen Schaden zufügt[111].

5.1.106 *Gegenmittel*[112]

Die Heilmittel indessen, durch die jener Kampf geheilt wird, sind die folgenden: Das Fasten der Wochen, und ununterbrochenes Wachen der ganzen Nacht, das sich Enthalten von allen Speisen, ausgenommen gewöhnliches Brot, der Verzicht auf den Anblick von Frauen und die Unterhaltung mit ihnen, und beständiges Lesen und unablässige Metanien bei Nacht und bei Tag.

Was mich betrifft, so rate ich nach meinem eigenen Dafürhalten dem, der in diesen Kampf verwickelt ist: Solange dieser Dämon dich bekriegt, geh nicht aus der Türe deiner Zelle heraus und laß die anderen (auch) nicht zu dir eintreten! Zur Zeit dieses Kampfes vermehre die Rezitation der Psalmen und die Lesung der Passion der Märtyrer und die Metanien vor dem Kreuz. Wenn du dies tust, wirst du ihn durch die Kraft des Beistandes unseres Herrn besiegen, und wirst von (dem Herrn) das Erbe empfangen, das von dir ferngehalten ward, das heißt Keuschheit und Reinheit.

(105 r)

Dies sind die beiden Siegel, die im Lichte der Heiligen Dreifaltigkeit schimmern und die zur Zeit des Gebetes wie ein lichtstarker Stern erscheinen[113]. Nach dem Streit dieses Kampfes wird dem Intellekt nämlich die Schau seiner selbst verliehen[114] und die Einsicht in die Natur der Geschöpfe und beständig erfüllt Freude die Seele, mit der das Leiden der Tränen verbunden ist.

5.1.107 *Neue Listen des Widersachers*

Dieser Verruchte indessen steht, auch wenn er sein Wirken zurückhält, doch von seinem Kampf mit dem Gottesfürchtigen nicht ab, sondern entsprechend dem Tun, in welchem sich die Seele übt, verändert er seine Versuchungen. Wenn er nämlich sieht, daß sich die Seele dem Begehren der Unzucht nicht unterwirft, dann wirkt er eine andere List, die schlimmer ist als alle Listen und Tücken, die er (bisher) vor der Seele gewirkt hatte. Wie das, hör zu[115].

Wenn der Verruchte bei der ersten Prüfung, welche er der Seele auferlegt hatte, besiegt ward, und der Intellekt darnach der Gabe der Einsichten gewürdigt ward, dann verändert auch er seine Kampfesweise mit dem Gottesfürchtigen und wirft in den Bruder erstaunliche und wunderbare „Einsichten", die, wenn sie ins Herz gesät werden, den Intellekt mitschleppen und veranlassen, den Ort der Lauterkeit, an dem er sich befand, zu verlassen. Auch Beispiele aus den heiligen Schriften kommen dem Bruder in (105 v) dieser Stunde zu. Und die elende Seele flüchtet, je mehr dieser (Verruchte) seine böse Saat ausstreut, und versteckt sich in den verborgenen Kammern des Herzens und das Herz wird mit Furcht und Zittern erfüllt.

5.1.108 *Über die Notwendigkeit eines erfahrenen geistlichen Führers*

Hier ist ein verständiger (geistlicher) Führer erforderlich, der in der Lage ist, Schein von Wahrheit zu unterscheiden! Wenn aber kein (geistlicher) Führer da ist und der Intellekt die Unterscheidungsgabe der Geister nicht besitzt, dann muß er ins Ägypten der Bosheit zurückkehren. Denn hat die Seele eine Überzeugung oder Einsichten, dann fabriziert und stellt auch (der Verruchte) ihnen gleichende her[116], damit er, wenn er die Seele provoziert und veranlaßt hat, den Ort der Lauterkeit zu verlassen, an dem sie sich befand, sie sodann betöre und ihr Gedanken der Selbstgefälligkeit eingebe, wie: „Es steht dir nun zu, daß du mit deiner Erkenntnis auch die anderen bereicherst[117]!" Wenn ihm nun der Bruder darin gehorcht, dann komm und sieh die erstaunlichen und wunderbaren Dinge an „Einsichten", die überhaupt keinen Bestand haben, wenn sie mit der Wahrheit verglichen werden!

5.1.109 *Die Versuchung des eitlen Ruhms*

Hier verständigen sich (denn auch) jener Dämon und der des eitlen Ruhmes miteinander. Denn in dem Maße, wie jener seine böse Saat durch die „Einsichten" ausstreut, reizt der (Dämon) des eitlen Ruhmes die Menge ihn zu preisen. Dies ist es, was der selige MAR EVAGRIOS sagte: „Selbst das Priestertum verheißt ihm der eitle Ruhm. Und er (verstellt sich) wie einer, der Leute an seine Türe bestellt, die ihn suchen (kommen), und wenn er nicht mit ihnen geht, dann werden sie ihn in Fesseln mitschleppen[118]!" Besonders aber durch Träume täuscht jener Dämon (genannt) der „Liederdichter" den Bruder, dem er den Krieg macht[119].

Wenn er sich indessen dem eitlen Ruhm nicht unterwirft, (106 r) wird er nicht von (dem Dämon) besiegt. Wenn er ihm aber gehorcht, dann zieht sich jene göttliche Kraft von ihm zurück, die ihn im Kampf mit (den Dämonen) begleitet hatte. Und wenn sie sich zurückgezogen hat, dann wird die Seele mit Gedanken aller Art erfüllt.

5.1.110 *Die Versuchung der Eifersucht*

Es ist vor allem der Gedanke der Eifersucht, der die Seele quält, weil sie es nicht erträgt, Lob oder Rühmen über irgend jemand anderes zu hören, nicht einmal, wenn es möglich wäre, über Gott selbst, den Herrn des Alls[120]! Und wenn diese beiden verwünschten Dämonen erkannt haben, daß die elende Seele bei zu dieser Erniedrigung gelangt ist, dann entfernen sich der Dämon des eitlen Ruhmes und der der Eifersucht von ihr, und jener „Liederdichter" fängt (wieder) mit seiner ersten List an, das heißt, er dichtet seine abscheulichen Lieder, welche die Leidenschaft der Unzucht erregen, und er entflammt die Seele mit dem Feuer der Unzucht. Und (der Dämon der Eifersucht) überläßt die Seele seinen (des „Liederdichters") Händen, und der führt in ihr all seinen bösen Willen aus.

5.1.111 *Die Kunst der Unterscheidung*

Du aber, oh Gottesfürchtiger, eile, wenn du einen verständigen (geistlichen) Führer hast und wirf dich vor ihm nieder, auf daß er dich den geraden Weg lehre, auf dem du wandeln (sollst). Wenn du aber keinen (geistlichen) Führer hast und nicht die Gabe der Unterscheidung der Geister besitzt, dann beachte dieses Unterscheidungsmerkmal in deinem Herzen, das ich dir angeben werde, damit du diesen Versucher, jedesmal wenn er sich dir nähert, erkennst. Diese Stelle ist (nämlich) sehr gefährlich, und ohne die Erfahrung, die einer persönlich erlangt hat, vermag sie (sogar) kaum einer der Gnostiker zu unterscheiden. Denn sie (die Stelle, eigentlich der Dämon) nimmt äußerlich die Erscheinung unschuldiger Lämmer an, inwendig aber ist sie voll von der Galle räuberischer Wölfe. Indessen, unser Herr hat gesagt: „An ihren Früchten sollt ihr sie erkennen." (Mt (106 v) 7, 20). Welche nun ihre Früchte sind, hör zu.

Wenn die Einsichten anfangen, sich in deinem Herzen zu regen, dann nimm dir dies als Unterscheidungsmerkmal zwischen den Einsichten, die, sei es von der Lauterkeit der Gedanken, oder von dem Schutzengel, oder von der Gnade des Heiligen Geistes, oder von der Ausdauer im Lesen, oder jenen, die von den natürlichen Samen[121] herrühren, die in deinem Herzen aufleuchten, und (andererseits) jenen Einsichten, die von dem verwünschten Dämon in dich gesät wurden:

5.1.112 *Über die Einsichten der „rechten Seite"*[122]

Bei allen Einsichten, die, wenn sie anfangen, sich in deinem Herzen zu regen, deinen Geist zur Sammlung der Gedanken hinziehen und deine Seele mit Freude und dem Leid der Tränen erfüllen, und deinen Intellekt in Demut und Freundlichkeit und Unterwürfigkeit versenken, wisse, daß (diese) von der rechten Seite herrühren. Und solange die

Quelle deines Herzens von ihnen sprudelt, gib ihnen Raum zum Wirken. Und schließe alle Türen deiner Zelle, betritt den inneren Raum und setze dich in der Dunkelheit hin in Abgeschiedenheit, da wo du nicht einmal die Stimme eines Vogels hörst[123]. Und wenn die Stunde eines Offiziums gekommen ist, sieh zu, steh ja nicht auf[124], daß du nicht etwa wie ein Kind seiest, das in seiner Unwissenheit ein Talent Gold gegen eine Feige vertauscht, die seinen Gaumen (bloß) für einen Augenblick versüßt. Sondern du vertausche, wie ein kluger Kaufmann, zur Zeit, da du der Perle von großem Preis begegnet bist, diese nicht gegen verächtliche Dinge, die sich allzeit vor dir befinden, und dein Ende (etwa) wie das jenes Volk werde, das aus Ägypten auszog, das die Speise des geistlichen Manna verschmähte und die abscheuliche Speise der Ägypter begehrte (Num 11, 5.6).

5.1.113 *Über die Freiheit der Regel gegenüber*

Du hingegen, oh gottesfürchtiger Bruder, betritt den Raum, der in dir ist, und hefte den Blick deines Geistes auf jenes glorreiche Licht, das durch dieses Wirken der Einsichten, die von der Gnade herrühren in dir aufstrahlt und nähre dich von ihm (dem Wirken), solange unser Herr dir (dazu) Gelegenheit gibt. (107 r)

Wenn du aber von dort herauskommst, dann trage Sorge um die Regeln der Zelle, wie es sich gehört, und vernachlässige deine Offizien nicht[125]. Denn wenn der Einsiedler sie vernachlässigt, nachdem er jenen Ort verlassen hat, wird er den Händen der Dämonen überliefert, nach dem Wort unserer Väter[126].

Dies ist der Ort, der den geschriebenen Gesetzen nicht unterworfen ist, weil sich sein Tun jenseits der Observanzen eines Gesetzes befindet. Und solange der Einsiedler sich dort befindet, braucht er sich keinem der Gesetze zu unterwerfen, welche den (anderen) Geschöpfen auferlegt sind. Denn dies ist der Ort, von dem der Apostel sagte, daß es an ihm „weder Sklave noch Freier, weder Beschneidung noch Unbeschnittensein" gebe, „sondern Christus alles und in allen" sei (Kol 3, 11). Die Hitzigkeit dieser Einsichten indessen vermag der Geist nicht (lange?) zu ertragen[127].

Über die verschiedenen Arten von Einsichten

5.1.114 *Über die Einsichten, die von den natürlichen Samen herrühren*

Jetzt wollen von dem Unterschied reden, der zwischen allen Einsichten der Rechten besteht, und zuerst wollen wir über jene der natürlichen Samen reden, weil diese Samen das erste sind, was in die Seele gesät wird[128].

Wenn sie nun anfangen (sich zu regen), dann fällt Leid und Reue in das Herz des Menschen, dieweil er sich an die Gnaden und Hilfeleistungen Gottes je und je ihm gegenüber erinnert, und wie sehr Gott unser Geschlecht in seinem Erbarmen ehrt und wie sehr er allzeit zur rechten Zeit um unsere Angelegenheit Sorge trägt, und wie groß unsere Undankbarkeit ihm gegenüber ist, die wir nicht nur nicht sonderlich um die Bewahrung seiner Gebote Sorge tragen, sondern ihn darüber hinaus auch noch durch unsere bösen Taten erzürnen. Und dieweil wir ihm gegenüber derart undankbar sind, wirkt er uns gegenüber all diese Gnaden.

Zusammen mit diesen Einsichten fließen in dessen auch Tränen ohne Maß aus den Augen.

5.1.115 *Die Rolle der Heiligen Schrift*

Der Anlaß jedoch (für das Wirken) der natürlichen Samen stammt aus der Lesung der heiligen Schriften[129]. Zur Zeit des Wirkens der Einsichten der natürlichen Samen läßt in der Tat, auch wenn sich der Einsiedler bei Nacht oder bei (107 v) Tag zum Schlaf niederlegt, sein Geist nicht von der Wiederholung der Psalmen und der Betrachtung der heiligen Schriften ab[130].

Dies ist, kurzgefaßt, das Unterscheidungsmerkmal, wenn die natürlichen Samen in der Seele wirken, und diese Dinge treten ein, wenn die Seele begonnen hat, sich dem Ort der Lauterkeit zu nähern, das heißt zu Anfang der Stufe der Seelenhaftigkeit. Die Liebe aber zu den Mühen um Gottes willen kommt in diesem Wirken der Einsichten der natürlichen Samen vor, damit, wenn möglich, der Mensch den Wandel nicht aufgibt, ohne ihn persönlich zur Vollendung zu bringen. Dies ist das Erkennungszeichen, das von den Einsichten herrührt, die (anzeigen), daß die natürlichen Samen in der Seele anwesend sind.

5.1.116 *Über die vom Schutzengel herrührenden Einsichten*

Was aber die Einsichten betrifft, die vom Schutzengel herrühren, so ist dies das Unterscheidungsmerkmal ihres Sichregens: Es fällt in der Tat ein Feuer in das Herz des Menschen und (das Herz) brennt und wird von (dem

Feuer) entflammt bei Nacht und bei Tag[131]. Denn aus der Kontemplation der Körperlichen stammt der Stoff dieser Einsichten, die durch den Schutzengel in der Seele entstehen, indem der Schutzengel den Intellekt hin zum Staunen über die Schöpfermacht Gottes zieht, die (sich) in dieser Schöpfung, geziert mit vielfältigen Schönheiten, (manifestiert): Wie diese Schöpfung aus dem Nichts geschaffen ward, und wie diese allmächtige Kraft genügte, die Schöpfung vom Nichts zum Sein zu bringen; und wie ein jedes Ding der Schöpfung für sich genommen seine Einsicht in den Geist des Menschen wirft; und wie eine jede Natur für sich genommen den Intellekt zum Staunen über sie (die Natur) hinzieht; und wie sehr sich auch der gütige und barmherzige Gott der Verwaltung der Schöpfung annimmt, sodaß sich die Vorsehung Gottes sogar noch um das verächtliche (108 r) Gewürm auf der Erde kümmert und sich seiner Angelegenheiten annimmt.

Und in dem Maße, wie der Schutzengel durch den Eifer der Einsichten des Wirkens Gottes in all dem Feuer in das Herz wirft, wird das Herz des Menschen trunken vor Freude und die Tränen seiner Augen fließen ohne Maß, indessen nicht vor Leid oder Trauer, sondern aus Freude vor dem Staunen über die Einsichten.

5.1.117 *Ein geheimnisvoller Ausbruch des Redens*

Zusammen mit diesen Einsichten kommt es auch zu einem flüchtigen geheimnisvollen Ausbruch des Redens[132]. Es handelt sich indessen nicht um Geheimnisse, die jenseits der Welt wären, sondern weil sie von den Einsichten der Naturen der Geschöpfe herrühren, treten sie alle (deutlich) ans Tageslicht. Indessen dauert dieser Ausbruch der Rede nicht lange, weil die Hitze, die von der Berührung des Schutzengels herrührt, mit welcher die Seele beständig in dieser Heimsuchung umhüllt ist, ihn unterbricht.

Das Unterscheidungsmerkmal der Einsichten, die vom Schutzengel herrühren, ist also dies: Tränen der Freude und Hitze der Einsichten ohne Unterbrechung, weder bei Nacht noch bei Tag.

5.1.118 *Über die Einsichten, die von der Gnade herrühren*[133]

Was indessen das Sichregen der Einsichten betrifft, die seitens der Gnade in der Abgeschiedenheit dem gottesfürchtigen Bruder widerfahren, so verhält es sich damit folgendermaßen: Sie fangen an im Herzen zu wirken, ohne daß es Tränen in ihnen gäbe, wohl aber Freude und unsagbares Staunen über jene glorreiche Schau, durch welche (die Einsichten) aufleuchten, und ein Ausbruch der Rede ohne Aufhören, weder bei Nacht noch bei Tag, und glorreiche Geheimnisse, die sich in diesem Ausbruch der Rede offenbaren, und die nicht aus Büchern stammen, daß heißt aus der Belehrung anderer. Jene Einsichten, die von der Gnade (108 v) herrühren, erscheinen in der Tat in der Form eines Sternes[134] im Intellekt und der Geist erfreut sich an ihnen, ohne daß sie zur Formulierung des Wortes kämen, wie jene, die vom Schutzengel herrühren.

Die drei Erscheinungsformen der Seele

Indessen, die Seele erscheint bei diesen drei Wirkungen der Einsichten folgendermaßen: Bei dem ersten (Wirken), dem der natürlichen Samen, gleicht sie einem *Saphir*; und bei dem zweiten, dem des Schutzengels, wird sie *feurig*; bei dem dritten aber ist sie mit dem *Licht sonder Form* bekleidet[135].

Dies sind, kurz gefaßt, jene drei Erkennungsmerkmale der Einsichten, die von der rechten Seite herrühren.

5.1.119 *Über die Regungen, die das Wirken der Einsichten der rechten Seite begleiten*

Jetzt wollen wir darlegen, welche die Regung ist, die mit dem Wirken der rechten Seite verbunden ist, und welches ihr Unterscheidungsmerkmal ist. Mit dem Wirken dieser Einsichten, welche von der rechten Seite herrühren, ist eine Regung der Demut verbunden[136], welche, wenn sie anfängt in der Seele zu wirken, aus dem Herzen des Menschen einen süßen Duft[137] verströmt und hervorgehen läßt, den die Sinne des sterblichen Leibes nicht wahrnehmen können, bis die Kleider und der ganze Körper des Menschen aus diesem heiligen Duft bestehen und sich in sein Bild verwandeln. Und solange diese Regung der Demut in der Seele bewahrt wird, brennt es im Herzen des Menschen wie die Flamme eines Feuers; und solange dieses Feuer im Inneren wirkt, sprudelt und quillt ein Strom von Einsichten wie (109 r) eine Wasserquelle aus dem Herzen des Menschen[138]; und solange das Licht der Einsichten im Herzen schimmert, strömen von innen Tränen der Freude wie Wasserbäche aus den Augen; und solange diese Tränen aus den Augen fließen, wird das Herz inwendig mit Freude und Jubel erfüllt und mit der Hoffnung auf das zukünftige Leben, ohne daß die Zunge es vermöchte, die Geheimnisse seiner (des Herzens) Einsichten zu erklären oder auszusprechen. Dies sind die Tränen, die unsere Väter das „gelobte Land" nennen[139]; denn wenn der Mensch zu ihnen gelangt ist, fürchtet er sich nicht mehr vor dem Kampf der intelligiblen Philister[140].

5.1.120 *Die Früchte des Wirkens dieser Einsichten*

Solange der Einsiedler dieses Wirken der Einsichten und diese Regung der Demut und diese Tränen besitzt, besteht vor seinen Augen kein Sünder mehr in der Schöpfung, sondern er betrachtete alle Menschen als Gerechte[141].

Selig, wer diese Heimsuchung gewürdigt ward, und dessen Gaumen seines Geistes von der Wonne dieser göttlichen Geheimnisse gekostet hat! Oftmals fällt der Mensch ob des Ungestüms der Kraft dieser Heimsuchungen auf den Boden und bleibt einen Tag oder zwei (so daliegen), ohne daß er aufzustehen vermöchte, weil der Leib angesichts dieser Freude nicht standhält. Und er nimmt weder Nahrung zu sich[142], noch wird ihm wie gewöhnlich Schlaf zuteil, weil sich der Leib zusammen mit der Seele durch die Süße dieser Einsichten von einer geistlichen Speise nährt.

5.1.121 *Das geheimnisvolle Lichte*

Solange sich nämlich der Mensch an diesem Ort befindet, erstrahlt ein Licht über ihm bei Nacht und bei Tag und er bedarf nicht des Lichtes der Sonne am Tage, noch des Mondes bei Nacht[143]. Denn Nacht und Tag sind gleich für den, der dieser Gabe gewürdigt ward. Solange sich der (109 v) Einsiedler unter dem Einfluß dieser Heimsuchung befindet, hat er weder die Erfüllung der Horen, noch die Mühe des Lesens nötig[144]. Denn all dies ist die Mühe des Kaufmannes, bis die Perle von großem Preis in seine Hände fällt. Sieh, oh unser Bruder, in dieser Tagen fordert Gott nichts von dir selbst, es sei denn die Observanzen der Abgeschiedenheit, und daß es bei dir nicht zu einem Ein- und Ausgehen zu irgendjemandem komme, und es soll auch niemand bei dir eintreten!

5.1.122 *Das Beispiel der heiligen Väter*

Erinnere dich, oh Freund, an jenen seligen und großen ACHILLA, der nicht einmal an der äußeren Türe (seiner Zelle) den Gruß entgegennahm, der ihm von einem der Väter, seinen Standesgenossen, entboten ward, wegen der Größe dieser Gabe, in der er sich befand, dieweil er zu dem, der an seine Türe klopfte, sagte: „Selbst wenn all diese Äpfel aus Gold wären, sie würden mir als Auswurf gelten im Vergleich zu der Gabe, die Gott mir in dieser Stunde verliehen hat[145]."

Ebenso handelte auch der selige ABBA ARSENIOS demjenigen gegenüber, der gekommen war, um ihn zu begrüßen[146], der (Arsenios), weil sein Geist im Staunen (über) diese Einsichten und dieses heilige Licht, das über ihm aufgestrahlt war, entrückt war, seinen Mund nicht öffnete und nicht mit jenem Seligen sprach, der gekommen war, ihn zu sehen. Indessen geschah dies nicht absichtlich, sondern das innere Staunen hatte seine Zunge ergriffen und gestattete ihm nicht, zu sprechen.

5.1.123 *Über die verschiedenen Beweggründe, in der Abgeschiedenheit der Zelle zu verweilen*

Wenn dir jemand sagt, daß es ohne ein solches Verhalten möglich sei, in der Abgeschiedenheit der Zelle zu verweilen, wie es sich gebührt, dann ist er ein Lügner, glaube ihm nicht! Um zweier Beweggründe willen harrt ein Einsiedler in der Abgeschiedenheit der Zelle aus. Erstens[147], um der Ehre von seiten der Menschen willen; denn wenn er von der Menge um dessentwillen gelobt wird, harrt er aus und verweilt (in der Zelle). Indessen, sein Ende erfolgt durch diese beiden Übel: Entweder nimmt sein Intellekt Schaden (110 r) durch die Gedanken des eitlen Ruhmes mittels der Einbildungen und man wirft ihn in Eisen, wie es so manch einem von den Einseidlern widerfuhr, die nicht um Gottes willen in der Abgeschiedenheit verweilten, sondern um des Lobes von seiten der Menschen willen. Und deshalb wurden sie von der Vorsehung Gottes verlassen und fielen in die Hände der Dämonen und wurden zu einem Zeichen des Entsetzens für alle Menschen. Oder sie fielen in die Hände des Dämons der Unzucht.

5.1.124 *Zwei traurige Beispiele der Folgen des eitlen Ruhmes*

Wie der selige PALLADIOS im Buch des ,,Paradieses" bezüglich jenes Seligen schrieb, der das abgeschiedene Verweilen in der Zelle aufgab und ins Haus der Freudenmädchen ging, um sein Verlangen zu befriedigen; dessen Hände und Füße der heilige MAR EVAGRIOS geküßt hat, da er ihn von dem Irrtum der Unwissenheit zu dem Wandel zurückbringen wollte, in dem er (vorher) gestanden hatte[148].

Und wie jene (Geschichte lehrt), die dem seligen JAKOBUS dem Wandermönch widerfuhr[149], der nach einem mühevollen Verweilen (in) der Abschiedenheit und den Gaben, die er von Gott empfangen hatte, zu einem solchen

Abgrund der Bosheit hinabgebracht ward: Er fiel nicht nur von seinem Gelübdc ab, sondern beging auch noch einen Mord! Und dies widerfuhr ihm, weil er den Gedanken des eitlen Ruhmes in seinem Denken Raum gab. So sagt es nämlich auch der Schriftsteller in seiner Geschichte: „Um der Gedanken des Hochmutes willen ist ihm dieser Fall widerfahren". Aus dem eitlen Ruhm wird ja der Hochmut geboren. Derselbe (Jakobus ist das), der sich nach seinem Fall nicht nur seiner Schwachheit und der Gnadenerweise Gottes ihm gegenüber entsann, sondern auch aus seinem (110 v) Denken die Gedanken des eitlen Ruhmes herauswarf und einer Gabe gewürdigt ward, die erhabener war als die erste, (und zwar) um seines Eifers und seiner Buße vor Gott willen, in der (der Buße) es keinerlei Falschheit gab.

Derjenige also, der um des Ruhmes und des Lobes von seiten der Menschen willen in der Zelle verweilt, dessen Ende erfolgt durch diese beiden Übel. Derjenige hingegen, der um Gottes willen in der Abgeschiedenheit ausharrt, wird jener Güter und Gnadengaben gewürdigt, von denen ich oben sprach; und nicht nur dieser, sondern auch noch anderer, die größer sind als diese.

5.1.125 *Abschließende Betrachtungen*

Ich habe in der Tat oben eine Unterscheidung vollzogen zwischen den Einsichten, die im Geist von der Gnade herrühren, beziehungsweise von den natürlichen Samen, beziehungsweise von dem Schutzengel. Weil aber unsere Ausführung einer (bestimmten) Richtung gefolgt ist, die sich ihr anbot, da der Gegenstand selbst es erforderte, kehren wir (nun) zu unserem Thema zurück.

Was also das Wirken der Einsichten betrifft, die denjenigen von der rechten Seite her wiederfahren, die in ihren Zellen in der Abgeschiedenheit verweilen, so verhält es sich damit so, wie ich oben dargelegt habe, zusammen mit vielen anderen Dingen, die ich nicht in Schriften[150] offenbaren möchte, um dadurch nicht etwa den Kritikern eine Hand(habe) zu geben. Es gibt nämlich auch noch andere Dinge, die den Gottesfürchtigen in der Zelle widerfahren, und die Väter haben darüber geredet. Indessen, oh Freund meiner Seele, überall da, wo es die Schicklichkeit erfordert, sie auszusprechen, werden wir sie aussprechen, gemäß unserem Versprechen dir gegenüber und entsprechend der Bitte deiner geistlichen Liebe an unsere Schwachheit

5.1.126 *Über die Einsichten der „linken Seite“*[151]

Höre jetzt auch, oh mein Bruder, was die Einsichten betrifft, die von jenem verruchten Dämon gesät werden, (111 r) welcherart ihr Wirken ist. Wenn also dieser boshafte Widersacher sieht, daß sich die Seele der häßlichen Leidenschaft der Unzucht nicht unterwirft, wie ich oben sagte[152], dann beginnt er sich der Seele zu nähern und wirft Einsichten verschiedener Art in sie und läßt Neuheiten aufsprudeln, die die Hörer in Erstaunen versetzen. Einige seiner Einsichten sind wahr, und andere Lügen, weil er das tödliche Gift nicht ohne eine Honigwabe zu reichen vermag.

5.1.127 *Allgemeine Unterscheidungsmerkmale*

Indessen, dies sei dir das Zeichen hinsichtlich der Einsichten, die von diesem Dämon gesät werden: Wenn sie ins

Herz fallen und der Geist sie annimmt, dann wird das Herz mit zahlreichen Gedanken erfüllt, weil sich die Zertstreutheit seiner bemächtigt[153]. Und in dem Maße, wie diese Einsichten überhand nehmen, wird der Intellekt verwirrt und die Seele verstört, und alle Ordnungen und Gesetze sind in Unordnung. Und wenn alle Regeln und Gesetze der Zelle in Unordnung sind, dann ist die Abgeschiedenheit gestört und alle ihre Observanzen haben sich aufgelöst; das Herz hat sich gefüllt mit Verwirrtheit und Überdruß; das Band, das zwischen Leib und Seele und Intellekt besteht, hat sich gelöst und es gibt nun zwei Willen, weil der Leib begehrt, was der Seele zuwider ist, und die Seele begehrt, was dem Leib zuwider ist, und alle beide stehen zueinander im Widerspruch. Und wenn diese miteinander streiten, dann ist jene Freude dahin, die durch die Beständigkeit in (111 v) den Mühen der Tugend in Leib und Seele bestanden hatte, zu Ende ist es mit jenem Frieden, der durch die Lauterkeit der Gedanken im Herzen bestanden hatte. Und von der einen einfaltigen Erkenntnis, die sie besaß, welche eine Quelle des Lichtes und des Lebens ist, ward das Herz zu einer Quelle vielfaltiger Erkenntnisse, die Finsternis des Irrtums bedeuten. Und anstelle der Einfachheit eines einfaltigen Gedankens hat es die Schläue vielfaltiger Gedanken erworben, zusammen mit vielen anderen Dingen, über die wir (hier) nicht zu reden brauchen.

5.1.128 *Ein besonderes Unterscheidungsmerkmal*

Dieses Unterscheidungsmerkmal, das wir bis jetzt angegeben haben, gilt für den, der nicht die Schau seines Wesens zur Zeit des Gebetes besitzt[154]. Führen wir indessen auch ein Unterscheidungsmerkmal für den an, der die Schau der Schönheit seines Wesens zur Zeit des Gebetes besitzt.

Wenn du also dastehst zur Zeit des Gebetes, so sei dir dies ein Kennzeichen bezüglich der Aussaat der Einsichten dieses Versuchers, oh Seher der Wahrheit. Wenn er nämlich seine Einsichten in das Herz wirft, dann wird die Seele von der Kontemplation, in der sie sich befindet, abgewendet und von der geistlichen Einfaltigkeit, die sie zur Zeit des Gebetes besitzt, mit der geistlichen Schau, die in ihr aufleuchtet, und ihr Wesen zieht sich zurück in die inneren Kammern des Herzens[155], Bis der Geist (schließlich) seine Schönheit zur Zeit des Gebetes verbirgt und dir sein Wesen nicht mehr zeigt. Denn die Einsichten, die im Herzen von der Gnade herrühren, machen (den Geist) einfaltig und geistig und unbegrenzt. Diejenigen (Einsichten) hingegen, die von jenem Verwünschten herstammen, bringen ihn von der Einfaltigkeit zur Kompliziertheit[156]. Und statt des Lichtes, das das Herz durch die Einsichten, die von den Gnade herrühren, erfüllt, wird das Herz durch diese mit großer Finsternis erfüllt.

5.1.129 *Über die Unterscheidungsgabe des Geruchssinnes*[157]

Als zuverlässiges Unterscheidungsmerkmal zwischen Wahrheit und Täuschung aber diene dir, oh Seher, dieses: (112 r) Die Unterscheidungsgabe des dritten Sinnes[158]! Denn in diesem Kampf besitzt vor allem dieser Sinn die Fähigkeit, zwischen Wahrheit und Täuschung zu unterscheiden, da nämlich, sobald die Einsichten, die von der Gnade herrühren, anfangen im Herzen zu wirken, ein gewisser lieblicher Duft ausströmt und aus dem Inneren des Herzens hervorgeht[159], gleichwie aus einer Wasserquelle, und die Regungen des Leibes und der Seele durch seine Süßigkeit gleichsam in einen Schlaf versenkt[160]. Denn in diesem Verkosten dieser Wonne sind alle beide, Leib und Seele, Teilhaber!

Die Einsichten hingegen, die von jenem Verwünschten gesät werden, verströmten und lassen, sobald sie anfangen zu wirken, einen fauligen und abscheulichen Geruch aus dem Herzen hervorgehen, durch dessen Gestank alle Verbindungen des Leibes und der Seele gestört werden.

5.1.130 *Die Gegenmittel*

Du also, oh Gottesfürchtiger, gestatte deinem Denken nicht, solang dieser Kampf dir den Krieg macht, über irgendeine Einsicht zu meditieren, sondern laß deinen Intellekt dastehen wie einen empfindungslosen Felsen und wie einen wortlosen Stummen, und sei beständig im Lesen und in den Kniefällen und den Schreien vor dem Kreuz, und Leid und Tränen der Reue, und (der Kampf) wird durch die Kraft des Beistandes unseres Herrn von dir weichen.

Nach dem Streit dieses Kampfes mit dem Intellekt aber wird ihm die (Gabe der) Unterscheidung der Geister verliehen. Mit den Gnostikern nämlich kämpft dieser Dämon durch diese Art von Einsichten. Mit denen, die keine Erkenntnis besitzen, kämpft er durch jene Taktik der abscheulichen Lieder, von denen wir oben sprachen.

5.1.131 *Über die Notwendigkeit, die Gedanken zu überwachen und sie dem geistlichen Vater zu offenbaren*

Wer indessen die Schläue all' der Kämpfe kennenlernen (112 v) will, die jene bekriegen, die in der Abgeschiedenheit der

Zelle verweilen, der achte mit Wachsamkeit auf seine Gedanken und tue nichts ohne Rat, nach dem Wort unserer geistlichen Väter[161]. Der Einsiedler, der in der Abgeschiedenheit weilt und auf seine Gedanken achtgibt, ist ein erprobter Märtyrer und eine Krone der Ehre wird ihm zusammen mit den Märtyrern an jenem Tage aufgesetzt werden, an dem sich unser Herr mit der Macht und Ehre seiner heiligen Engel offenbaren wird.

Der Einsiedler, der in der Abgeschiedenheit weilt, bedarf in der Tat der folgenden Tugenden: Bewahrung des Schweigens des Leibes und (Bewahrung) der Gedanken der Seele, und beständiges Fasten mit Maßhaltung, und Demut und ungeheuchelte Liebe, und er soll weder (beständig) aus- noch eingehen, noch Vertrautheit mit vielen haben außer mit einem, um ihm seine Gedanken zu offenbaren und von ihm einen Rat bezüglich des Tuns der Tugenden einzuholen. Es geziemt sich also dem Einsiedler, der in der Abgeschiedenheit seiner Zelle weilt, daß er seine Gedanken nicht vor dem verberge, dem er seine Seele anvertraut hat, und daß er nichts tue ohne Rat.

5.1.132 Der Einsiedler, der in der Abgeschiedenheit weilt, und sein Denken nicht vor seinem geistlichen Vater offenbart, dessen Mühen ist eitel und all sein Geschäft liegt in der Hand seiner Feinde[162]. Wer sich nämlich so verhält, gleicht dem, der mit seiner einen Hand aufbaut und mit der anderen zerstört. Und er wird nicht lange in der Abgeschiedenheit bleiben, weil die Kraft der heiligen Demut ihn nicht begleitet, noch die Rüstung der Gebete seiner geistlichen Väter.

Der Einsiedler, der seinen Vätern seine Gedanken, in der Abgeschiedenheit der Zelle offenbart, gleicht einem Kämp-

(113 r) fer, der mit allen Kriegswerkzeugen versehen ist und der sich nicht vor der Schlachtreihe der Feinde fürchtet, und ihnen den Sieg entreißt und den erfreut, der ihn gewappnet und in den Krieg gesandt hat.

Derjenige hingegen, der in der Zelle weilt und seine Gedanken verbirgt und nicht Rat einholt bezüglich des Wandels der Tugenden, gleicht dem, der ohne Rüstung und ohne Kriegswerkzeuge in der Schlachtreihe der Feinde steht, und während er zu kämpfen begehrt, von den Pfeilen der Feinde verwundet und zum Gespött und zum Schrekken für alle seine Zuschauer wird.

5.1.133 *Warnung vor mangelnder Offenheit*

Du also, oh unser Bruder, wenn du in der Abgeschiedenheit der Zelle weilst, bringe jeden Gedanken, der dir zustößt, ob er nun von der Rechten oder von der Linken herrührt, vor deinen (geistlichen) Führer und das, was er dir sagt, tu mit Eifer, indem du davon weder zur Rechten noch zur Linken abweichst. Und sieh zu, daß du nicht etwa, wenn du von deinem (geistlichen) Führer einen Rat einholst, den Rat, den du erhältst, nicht ausführst und daß dein Ende sei wie das des Achar und des Gehasi und des Iskariot[163], die dem Rat ihrer Meister nicht gehorchten und den bösen Samen verbargen, den der Satan in ihre Herzen gesät hatte, und die an sich selbst den Lohn des Ungehorsams empfingen, der ihrer Verirrung gebührte.

5.1.134 *Das gute Beispiel der Jünger Christi*

Du hingegen, oh Bruder, der du in Abgeschiedenheit in der Zelle weilst, gehorche deinen Meistern um Gottes willen, wie die Apostel ihrem wahren Meister gehorchten und in Jerusalem blieben, wie er ihnen geboten hatte: „Ihr bleibet in Jerusalem, bis ihr angetan werdet mit der Kraft aus der Höhe". (Lk 24,49) Und sie blieben seinem Gebot gemäß in Jerusalem, bis sie die Kraft aus der Höhe in Form von Zungen aus Feuer empfingen. Und sie wurden zu Herolden des Himmelreiches bis zu den vier Enden der Erde, gemäß dem Gebot ihres Meisters an sie: „Geht und lehret alle Völker und tauft sie im Namen des Vaters und des Sohnes und des Heiligen Geistes. Und siehe, ich bin mit euch bis zur Vollendung der Welt". (Mt 28, 19). (113 v)

Diese Verheißung, die unser Herr seinen Jüngern machte, die machte er nicht bloß ihnen, sondern auch all jenen, die auf ihren Spuren wandeln und wie sie dem Rat ihrer Meister gehorchen. So daß unser Herr mit ihnen ist und ihnen den Heiligen Geist in ihre Herzen gibt, der sie neue unaussprechliche „Stimmen"[164] lehrt, und Geheimnisse, die sich durch jene Zunge von Feuer offenbaren, die sie von dem Heiligen Geist empfangen, jene die in der Abgeschiedenheit in ihren Zellen weilen und mit Erkenntnis um das Tun der Tugenden Sorge tragen.

5.1.135 *Über die Früchte der Verschlossenheit bzw. Offenheit dem geistlichen Vater gegenüber*

Derjenige hingegen, der einen Kampf zu bestehen hat und den Einsichten des Bösen gehorcht und seine Gedanken nicht vor seinen Vätern, die sich in der Kunst der intelligiblen Kämpfe auskennen, offenbart und aufdeckt, wird am Ende seines Streites dem Dämon des Hochmutes überliefert und der treibt ihn aus dem wahren Glauben heraus und macht ihn zum Haupt der befleckten Häretiker, deren Anführer und Lehrmeister der Lüge er wird. (114 r)

Der verständige Einsiedler hingegen, jener der einen Kampf zu bestehen hat und ihn vor seinen geistlichen Vätern offenbart, dem werden nach seinem Streit mit diesem Kampf von der Gnade Gottes folgende Gaben verliehen. Nämlich die Gabe der Einsichten bezüglich der Geheimnisse, die in den heiligen Schriften verborgen sind, indem deren Einsichten vor ihm wie die Sonne aufleuchten[165]; eine Freude, die keine Grenze hat und die der Geist nicht zu ertragen vermag; die Sammlung der Gedanken, so daß außer dem Gedenken an die zärtliche Liebe unseres Erlösers nichts im Herzen des Menschen besteht; die heilige Unterscheidungsgabe, welche unterscheidet (einerseits) zwischen den Einsichten, die von den Natur bzw. denen, die von dem Schutzengel herrühren, bzw. jenen die durch die Gnade aufsprossen, und (andererseits) denen, die vom Widersacher herrühren, mit vielen anderen Dingen, über die wir (jetzt) nicht zu reden brauchen.

5.1.136 *Der Dämon, genannt der „Spötter“*

Es gibt indessen noch einen anderen Kampf für die, die in Abgeschiedenheit in der Zelle weilen, und zwar so. Dieser Dämon wird in der Tat von den geistlichen Weisen der „Spötter“ genannt[166]. Wenn nun der Einsiedler anfängt, sich bereit zu machen, um Gott das Opfer seiner Gebete darzubringen oder um die Süßigkeit, die von der Einsicht des Lesens herrührt, zu empfangen, dann kommt dieser Versucher und steht draußen vor der Zelle und trampelt wie eine Menge Pferde und läßt ihre Stimme um die Zelle des Einsiedlers herum erschallen[167]. Er klopft auch an die Türe, um den Einsiedler glauben zu mache, daß viele Leute da sind, die gekommen sind, ihn zu sehen[168]. (Er tut dies,) um ihn, wenn er ihm gehorcht und herausgeht um nachzusehen, seiner schönen Beschäftigung, die die seine wäre, zu berauben.

5.1.137 Wenn aber der Bruder in seinem Tun ausharrt und nicht nach draußen geht, dann ändert er seine List in eine andere Taktik um. Das heißt, er läßt die Wände der Zelle erzittern[169], ja selbst den Boden, auf dem der Bruder steht, und er durchbricht und erschüttert das Dach des Hauses, so als ob es ein großes Erdbeben gäbe. Und er rät dem Einsiedler: „Wenn du nicht fliehst und herausgehst, dann wird deine Zelle augenblicklich zu deinem Grab werden!" (114 v)

Wenn der Einsiedler indessen ausharrt und seinen Kampfplatz nicht verläßt, dann widerfährt dem Bruder nach diesem Kampf eine Heimsuchung seitens der Gnade[170], das heißt, sein Herz brennt wie mit Feuer vor Liebe zur Abgeschiedenheit der Zelle und der Ausdauer in den Kniefällen und der Liebe zur ununterbrochenen Rezitation der Psalmen und beständigem Lesen, welches die Süßigkeit seiner Einsichten auf dem Gaumen des Geistes verbreitet, wie eine Honigwabe, die den Gaumen des Leibes versüßt[171].

Dieser Kampf befindet sich (übrigens) in Gesellschaft mit dem Dämon des Widerwillens. Auch von der Zerstreutheit der Gedanken und den flüchtigen Stimmen, die man in der Luft hört[172], sagt man, daß dieser Dämon sie hervorrufe. Und er ist es, der die Brüder in den Nächten ruft und zur Psalmodie aufstehen läßt, wie bei den Vätern geschrieben steht[173].

5.1.138 *Der Dämon der Angst*

Nach diesem Kampf hat der Bruder es in dem abgeschiedenen Verweilen in der Zelle mit dem Dämon der Angst zu tun[174], so daß das Herz des Einsiedlers, selbst wenn ein verächtliches Gewürm in der Zelle kriecht oder wenn eine Fliege summt, erzittert wie bei einem Menschen der (eben) den Händen von Räubern entronnen ist.

Dieser verwünschte Dämon manifestiert sich in der Zelle oftmals durch schreckliche Erscheinungen, die (bewirken), daß, wenn der Einsiedler sie erblickt, sein ganzer Körper (115 r) ob des Entsetzens ihres Anblickes wie eine Wasserquelle wird[175]. Und bis zu einem solchen (Grad) herrscht über den Einsiedler das Entsetzen, daß seine Zunge in seinem Munde (wie) gebrochen ist und er nicht mehr zu sprechen vermag. Und wenn die Barmherzigkeit Gottes nicht wäre, die den Einsiedler in diesem Kampf unterstützt, dann würde vielleicht sogar seine Seele seinen Leib verlassen.

5.1.139 *Das Gegenmittel: Psalmengebet!*

Du aber, oh Bruder, der du es mit diesem Kampf zu tun hast, schlage, wenn du diese schrecklichen Erscheinungen siehst, die Harfe des Sohnes Isais[176], indem du so sprichst: „Gott erhebe sich und alle seine Feinde werden zerstreut werden, und deine Hasser werden vor dir fliehen. Und wie Wachs, das sich vor der Hitze des Feuers auflöst, sollen deine Feinde vor dir vergehen" (Ps 67, 2). Und: „Herr, gewähre dem Gottlosen sein Begehren nicht und sein böses Sinnen laß nicht gelingen!" (Ps 140, 19). Und: „Oh Gott, rette mich, oh Herr, bleibe zu meiner Hilfe! Es sollen sich schämen und zuschanden werden, die die Vernichtung meiner Seele suchen." (Ps 70, 1). Und: „Errette mich, oh Gott, aus der Hand des Gottlosen!" (Ps 71, 4). Und: „Unterweise, oh Herr, meine Hand zum Kampf." (Ps 18, 35). Und: „Erfreue mich durch dein Heil" (vgl. Ps 9, 14). Und:

,,Laß zuschanden werden meine Hasser durch deine Hilfe" (vgl. Ps 44, 7). Und: ,,Neige dein Ohr, oh Herr, und erhöre mich" (Ps 86, 1). Und: ,,Wende die Gottlosigkeit des Hassers auf sein (eigenes) Haupt" (Ps 7, 17). Und: ,,Schrecken und Zittern möge auf den Feind fallen, der mit mir streitet" (vgl. Ps 105, 38).

Und nachdem du den (Dämon) mit diesen Pfeilen und Speerspitzen der Verse des Sohnes Isais verwundet hast, bezeichne alle deine Sinne mit dem Zeichen des Kreuzes[177] und augenblicklich wird er vor dir zunichte werden.

5.1.140 *Das persönliche Zeugnis eines Bruders*

Dies ist der Dämon, von dem der heilige EVAGRIOS sagte, daß seine Augen wie Feuer glänzen[178] und er Bilder erscheinen läßt, wie Schlangen, die durch die Luft fliegen[179]. (115 v)

Einer der Brüder hat mir in der Tat(folgendes)berichtet: ,,Eines Tages, als ich in einen Kampf mit diesem verwünschten Dämon geworfen war, verließ ich meine Zelle bei Nacht, um eine Runde zu machen. Und als ich zurückkehrte, noch ehe der Morgen aufleuchtete, öffnete ich die äußere Türe meiner Zelle. Und als ich eintrat, sah ich (etwas) wie einen Drachen, in der ganzen Zelle ausgestreckt[180]. Und aus seinem Rachen ging es wie Feuerflammen hervor und seine Augen glänzten wie Feuerfackeln[181]. Als ich ihn erblickte, erstarrte mein Herz in mir und ich vermochte aus Entsetzen vor diesem ekelhaften Gesicht weder in die Zelle hineinzugehen noch sie zu verlassen. Denn das Entsetzen beherrschte mich derart, daß ich nicht einmal meine Hand zu bewegen vermochte, um das Zeichen des Kreuzes zu machen. Er aber wandte sich um und ging auf mich los, um mich zu verschlingen. Ich aber, dieweil mich dieses Entsetzen überfallen hatte und ich nicht (mehr) wußte, was ich tun sollte, verlor vor Grauen (alle) Hoffnung für mein Leben.

5.1.141 Der gütige und barmherzige Gott jedoch weckte, da er sah, daß ich in einen solchen entsetzlichen Kampf geworfen war, plötzlich in meinem Sinn die Erinnerung an die Gesänge des seligen David. Und sobald ich mit einem Psalm anfing, ward auch meine Rechte gestärkt und ich machte wider ihn das Zeichen des Kreuzes. Und als der Rebell das Zeichen des Kreuzes sah, verschwand er vor mir und ward zunichte. Als ich aber sah, was geschehen war, (116 r) fiel ich auf mein Antlitz den ganzen Tag über, indem ich Danksagung(en) zu Gott aufsteigen ließ für das, was er an mir getan hatte. Der Geruch seines Gestankes indessen blieb (noch) drei Tage in meiner Zelle. Und dann von diesem Tage an drang keine Furcht mehr in mein Herz ein, sondern mein Verstand ward derart gekräftigt mit Mut und Stärke, daß ich mich, (selbst) wenn die ganze Erde aus Schlangen und Skorpione und giftsprühenden Reptilien bestände[182], vor ihnen nicht mehr fürchten würde." Dies erzählte vor mir jener fremde Bruder.

5.1.142 *Ausharren besiegt die Furcht*

Diejenigen also, die mit diesem verwünschten Dämon kämpfen, müssen viel Ausdauer besitzen, damit sie nicht aus Furcht ihre Zellen verlassen und aus ihnen herausgehen, sondern ausharren und innerhalb der Türe sitzen bleiben, indem sie wachen und an die Türe unseres Herrn klopfen bei Nacht und bei Tag, und unser Herr wird ihn in bälde von ihnen weichen lassen, denn dieser Kampf dauert nicht lange.

Nach diesem Kampf ist der furchtsame Teil der Seele gekräftigt, und wie ein Feuer, das die Stoppeln verzehrt, so verzehrt er aus dem Herzen alle Furcht, die sich dort befand, sei es vor den Dämonen oder sei es vor den Bedrängnissen des Leibes. Und das Herz wird derart trunken von der Liebe unseres Herrn und erfüllt mit Freude, daß es beständig die Worte des Paulus ausruft und spricht: „Weder Feuer noch Schwert, weder Engel noch Menschen, weder Gegenwärtiges noch Zukünftiges, noch irgend ein anderes Geschöpf, falls es existierte, könnte mich von der Liebe unseres Herrn Jesus Christus trennen" (Röm 8, 38 f.).

5.1.143 *Notwendigkeit und Früchte dieser Prüfungen*

Kämpfet ein wenig, meine Brüder, und widerstehet den Versuchungen, die euch in dem abgeschiedenen Verweilen in der Zelle zustoßen, um jenes Freimutes gewürdigt zu (116 v) werden, (der euch gestattet), in der Freude eures Herzens zu rufen: „Wir sind der Welt der Versuchungen gekreuzigt und die Versuchungen der Welt sind uns gekreuzigt um der Liebe unseres Herrn Jesus Christus willen" (vgl. Gal 6, 14). Denn ohne das Erdulden der Bedrängnisse wird der Einsiedler nicht des geheimnisvollen Sprechens gewürdigt[183], das sich zur Zeit des Gebetes ereignet, welches einen vertrauten Umgang mit Gott schafft durch den Freimut der Liebe zu ihm. Erinnert euch, oh meine Brüder, des Wortes unseres Lebensspenders, unseres Herrn Jesus, der gesagt hat: „Wenn die Frau gebiert hat sie Kummer wegen des Tages ihres Gebärens. Wenn sie indessen das Kind geboren hat, gedenkt sie ihrer Bedrängnis nicht mehr um der Freude willen, daß ein Menschenkind in die Welt geboren ward.« (Joh 16, 21). So vergessen auch alle jene, die Bedrängisse erdulden, ob der Freude der Frucht der Erkenntnis, welche ihnen in ihrem Herzen aus dem Erdulden der Bedrängnisse entsteht, alle Kümmernisse, die zur Zeit des Streites mit den bösen Geistern über sie kamen. Unsere geistlichen Väter sagen in der Tat: ,,Die Zelle des Einsiedlers ist der Feuerofen von Babylon, in dem die drei Jünglinge den Sohn Gottes sahen"[184].

5.1.144 *Das Beispiel der drei Jünglinge im Feuerofen (Dan 3)*

Seht, meine Brüder, wenn Ananias und seine Genossen nicht die Gewalt der Flamme ausgehalten und für sich selbst den Tod beschlossen hätten, dann wären sie nicht jener glorreichen Schau gewürdigt worden und jener Wolke von Tau, die die Feuerflamme auslöschte. Es beschlossen nämlich jene Seligen bei sich selbst: ,,Besser ist für uns der (117 r) Tod dieses Lebens von kurzer Dauer, als Gott zu verleugnen".

Es lebe die heiße Liebe der glorreichen Athleten, wie sie die Feuerflamme auslöschte! Ein unsagbares Wunder ist es, daß Feuer Feuer auslöschte: Das Feuer der Liebe des Ananias und seiner Genossen löschte das babylonische Feuer Nebukadnezars aus. Ebenso sind auch alle jene, die in ihrem Herzen dieses göttliche Feuer haben: Wenn sie den Feuerofen der Zelle betreten, dann erstickt die Hitze des Feuers ihrer Liebe durch das Erdulden der Bedrängnisse die Hitze der natürlichen Leidenschaften.

5.1.145 Oh, wie schön war es für die tapferen Gottesfürchtigen Sedrach, Mesach und Abednego, als sie mit jenem göttlichen Lichte bekleidet wurden, das jene Wolke über sie herabkommen ließ, und sie inmitten des Feuerofens wandelten, wie in den Palästen des Königreiches, und Danksagungen zu dem Gott ihrer Väter aufsteigen ließen, daß er den Tau seiner Gütigkeit über ihnen ausgebreitet und sie aus dem mächtigen Feuer des Neides der Babylonier errettet hatte.

Das Ausharren des Ananias und seiner Genossen hatte in der Tat ihre Leiber von der Schau der Natur Adams und seines Geschlechtes zur Schau der Engel des Lichtes umgewandelt. Ebenso werden auch die Leiber aller jener, die die Bedrängnisse im Feuerofen der Zelle ertragen, und die sich nicht erdrücken lassen von den Bedrängnissen, die auf ihnen lasten, umgewandelt von der Leibhaftigkeit zur Geisthaftigkeit. Und ihre Antlitze werden leuchten in dem heiligen Licht, das in ihren Herzen aufstrahlt, wie jenes, das über dem seligen Ananias und seinen Genossen aufstrahlte, bei denen durch die Schau des glorreichen Lichtes, das über ihnen leuchtete, das Licht des babylonischen (117 v) Feuers vor ihren Augen verdeckt ward und sie (das Feuer) nicht mehr sahen.

Rückblick und Zusammenfassung der Stufe der Leibhaftigkeit

5.1.146 *Der erste Eifer*

Die ersten Mühen des Verweilens in der Zelle also sind die folgenden: Fasten, Enthaltsamkeit bei allen Speisen, Verzicht auf Reichtümer und Besitztümer, Wachen des Leibes,

Durst nach Wasser. Diese Mühen gehören alle der Stufe der Leibhaftigkeit an, weil dies der erste Eifer derjenigen ist, die in der Abgeschiedenheit weilen. In diesem ersten Eifer dieser Stufe gibt es für eben diese Tugenden weder Maß noch Umfang noch Gewicht, weil es sich eben um den ersten Eifer handelt und weil er in seinem unerträglichen Ungestüm über die Natur hinaus zu wandeln begehrt, deshalb, weil dieser Eifer aus dem Feuer der natürlichen Samen herrührt. Auch richtet er im Leib großen Schaden an, weil ob der großen Auszehrung alle Venen des Leibes austrocknen und Schaden nehmen.

5.1.147 *Verschiedene Versuchungen*

Selbst die Dämonen bekämpfen in der Tat zu Beginn diesen Eifer nicht, weil sie wissen, daß sie keine Gelegenheit dem Bruder gegenüber haben, solange dieser Eifer der natürlichen Samen die Seele mit seiner Hitze entflammt. Nur der Dämon des eitlen Ruhmes greift ihn an. Wenn er der Schmeichelei dieses Dämons zustimmt, dann kühlt sich bei ihm dieser Eifer der natürlichen Samen in der Seele ab und es herrscht über sie die Trägheit der Gedankenverwirrung. Und darnach bemächtig sich des Einsiedlers der Dämon der Unzucht, der ihn bis in die unterste Sheol erniedrigt.

Wenn die Seele indessen inmitten des Kampfes wider die Listen und Schmeicheleien des Dämons des eitlen Ruhmes (118 r) kräftig standhält, dann erlischt dieser Eifer der natürlichen Samen bei ihr nicht. Und solange das Feuer dieses Eifers der Seele erhalten bleibt, vermag keine der Leidenschaften sie ihrem Willen zu unterjochen. Denn durch eben diesen Eifer gelangt sie zur Reinheit, von der an und jenseits von der sich der Ort der Lauterkeit befindet.

5.1.148 *Über die sog. „zweite natürliche Erkenntnis“*

Alle Erkenntnis der Stufe der Leibhaftigkeit ist indessen (noch) körperhaft, weil es jenseits des Zusammengesetzten[185] für sie nichts gibt. Und jedesmal, wenn sie Gott zu betrachten begehrt, stellt sie sich Gott in zusammengesetzten Bildern vor und betrachtet ihn (so). Und wenn dem, der sich auf dieser Stufe befindet, eine Offenbarung oder irgendein Gesicht zuteil wird, dann geschieht ihm dies auf sinnenfällige und nicht auf intelligible Weise. So wie die Offenbarungen, die den früheren Gerechten zuteil wurden, ich will sagen Noah und Abraham und Isaak und Jakob und den übrigen Gerechten, die bis zum Gesetz lebten[186].

Die Erkenntnis derjenigen also, die sich auf der Stufe der Leibhaftigkeit befinden, ist die zweite natürliche Erkenntnis[187], weil der Leibhafte alles, was er über Gott denkt, gemäß dem Bilde des Leibes, mit dem er bekleidet ist, denkt. Die Stufe der Leibhaftigkeit reicht indessen bis zum zweiten Übergang über den Jordan, soweit und nicht weiter.

5.1.149 *Die zweite Beschneidung*

Gleichwie indessen der selige Josua der Sohn Nuns die Söhne Israels, als sie den Jordan überschritten, mit einer zweiten Beschneidung beschnitt (Jos 5, 2), und sie dann (erst) das gelobte Land betraten und mit den sieben Völkern kämpften, die es bewohnten, ebenso auch können (118 v) wir, wenn wir unser Herz nicht durch eine zweite Beschneidung von den Bosheiten beschneiden, welche die Stufe der Seelenhaftigkeit bedeutet, nicht mit den sieben Leidenschaften kämpfen, die uns auf dieser Stufe den Krieg machen, als da sind: Zerstreutheit der Gedanken, Neid, Selbstzufriedenheit, Unwissenheit, Traurigkeit, Unglaube, eitler Ruhm, zusammen mit vielen anderen, die (uns) auf dieser Stufe den Krieg machen[188]. Gleichwie nämlich alles Tun jener ersten Stufe leibhaft ist und die Erkenntnis, die der Intellekt auf ihr empfängt leibhaft ist, ebenso ist alles Tun dieser zweiten Stufe seelenhaft und wird all' ihre Erkenntnis jenseits der Sinne des Leibes empfangen; auch all' ihre Kämpfe sind seelenhaft.

Über die Gaben, die der Intellekt beim Eintritt in die Stufe der Seelenhaftigkeit empfängt.

5.1.150 *Verstehen der Hl. Schriften und Staunen über deren Geheimnisse*

Jetzt wollen wir, oh Freund, gemäß meinem Versprechen dir gegenüber[189], sagen, wie die Seele anfängt, die Stufe der Seelenhaftigkeit zu betreten. Wenn nun der erste Höhepunkt vollendet ist und unser Herr anfängt, vor der Seele den zweiten Höhepunkt aufzutun, der die Stufe der Seelenhaftigkeit darstellt, dann wird dem Intellekt als erstes die Einsicht der Bücher des Geistes verliehen[190]. Und gleichwie es bei der Sonne zugeht, die alle Naturen der Schöpfung vor dem Leib aufleuchten läßt, ebenso werden vor dem Intellekt alle Verse, die vom Heiligen Geist geschrieben wurden, erhellt. Und wenn (der Intellekt) die Einsicht eines Verses erfaßt hat, dann zieht die (Einsicht) den (Intellekt) über den (Vers) in ein Staunen hinein, (das) eine Stunde oder zwei oder (auch) einen ganzen Tag (dauern kann), und dann (erst) läßt die (Einsicht) den (Intellekt) zum nächsten (Vers) übergehen. Und es wird ihm die

(119 r)

Sammlung der Gedanken verliehen, so daß er außer dem einen Gedanken, der das Heilswirken Gottes betrachtet, keinen anderen (Gedanken) hat.

5.1.151 *Die Gabe der Tränen*

Und aus dieser Sammlung der Gedanken und aus dem Staunen über die Einsichten kommt es bei (dem Bruder) zu einem Tränenausbruch bei Nacht und bei Tag[191]. Es handelt sich jedoch nicht um erzwungene oder trübe Tränen, wie jene des ersten Eifers, von denen wir oben gesprochen haben[192]. Sondern diese Tränen sind friedlich und sie stammen nicht aus dem Willen des Menschen, sondern aus dem Staunen über die Einsichten und sie versüßen den Gaumen des Geistes. Dies sind die Tränen, die unsere Väter das „gelobte Land" nennen[193], weil man, wenn man dorthin eintritt, die Kämpfe, die einem den Krieg machen, nicht mehr fürchtet. Denn dies ist der zweite Eifer, über den der heilige AMMONIOS sprach[194], der nicht vielen Einsiedlern gewährt wird, sondern (nur) jenen, die sich von den Leidenschaften des Leibes und der Seele gereinigt haben. Und mit diesen (Tränen) wird ihm der Eifer der Kniefälle verliehen, so daß der Einsiedler bei Nacht und bei Tag im Flehen vor Gott vor dem Kreuz niederkniet.

5.1.152 *Über die Kontemplation der Körperlichen und der Körperlosen, sowie des Gerichtes und der Vorsehung Gottes*

Und durch diese drei (Gaben, d. h. Verstehen der Schrift, Staunen und Tränen), die ich erwähnte, wird das erleuchtete Auge des Intellektes von aller Verunreinigung des Fleisches und des Geistes gesäubert und (der Intellekt) schaut sich selbst und sieht sein eigenes Wesen in dem glorreichen Licht, das in ihm weilt[195]. Und nach der Schau seiner selbst strahlt in dem Intellekt die Kontemplation der Körperlichen und der Körperlosen auf. Und zusammen mit dieser ersten (Kontemplation) entsteht zugleich die Einsicht über die Kontemplation von Gericht und Vorsehung[196]. Und wenn der Intellekt dieser beiden Kontemplationen gewürdigt wird, dann wird der Mensch trunken wie von Wein vor Liebe zu den Menschen.

Denn in der Schau der ersten Kontemplation erscheinen ihm alle Taten der Menschen, sowohl der Sünder als auch der Gerechten, und alles, was ein jeder von ihnen verübt hat. Und wenn diese Kontemplation des Gerichtes und der Vorsehung nicht (zur gleichen Zeit) im Geist des Einsiedlers aufgestrahlt wäre, und er nicht durch deren Einsicht zur Liebe zu den Menschen hingezogen würde, dann würde er sich ob der Schwächen, die er sah, die in dieser Schöpfung verübt werden, in einem Augenblick selbst zerstören, weil er an ihren Taten Anstoß nähme und wider sie mit Eifer erfüllt würde und mit Zorn und Grimm, und dadurch würde er sich selbst zugrunde richten.

5.1.153 Unser Herr indessen hat in seinem Erbarmen die Dinge so eingerichtet, daß er zusammen mit der Schau dieser Kontemplation auch die Einsicht jener anderen Dinge verleiht, so daß, wenn der Intellekt anfängt, die Schwächen der Menschen zu betrachten und sich vor Eifer wider sie erregen will, in sein Herz jenes Feuer der Liebe zu den Menschen fällt. Und wie in einen Abgrund versenkt den Intellekt die Schau und die Einsicht dieser Kontemplationen des Gerichtes und der Vorsehung.

Und, um die Wahrheit zu sagen, zur gleichen Zeit, da er ihre Schwächen sieht und die Verächtlichkeit ihres Erdklumpens, wie sehr dieser der Verwesung der Sterblichkeit unterworfen ist, kostet er (auch) auf dem Gaumen seines Geistes, wie mit der Spitze des kleinen Fingers, von jener wunderbaren Herrlichkeit, in der sie sich nach der Auferstehung von den Toten befinden werden[197], nicht in einer Schau sage ich, sondern durch eine Einsicht! In der Schau nämlich wird der Mensch (erst) auf der letzten Stufe der Vollendung des Sehens jener unsagbaren Herrlichkeit gewürdigt[198].

5.1.154 *Über die Früchte dieser Kontemplationen*

Und durch die Schau dieser Kontemplationen wird der Intellekt erleuchtet und atmet das Herz auf und werden die Regungen der Seele verfeinert und schwillt die Freude drinnen im Herzen an ob der Einsicht der Naturen der Geschöpfe, welche die Zunge der Sterblichen nicht auszudrücken vermag. Und solange diese Einsichten in der Seele herrschen, fließen Tränen ohne Maß, zur Zeit und zur Unzeit. Und in dem Maße, wie diese Tränen fließen, werden der Intellekt und der Geist von allen Bildern geläutert, die zur Zeit des Gebetes wie ein Schatten vor dem Intellekt stehen[199]. Und in dem Maße, wie Seele und Intellekt von allen Gedanken geläutert werden, erstrahlt die „Sonne der Gerechtigkeit“[200] am Firmament des Herzens auf[201] und alle inneren Kammern des Herzens werden von ihr erleuchtet. Selig der Mensch, der dieser Dinge gewürdigt ward, da die Freude seiner Hoffnung auf ewig bleibt!

5.1.155 *Die Kämpfe der Stufe der Seelenhaftigkeit Über die dämonischen Bilder*

Wenn du also diese Unterscheidungsmerkmale in deiner Seele erblickst, oh Freund, dann wisse zuverlässig, daß du dich auf der Stufe der Seelenhaftigkeit befindest.

Es gibt indessen auch noch Kämpfe und Bilder auf dieser Stufe, (sogar) mehr als auf der ersen und letzten (Stufe). Wenn nämlich der Einsiedler mit dem Wandel des Geistes anfängt, der das Tun der Stufe der Seelenhaftigkeit darstellt, dann verfertigen die Dämonen bei jeder Kontemplation, die in seinen Geist fällt, nach deren Vorbild ein Abbild an und zeigen es (dem Geist), sowohl der Körperlichen als auch der Körperlosen, mit dem Rest der lügnerischen Einsichten, von denen wir oben sprachen[202].

5.1.156 *Die drei Arten von täuschenden Bildern*

(120 v) Durch drei Arten von Bildern nämlich machen die Dämonen jenen den Krieg, die sich auf dieser Stufe befinden. Die erste Art ist die der „Götzenbilder"[203], welche die Bilder des Dämons der Unzucht sind. Und die zweite Art, das sind die (Bilder) des Dämons des eitlen Ruhmes. Die dritte (Art) aber sind die (Bilder) des Dämons des Hochmutes, welche die gleißenden Bilder sind[204]. Bei diesen beiden letzten Arten von Bildern bedarf der Intellekt der Verdemütigung und des ständigen Gebetes und der Bewahrung der Gedanken. Was die erste Art von Bildern betrifft, so bedarf er des Fastens und viel Wachens, wodurch alle Bilder des Dämons der Unzucht vor dem Anblick der Seele erniedrigt und vernichtet werden[205].

Sehr gefährlich sind in der Tat die Kämpfe, die auf dieser Stufe den Krieg machen, und der Einsiedler gelangt in ihnen bis an den Tod, und dann wird er von ihnen befreit. Denn auf dieser Stufe fallen die Faulen und auf ihr werden die Mutigen zu Siegern erklärt und empfangen die Siegeskränze. Und von den vielen, die mit dieser (Stufe) anfangen, erlangen nur wenige den Sieg und gelangen zur höchsten Stufe.

5.1.157 *Über die Schau der beiden Welten*

Wenn nun der Einsiedler zum Grad der Lauterkeit gelangt ist, dann offenbart und zeigt Gott der Herr des Alls dem Intellekt, der zu dieser Stufe gelangt ist, alles was er in dieser Schöpfung tut und tun wird, bis zur Vollendung der Welt. Worüber auch unsere geistlichen Väter Zeugnis ablegen: „Wenn der Einsiedler zur Lauterkeit des Intellektes gelangt ist, dann wird ihm die Schau der beiden Welten, die (121 r) waren und die sein werden, verliehen[206]."

5.1.158 *Vom Umgang mit den Bildern*

Diejenigen nun, die mit dem Tun dieser Stufe begonnen haben und der Schau ihrer selbst zur Zeit des Gebetes gewürdigt wurden, müssen sich vor den Bildern hüten, die ihnen auf verschiedene Weise den Krieg machen, und sie müssen der Demut nacheilen und ihre Gedanken vor ihren Meistern offenbaren und ausbreiten, und sie werden von ihnen befreit werden durch die Kraft des Beistandes unseres Herrn. Wenn sie indessen den Bildern, die ihnen erscheinen, zustimmen, dann nimmt ihr Geist Schaden und sie gelangen niemals zum ersten Rang des Tugendwirkens.

5.1.159 *Vom Maßhalten auf dieser Stufe*

Auf dieser Stufe muß man sich der Psalmen und aller leiblichen Mühen mit Ordnung und Mäßigung bedienen, auf daß man sich ihrer nicht etwa außerhalb von Maß und Mäßigung bediene und (so) des Tuns der Stufe der Seelenhaftigkeit beraubt werde. Denn in dem Maße, wie der Einsiedler in das Tun der Stufe der Seelenhaftigkeit eingeführt wird, sammelt sich gleichermaßen sein Intellekt von der Zerstreutheit der Gedanken. Und durch die Sammlung der Gedanken offenbaren sich in der Seele die Geheimnisse der zukünftigen Dinge. Und in dem Maße, wie sich die Geheimnisse der zukünftigen Dinge in der Seele offenbaren, herrscht in ihr das Absterben von der Welt und das wahre Leben in Gott offenbart sich in ihr Tag für Tag. Und alle Geheimnisse und Offenbarungen, die zum Vorschein kommen, ereignen sich auf diese Stufe. Und sie sind der Zunge von Fleisch unterstellt und es ist ihr und dem Geist gestattet, sie auszusprechen, entweder mit dem Mund oder durch die Zeichen des Geschriebenen[207].

5.1.160 *Zwei Unterscheidungsmerkmale des zweiten Höhepunktes der Stufe der Seelenhaftigkeit*

Zwei wahrhaftige Unterscheidungsmerkmale will ich dir geben, oh Freund meiner Seele, bei denen du in dir selbst (121 v) empfindest, daß du zu dieser Stufe gelangt bist. Erstens das Lesen der Schriften, die von dem Heilswirken Gottes reden[208]. In dem Maße, wie du darin liest, wird dein Herz mit Staunen erfüllt und es wird dir das Wort von deinem Munde abgeschnitten. Und ob des Staunens über die Einsichten des Heilswirkens Gottes fällt es wie eine Feuerflamme in dein Herz, daß du oftmals sogar die Erde mit deinen Zähnen greifst, ob der Freude, die in deinem Herzen anschwillt.

Und das zweite Unterscheidungsmerkmal ist dies, daß dein Geist nicht einen Augenlick lang von dem Gedenken Gottes abläßt und die Zunge deines Geistes in deinem Herzen unablässig in einem verborgenen Gebete stammelt[209].

5.1.161 Kurz gefaßt sage ich dir, oh mein Bruder, jedesmal wenn du siehst, daß diese Unterscheidungsmerkmale, von denen ich oben sprach, in deinem Herzen wirken, ungezwungen und unbeabsichtigt, dann wisse zuverlässig, daß du dich auf dem zweiten Höhepunkt[210] der Stufe der Seelenhaftigkeit befindest. Und hinfort rüste David, den Sohn Isais aus, um zum Zion hinaufzusteigen und zu herrschen!

Dies sind in Kürze, ein wenig von dem vielen (was sich sagen ließe), die Unterscheidungsmerkmale des Eintretens des Intellektes in die Stufe der Seelenhaftigkeit. Und dies ist die Lauterkeit, von der an und jenseits von der sich der Ort der Geisthaftigkeit erstreckt, wo die Beschäftigung des Intellektes zusammen mit den Engeln des Lichtes unablässig im endlosen Lobpreis und Erhebung besteht.

IV. Teil: DIE STUFE DER GEISTHAFTIGKEIT — DER AUFSTIEG ZUM ZION

5.1.162 *Das Unterscheidungsmerkmal*

Wenn nun unser Herr anfängt, deinen Intellekt zu lenken, oh mein Bruder, um ihn in den Ort der Geisthaftigkeit einzuführen, dann sei dir dies das Unterscheidungsmerkmal: Die Schau deines Geistes wird über die Kontemplation der Körperlichen und über die Einsichten von Gericht und Vorsehung hinaus erhoben[211], Und die Schau deines Geistes steht einzig in Gemeinschaft mit jenen unsichtbaren Mächten in jenem glorreichen Licht der Heiligen Dreifaltigkeit[212]. Und aus deinem Intellekt wird die Erkenntnis hinweggenommen, die der Zusammengesetztheit des Fleisches entspricht, und es wird ihm eine geisthafte Erkenntnis verliehen, welche der Geist weder darzustellen, noch die Zunge zu formulieren oder auszusprechen vermag. Dein Geist bringt nur einen feinen Laut hervor[213], an dessen Freude sich deine Seele ergötzt. Aber den Sinn der Geheimnisse, die sich in dem (feinen Laut) offenbaren, wie sie (wirklich) sind, wirst du nicht erkennen.

(122 r)

5.1.163 *Die Schau der Geistwesen*

Und von Zeit zu Zeit zieht der (Heilige Geist) deinen Geist an und führt ihn in den Ort des unsagbaren Lichtes ein, und du wirst nichts in ihm sehen, es sei denn die Geistwesen. Und es wird diese ganze Schöpfung vor deinen Augen verborgen sein und du wirst nicht wissen, ob du im Leibe oder ohne den Leib bist, weil das leibliche Empfinden von dir hinweggenommen ist. Und du hörst an diesem Ort einzig den Laut der Stimme der Geistwesen[214]. Welche aber die Erklärung ihrer Stimmen ist, vermagst du nicht zu erkennen.

Dies ist der Ort, an dem die Geistwesen in ihrer Natur geschaut werden, wie sie (wirklich) sind[215]. Jede (andere) Schau hingegen, in der sie außerhalb von diesem Ort gesehen werden, ist ein Bild, das ihrer Natur fremd ist. Und wenn jemand mit dir darüber streitet, dann wisse, daß der ferne von der Wahrheit ist. Denn die Geistwesen werden nicht geschaut in ihrer Natur, es sei denn an dem Ort, der sich von der Lauterkeit an und darüber hinaus erstreckt. Denn wenn der Intellekt lauter geworden ist wie sie, dann schaut er sie in ihrer Natur[216].

5.1.164 *Die Schau von Gericht und Vorsehung Gottes*

Selig der Einsiedler, der dieser glorreichen Schau der Schönheit der Geistwesen gewürdigt ward und der diesen heiligen Ort betreten hat und sich an diesen göttlichen Geheimnissen ergötzt hat und jene zarten Stimmen gehört hat[217]! Wahrhaftig, oh Freund, wenn der Lobpreis der (122 v) Stimme der Geistwesen in den Geist fällt, dann nimmt er den Geist durch Staunen gefangen und wie im Schlaf werden alle Regungen des Leibes und der Seele zum Schweigen gebracht.

Und es offenbart sich vor dir an diesem Ort die Kontemplation des Gerichtes und der Vorsehung, in einer *Schau* sage ich, und nicht (bloß) in einer Einsicht, wie sie sich dir auf der Stufe der Seelenhaftigkeit offenbart hatten[218]. Denn wie die Erkenntnis eines erwachsenen Mannes erhabener ist als die eines kleinen Kindes, ebenso ist die Schau dieser Kontemplationen an dem Ort der Geisthaftigkeit vorzüglicher als die Einsicht der Stufe der Seelenhaftigkeit.

5.1.165 *Passive Kontemplation*

Diesen Ort der Geisthaftigkeit, oh Freund, betrat nie ein fremder Fuß. Auch gibt es an ihm weder Schüler noch

Lehrer, weder Meister noch Jünger, weder Sklave noch Freier, sondern Christus ist alles und in allen (Kol 3, 11)[219].

Wie nun die Zielscheibe sich den Pfeilen gegenüber verhält, so ergeht es dem Intellekt am Ort der Geisthaftigkeit, um die Schau der Kontemplationen zu empfangen. Denn gleichwie es nicht von der Zielscheibe abhängt, welchen Pfeil sie empfängt, sondern von dem Bogen, der auf sie schießt, ebenso hängt es auch nicht von dem Intellekt ab, wenn er den Ort der Geisthaftigkeit betreten hat, welche Kontemplation er betrachtet, sondern von dem Geist, der ihn führt[220]. Der Intellekt hat nämlich keine Herrschaft mehr über sich selbst, sobald er den Ort der Geisthaftigkeit betreten hat, sondern jede Kontemplation, die sich selbst ihm zeigt, die betrachtet er, bis er eine andere empfängt, und dann verläßt (er sie) und wendet seinen Blick von der ersten ab[221].

5.1.166 *Wider die Leugner der Passivität dieser höchsten Kontemplation*

Dies aber sollst du zuverlässig wissen, oh mein Bruder, daß der Intellekt, jedesmal wenn er sich willentlich um die (123 r) Schau der Kontemplationen bemüht, noch nicht an den Ort der Geisthaftigkeit gelangt ist. Denn wenn der Intellekt dorthin gelangt ist, hat er keine Herrschaft mehr über die Lenkung seiner selbst, sondern er verharrt in Betäubung, und wohin man ihn führt, dahin geht er. Neige daher dein Ohr nicht dem Gerede der Leute die da faseln, oh mein Bruder, indem sie behaupten, daß der Intellekt am Ort der Geisthaftigkeit (noch) mächtig sei, sich selbst zu lenken! Denn sie haben keine Ahnung von dem, was sie behaupten.

Wenn nämlich der Gaumen ihres Geistes von den Gütern dieses Ortes gekostet hätte, und wenn das Auge ihres Verstandes jene glorreichen Segnungen gesehen hätte, dann würden sie nicht so reden.

Du aber, oh mein Bruder, weil du ja von diesen Dingen überzeugt bist, daß sie die Wahrheit sind, daß (nämlich) der Intellekt am Ort der Geisthaftigkeit keine Herrschaft mehr über sich selbst hat, fliehe und entferne dich von denen, die in ihrer Unwissenheit wie jene träumen, und eile der Erkenntnis nach, die in dir verborgen ist, und du wirst alles, wovon wir sprachen, tatsächlich (so) finden.

5.1.167 *Das Beispiel des heiligen Paulus*

Höre also auf den seligen Paulus, der zu diesem heiligen Orte gelangte und jenes glorreiche Licht sah und mit den Ohren seines Geistes jene zarten Stimmen hörte, der so spricht: „Ob aber im Leib oder ohne den Leib, ich weiß es nicht.“ (2 Kor 12, 2). Daß er hörte und sah, sagte er wohl; was er aber sah und hörte, stand nicht in seiner Macht zu erklären. Er hatte nämlich *Jesus in seiner Gottheit* gesehen[222] und den Gesang des „Sanctus“ der Geistwesen gehört, die Ihn heiligten (d. h. Ihm das „Heilig, Heilig, Heilig ...“ zuriefen). Und weil der Apostel keine Macht mehr über die Lenkung seiner selbst hatte, vermochte sein Geist nicht zu formulieren, was er gesehen, noch seine Zunge den Ausdruck dessen, was er gehört hatte, zu deuten und mitzuteilen. (123 v)

Du wirst daher verstehen, oh unser Bruder, daß der Intellekt auch sich selbst an diesem Ort nicht mehr sieht, weil seine Geistigkeit zusammen mit diesem heiligen Licht ausgebreitet ist, mit dem er bekleidet ist, und sich selbst nicht mehr zu unterscheiden vermag[223].

5.1.168 *Das Angeld der zukünftigen Seligkeit*

Selig der Einsiedler, der dieser heiligen Schau gewürdigt ward! Was micht betrifft, oh lieber Freund meiner Seele, so beklage ich mich selbst jedesmal, wenn ich dieses Ortes gedenke, daß ich um meines üblen Wandels willen seiner Schau und des Hörens seiner heiligen Geheimnisse beraubt ward.

Alle Geheimnisse und Offenbarungen indessen, die sich dem Intelekt an diesem Ort offenbaren, gelangen nicht zur Formulierung einer Zunge von Fleisch. Als wahrhaftiges Unterscheidungsmerkmal für deinen Geist im Hinblick auf den Ort der Geisthaftigkeit diene dir indessen dies, daß dein Geist der Schau und der Einsicht der Kontemplation der Körperlichen fremd wird und ihm einzig der einfaltige Lobgesang verliehen wird, durch den die Geistwesen beständig heiligen[224]. Auch in der zukünftigen Welt nämlich, sagen unsere geistlichen Väter[225], wird in ihm unsere Natur die Vollendung in Vollkommenheit empfangen, weil alle Geheimnisse und Offenbarungen, die dem Intellekt auf dieser Stufe offenbart werden, der neuen Welt angehören und ein *Angeld* dessen sind, woran sich die Gerechten bei der Auferstehung ergötzen werden.

5.1.169 *Im Frieden des glorreichen Zion*

(124 r) Auf dieser Stufe, oh Freund meiner Seele, gibt es keine Kämpfe und Gefechte mehr, weil sein (des Intellektes) Tun

jenseits der Sinne des Leibes und der Regungen der Seele geübt wird. Und dies ist der gepriesene Zion[226], in dem David das Diadem seines Königtums anlegte und über alle seine Feinde herrschte. Und seine Knechte schworen ihm mit einem Eid und sprachen zu ihm: „Du darfst nicht mehr mit uns zum Streite ausziehen, damit du nicht die Leuchte Israels auslöschest!“ (2 Sam 21, 17).

Selig der Einsiedler, der diese Stimme gehört hat und in dessen Seele dieses göttliche Feuer nicht erloschen ist! Selig derjenige, der jene glorreiche Schau unseres Erlösers, unseres Herrn Christus, geschaut hat, wenn er sich zur Zeit des Gebetes dem Geist offenbart, der zum Ort der Lauterkeit gelangt ist[227]! Solange in der Tat dieses glorreiche Licht der Schau unseres Erlösers über dem Intellekt weilt, ist es ihm nicht gestattet, sich der Psalmodie oder der Lesung (zuzuwenden), und alle Mühen des Leibes und der Seele hören bei ihm auf[228].

5.1.170 *Rückblick*

Dies wenige von dem vielen, (was zu sagen wäre) haben wir für deine Liebe aufgeschrieben, entsprechend deiner Bitte an uns, oh mein Bruder, indem wir zuerst als Anfang unserer Darstellung Ägypten bezeichnet haben, welches das Symbol dieser Welt ist. Und wir haben als unsere Flucht aus der Welt die Flucht der Söhne Israels aus Ägypten genommen, und als unseren Eintritt in das Koinobion und die Stufe der Leibhaftigkeit das Tun der Söhne Israels in der Wüste; und als unser Verweilen in der Abgeschiedenheit der Zelle und als unser Gefecht mit den Leidenschaften und die Kämpfe und die Heimsuchungen der Gnade haben wir den Übergang der Söhne Israels über den

Jordan und ihren Eintritt in das gelobte Land bezeichnet. Und wir haben auch eine Unterscheidung bezüglich der Stufe der Seelenhaftigkeit gemacht, auf der der Einsiedler (124 v) alle Tugenden im Wandel des Geistes wirkt, und sich am Orte der Lauterkeit befindet. Und als den Ort, der sich jenseits der Lauterkeit befindet, haben wir den Zion bezeichnet, welcher die Stufe der Geisthaftigkeit bedeutet.

5.1.171 *Von der Anpassung des Tuns an die jeweilige Stufe*

Du indessen, oh Freund, lies diese (Zeilen) wohl und sieh zu und forsche schön nach ihren Einsichten und begreife, wann der Höhepunkt der ersten Stufe vollendet ist und der Anfang der zweiten Stufe einsetzt. Und zusammen mit der Vollendung des Höhepunktes vollziehe einen Wechsel deines Tuns, damit du die Früchte der Erkenntnis deines Tuns zu ernten vermögest. Und sei nicht wie die Unwissenden, die, wenn sie sich (einmal) eine Regel auferlegt haben, diese nicht mehr ändern. Wie oft fällt ihnen ein (günstiges) Geschäft in ihre Hände, aber sie folgen nur ihren Regeln!

6.1.172 Du aber, oh mein Bruder, halte wie ein kluger Mann nach den Unterscheidungsmerkmalen Ausschau, die wir vor dir aufgestellt haben, und bei jeder Stufe, zu der du gelangst, beginne (auch) mit ihrem (entsprechenden) Tun. Und auf diese Weise wird dir unser Herr ein Leiter und Führer sein, bis du den Zion betrittst und herrschest, wo die Lampe deines Wandels vor der Lade des Herrn nicht erlöschen wird, dessen heiliges Erbarmen wir erflehen, auf daß du und wir und alle, die auf diese Zeilen unserer Schwachheit stoßen, am Tage seiner glorreichen Offenbarung vom Himmel her auf Flügeln des Lichtes[229] erhoben werden, hin zur Begegnung mit ihm in Wolken des Lichtes, und daß wir mit den Scharen seiner Diener vereint werden und uns am Lichte seiner Schau ergötzen. Amen.

Ihm sei der Lobpreis und die Ehre und die Erhebung, mit seinem Vater und seinem Heiligen Geist, aus dem Munde aller Vernunftwesen, in die Ewigkeit der Ewigkeiten. Amen. (125 r)

[Beendet ist mit der Hilfe unseres Herrn der Memra des Mar Aksenaya, welcher Philoxenos ist, über die drei Stufen — sein Gebet sei mit uns. Ich bitte euch im Herrn, meine Brüder, betet für den Elenden, der (dies) abgeschrieben hat.][230]

5.1. Der Brief der drei Stufen

[1] So der Titel der HS BM Add 14. 728. Die eingeklammerten Zahlen am Rande geben die Seiten dieser HS an.
[2] D. h. ,,Königsperle", ein persisches Lehnwort.
[3] Lücke in der HS. Die ergänzten Worte dürften aber dem erhaltenen Buchstabenbestand gerecht werden.
[4] S. u. Index 4.
[5] Zu diesen ,Capita scientiae' vgl. Einleitung § 2.2.3 a)
[6] Über die drei Stufen vgl. Einleitung § 3.
[7] Als *vom Geist diktiert* bezeichnet diese ,Capita scientiae' auch die Subscriptio des verlorenen Codex Se'ert 78, vgl. SCHER 51.
[8] Der syrische Text läßt keinen Zweifel daran, daß es sich um zwei verschiedene Werke handelt, 1. Die ,Capita scientiae' des Autors selbst, und 2. einen Kommentar aus seiner Feder; zu den ,Capita scientiae' des Evagrios, vgl. Einleitung § 1.2. Vgl. auch BEULAY, Parole de l'Orient 3 (1972) 18 Anm. 30.
[9] ,,Gnostiker" ist nicht im häretischen, sondern im biblisch-paulinischen Sinn zu fassen. Gemeint sind die ,,Erfahrenen", deren ,,Wissen" nicht bloße Buchweisheit ist. In diesem Sinn ist der Begriff stets verwandt.
[10] Daß diese ,Capita scientae' schwierig und z. T. sehr dunkel waren, sagt auch ihr Kommentator Ephrem von Qirqesion, vgl. unten die Probe, Text 9.
[11] Zur Organisation des syrischen Mönchtums s. o. Einleitung § 1.1.
[12] S. u. Index 4 (Kontemplation).
[13] S. u. Index 4 (Intellekt).
[14] Der Begriff stammt aus der stoischen Philosophie. Jausep hat ihn, wie auch Isaak von Ninive, Evagrios entlehnt; vgl. z. B. Cent I, 39.40 und Praktikos 57 (mit der Anmerkung von GUILLAUMONT). Es sind dies die unzerstörbaren Kräfte des Guten, die Gott bei unserer ersten Schöpfung in unsere Natur gelegt hat.
[15] Wörtl. ,,Engel der Vorsehung". Sowohl die Engel als auch die Vorsehung Gottes spielen bei Jausep eine große Rolle.
[16] Der Ausblick auf die Auferstehung der Toten, das heißt bei Jausep die allgemeine und endgültige Versöhnung der ganzen gefallenen Schöpfung mit Gott dank der Erlösungstat Christi, spielt eine zentrale Rolle im Denken Jauseps. Es ist dies der Leitgedanke des großen ,,Memra über die Gottheit" (vgl. Einleitung § 1.2). Vgl. auch Text 10, 132 f.
[17] Vgl. die ausgezeichnete Studie von I. HAUSHERR, Philautie, De la tendresse pour soi à la charité, selon Saint Maxime le Confesseur, OCA 137 (1952).

[18] Verfremdung- *'aksnayutha-* ξενιτεία, das Leben in der Fremde und als Fremder, ist eine bei den Syrern hochgeschätzte Mönchstugend. Zum Thema vgl. A. GUILLAUMONT, Le dépaysement comme forme d'ascèse dans le monachisme ancien, in: Ecole Pratique des Hautes Etudes, V^e sec. Sciences rel. Annuaire 1968/69, Tome 76 (Paris 1968) 31—58.

[19] Vgl. Evgarios, Cent VI, 49 ,,Ägypten ist das Symbol der Bosheit, die Wüste das Symbol des Tuns (πρᾶξις), Jerusalem das der Kontemplation der Körperlosen und Zion das der Heiligen Dreifaltigkeit." Vgl. auch Cent V, 88. Alle diese Themen finden sich bei Jausep wieder, vgl. Einleitung § 3.

[20] S. u. Index 4 (Gedanke).

[21] S. u. Index 4 (intelligibel).

[22] Wohl in den ,Capita scientiae' des Autors, vgl. Einleitung § 1.2.

[23] Vgl. den schönen Ausspruch des Evagrios, Praktikos 100: ,,... Unsere Altväter sollen wir ehren wie die Engel, denn sie sind es, die uns für den Kampf salben und die Bisse der wilden Tiere heilen."

[24] Vgl. dazu Johannes von Apameia, Übersetzung von HAUSHERR, Dialogue sur l'âme 101 f. (mit Anmerkung).

[25] Nicht identifiziert.

[26] Diese sich hier manifestierende *Kreuzesmystik* ist ganz typisch für das ostsyrische Mönchtum. Sie mutet in vielem erstaunlich abendländisch, ja mittelalterlich an. Dabei ist aber zu bedenken, daß es sich um eine ganz dem sinnlich-ästhetischen Bereich entzogene Spiritualität handelt, denn die syrische Kirche kennt den Cruzifixus nicht, sondern nur die *crux gemmata,* das bildlose Kreuz der Glorie, den Lebensbaum. Alles hier im Brief Gesagte bezieht sich also auf eine ganz geistige Schau, trotz aller Affektivität. Dies gilt u. E. auch für die, in dieser Hinsicht noch weit stärkeren, Texte des Dadisho' Qatraya (Woodbrooke Studies VII (1934) 136 ff.), die E. PETERSON, La Croce e la preghiera verso Oriente, in: Ephem. Liturgicae 59 (1945) 52—68, hier 54 f., als Beweis für die Existenz des Cruxifixes bei den frühen Nestorianern anführt. Im Syrischen ist stets von Kreuz (sliva) die Rede, wo MINGANA meist Crucifix übersetzt. Der Gedanke, daß dieses Kreuz mit einem plastischen oder gemalten Corpus des Gekreuzigten verziert sein müsse, kommt bei diesen Texten nur dem, der an die westlichen Crucifixe gewöhnt ist. Peterson widerlegt sich a.a.O. 66, Anm. 45 u. 46, im Grunde selbst! Vgl. zum Ganzen noch K. Wessel, Die Entstehung des Crucifixus in: Byzant. Zeitschrift 53 (1960) 95—111.

[27] Die HS ist hier leicht beschädigt, doch ist der Sinn offenbar dieser.

[28] So nach dem Pshita-Text. M und LXX haben ,,Josua". Nach Num 13, 9.17 war ,,Hosea" der ursprüngliche Name, den Moses in ,,Josua" umänderte.

[29] Wörtlich: Moses-Christus euren Intellekt-Josua S. d. Nun.

[30] D. h. Jericho (Dt 34, 3). Das Bild stammt von Evagrios, vgl. MUYLDERMANS, Evagriana Syriaca 170 B.

[31] Das Schlafen im Sitzen, mit dem Rücken an der Wand, empfiehlt bereits Evagrios, Antirrhetikos II, 55 (FRANKENBERG 492). Vgl. auch Budge I, 109 (Pachomios). Es scheint die übliche Schlafhaltung der syrischen Mönche gewesen zu sein, noch Rabban Jausep Busnaya empfiehlt sie im 10. Jh. vgl. CHABOT, ROC IV (1899) 388.

[32] Evagrios, Praktikos 94. Der Schluß findet sich weder im Griechischen noch im Syrischen und dürfte aus der Feder Jauseps stammen. Das MS ist hier leicht beschädigt und es ist nicht ganz sicher, ob zu lesen ist „mein Intellekt gelangte" (GRAFFIN) oder, was uns wahrscheinlicher vorkommt, „gelangte ich".

[33] „Paradies der Väter", BUDGE II, 244 (Makarios 32).

[34] Solcher persönlichen Zeugnisse bringt Jausep noch etliche, vgl. §§ 76, 92 f., 100 f., 140 f. Es ist nicht immer klar, ob er wirklich von anderer spricht, oder auf verhüllte Weise von sich selbst. Letzteres mag hier der Fall sein.

[35] S. u. § 151.

[36] Vgl. den 10. Brief des Ammonios (PO X, S. 596; XI, S. 448), Übersetzung von CHITTY S. 13.

[37] S. u. Index 4 (Mühen).

[38] Zu diesen dämonischen Trugbildern vgl. unten §§ 155, 156 und Text 3, 18 ff., der sich ausdrücklich damit befaßt.

[39] S. u. Index 4 (Wechselzustände).

[40] Der Verfasser wechselt häufig vom Sg. in den Pl. und umgekehrt, je nachdem, ob er an einen einzelnen Mönch oder die Menge der Brüder denkt. Wir haben jeweils den vom Sinn her geforderten Num. gesetzt.

[41] Vgl. Evagrios, De silentio, MUYLDERMANS,, Evagriana Syriaca 153.

[42] Vgl. Evagrios, Praktikos 12.

[43] Vgl. zum Ganzen Evagrios, Praktikos 55, mit den Anmerkungen von GUILLAUMONT. Zum Problem der den alten Mönchen so wichtigen leibseelischen Reinheit vgl. den wertvollen Artikel von F. REFOULÉ, Rêves et vie spirituelle d'après Évagre le Pontique, in: Vie spirituelle, Suppl. 59 (1961) 470—516.

[44] Isaak von Ninive, Buch der Gnade II, 27 (vgl. Einleitung § 2.1.2). Das Syr. kann auch bedeuten, „wer es vermag, wer in der Lage ist", diesen Sinn hat Jausep im Auge, wie die Folge zeigt.

[45] Vgl. Einleitung § 3.2.

[46] „Paradies der Väter", BUDGE II, 70 (Johannes Kolobos 2).

[47] Die in Dt 7, 1 genannten sieben Fremdvölker werden seit Evagrios (der auf Origenes fußt) mit den Hauptleidenschaften identifiziert — obwohl es deren nach Evagrios ja acht gibt. Vgl. dazu ausführlich GUILLAUMONT, Praktikos S. 63 ff., vor allem S. 72 ff.

[48] S. u. § 157.

[49] In Ex 17, 8 ff. ist allerdings nicht von einem ersten oder zweiten Übergang über den Jordan die Rede; Israel befand sich noch in der Wüste.

[50] S. u. § 107 ff.

[51] Es liegen von mehreren Autoren des 7. und 8. Jh. Reden in Form eines ganzen Traktates zur Einweihung einer neuen Zelle vor, die überaus aufschlußreich für das konkrete Leben der Mönche sind. Vgl. Isaak von Ninive, BEDJAN 307—313 (WENSINCK 205—209). Dies scheint nur der Anfang oder eine Kurzfassung eines viel größeren Traktates zu sein, der in Sachau 202 f., 145a. b. 1—21b erhalten ist. Shemon von Taibuthe, MINGANA 601 f. 70b—85a. Dadischo' Qatraya, ed. MINGANA, Woodbrooke Studies VII (1934) 76—113.

[52] Παρρησία der Begriff hat im Griechischen eine doppelte Bedeutung, *positiv*: vertrauter Umgang, Freimut der Rede, und *negativ*: Familiarität, Vertraulichkeit im schlechten Sinn. So meist in der Mönchsliteratur.

[53] Zitat aus Evagrios, vgl. MUYLDERMANS, Evagriana Syriaca 151. S. auch unten § 84.

[54] Abba Issaias, Logos 4, 45 (Übersetzung Bellefontaine S. 61).

[55] D. h. in die Hände der Ärzte. GALENOS (129—199), berühmter Leibarzt des Marc Aurel. Vgl. auch die kluge Regel des Makarios, die Evagrios (der sich offenbar selbst nicht daran gehalten hat) überliefert hat: Praktikos 29. Vgl. auch ibd. 91 das anonyme Logion.

[56] Beim Wachen steht der Mönch, wie allgemein beim Beten; zum Lesen setzt man sich, außer beim Evangelium, das stehend gelesen wird.

[57] *Verlassenwerden*- abandon. Gemeint ist das (scheinbare) Sichzurückziehen der Gnade Gottes, die den Menschen auf die Probe stellt, „um zu sehen, wohin (der freie Wille) sich neigt", wie Jausep § 93 sagt. Das große Vorbild ist Hiob. Ein solcher Mensch ist nicht „gottverlassen", er erfährt nur den Beistand Gottes für eine Weile nicht, sondern nur seine eigene Schwäche.

[58] Evagrios, De jejunio 9 (MUYLDERMANS, Evagriana Syriaca 151), „Das Fasten geht von Abend zu Abend."

[59] Zu dieser relativen Freiheit und ihren Motiven s. u. § 113.

[60] Vgl. dazu das schöne Kap. VIII der Vita des Rabban Jausep Busnaya (seine geistliche Doktrin), der noch Jahrhunderte später die gleichen Anweisungen gibt; wieder abgedruckt bei Pl. DESEILLE, L'Évangile au désert, Paris 1964, 215—267 (mit den sehr nützlichen Anmerkungen DESEILLE's).

[61] S. u. Index 4 (Metanie).

[62] Dieses Gebet findet sich auch, ebenfalls unter dem Namen des Philoxenos, getrennt von seinem Kontext; so z. B. in den HSS Mingana 480 (A.D. 1719) f. 15b 3. Kolonne, und 105 (A.D. 1832/33) f. 39b, in leicht erweiterter Form:
„O Gott, mach mich würdig,
daß mein Geist an den Einsichten
der Menschwerdung deines geliebten Sohnes
seine Wonne finde.

O unser Herr,
nimm den Schleier der Leidenschaften hinweg,
der über meinem Geiste ausgebreitet ist,
und zünde dein heiliges Licht
in meinem Herzen an,
auf daß mein Geist in das Innere
des geschriebenen Textes eindringe,
und ich mit dem erleuchteten Auge meine Seele
die heiligen Geheimnisse schaue,
die in deinem Evangelium verborgen sind,
und lehre mich den Weg deiner Gebote
und die Bewahrung deiner Gesetze
und die Erkenntnis des wahren Glaubens an dich.
Gewähre mir, mein Herr, deine Gnade,
daß dein Gedenken nie von meinem Herzen weiche,
weder bei Tag noch bei Nacht,
und daß wir zu Hörern und Tätern
deiner Gebote werden,
und Früchte bringen,
die dir angenehm sind,
und eine Erstlingsgabe,
an der dein guter Wille Wohlgefallen hat,
unser Herr und unser Gott in die Ewigkeiten."

Analoge Anweisungen zur Lesung des Evangeliums finden sich auch in der HS Mingana 480 (1713) f. 15b, zweite Col. Diese Zeugnisse gelten alle für den *westsyrischen* Raum. Für *Ostsyrien* vgl. auch das schöne Gebet des Rabban Jausep Busnaya zum gleichen Anlaß (in der franz. Übersetzung CHABOTS, ROC 4 (1899) 191):
„O Christ, Notre-Seigneur,
tout indigne que j'en sois,
voici que je te tiens,
par ton saint Evangile,
entre mes mains impures.
De grâce, dis- moi
des paroles de vie et de consolation,
par la bouche et la langue
du calame de ton saint Evangile;
donne-moi, Seigneur,
de les écouter avec des oreilles nouvelles, intérieures,
et de chanter ta gloire
avec la langue de l'esprit. Amen!".
Auch Isaak von Ninive schreibt das Beten vor der Lesung des Hl. Evangeliums vor (BEDJAN 329/WENSINCK 220). Bekanntlich liegt auf allen Altären der orientalischen Kirchen stets ein kostbar eingebundenes Evange-

lium, Zeichen der tiefen Ehrfrucht vor dem WORT.

[63] Das syr. *mdabranutha* ist nicht leicht im Deutschen wiederzugeben. Im theologischen Sprachgebrauch bezeichnet es die „göttliche Heilsökonomie", die Weise, wie Gott die Menschheit zum Heil „führt" *(dbar)*. Auf Christus bezogen kann damit auch die *Inkarnation* gemeint sein, insofern diese ja das ganze Heilshandeln Gottes zusammenfaßt.

[64] Wörtlich: „in den äußeren Leib der Tinte".

[65] Das „Gedenken Gottes" ist jene seit ältester Zeit (schon Augustinus hatte Kenntnis von dieser „Methode", Ep. ad Prob X (PL 33, 501 f.) bei den Mönchen geübte Praxis der Stoßgebete, aus der im byzantinischen Hesychasmus das sog. *Jesus-Gebet* entstanden ist. Vgl. die Sentenz des Evagrios, De jejunio 11 (MUYLDERMANS, Evagriana Syriaca 152): „Die Stunden des Tages seien für dich die folgenden: Die Stunde der Lesung, die Stunde des Offiziums, die Stunde des Gebetes, und dein ganzes Leben lang das Gedenken Gottes."

[66] Das heißt in der Gesellschaft der Erzengel, die Gott beständig den himmlischen Lobpreis darbringen. Der Ausdrück findet sich auch bei Isaak, Buch der Gnade I, 58 und bereits bei Johannes dem Einsiedler (Johannes von Apameia?), vgl. dessen schöne kleine Schrift über das Gebet, S. BROCK, John the Solitary, on prayer, in: JThSt 30 (1979) 84—101, hier 97 Anm. 15. Gemeint ist das geisthafte Gebet, die höchste Form des Betens.

[67] S. o. § 2.

[68] Vgl. Evagrios, Parainetikos (FRANKENBERG 560).

[69] ibid.

[70] Wohl gegen die *Messalianer* gerichtet, gegen die sich auch Isaak von Ninive wendet.

[71] Diese unaufhebbare Einheit von Leib und Seele, die durch die Auferstehung erst recht vollendet wird, betont Jausep ständig. Vgl. z. B. „Buch der Fragen und Antworten", Diarb 100, 54 (Seele und Leib können nur zusammen bestehen), 97 (sie werden eins sein bei der Auferstehung und beide am Schauen und Hören der Offenbarungen Gottes teilnehmen) u.ö.

[72] Diesen intellegiblen Lobpreis definiert Jausep Diarb 100, 427 ff.

[73] Gemeint ist wohl das „Paradies der Väter" des 'Enanisho' (ed. BUDGE), das Jausep oft zitiert (s. Index 2) und zu dem er ein leider verlorenes Pendant, das „Paradies der östlichen Väter" verfaßt hat (s. o. Einleitung § 1.2).

[74] Vgl. dazu Isaak von Ninive, BEDJAN 544/WENSINCK 365.

[75] Vgl. „Paradies der Väter", BUDGE II, 334 und Isaak von Ninive, BEDJAN 449 (empfohlen), 57 (Hindernis, unter Verweis auf Evagrios; zu diesem ‚Admonitio paraenetica' 2 (MUYLDERMANS, Evagriana Syriaca 157), dagegen aber Praktikos 49). Vgl. auch Isaak 146 (Arbeit in der Zelle hinderlich), 152 f. 385 (Warnung vor Geldgier!). Die Haltung der Väter ist also ebenso ambivalent wie die Jauseps, und aus guten Gründen. Zu allen

Zeiten bestand die Gefahr einer Flucht in den „Aktivismus", wie man heute sagen würde.

[76] Die kurze Fassung liest hier, wohl zu Recht, siehe die Folge, „die Last des Widerwillens".

[77] „Paradies der Väter", BUDGE I, 131 (Antonios 1).

[78] ebd. II, 106.

[79] Die 9. Stunde (15 Uhr) ist traditionellerweise die Zeit der einzigen Mahlzeit der Mönche, vgl. Evagrios, Praktikos 12, auch Antonios 34 und Makarios 33.

[80] Die HS Mingana 564 f., 146a—148a erwähnt ein eigenes Offizium zum Abendessen.

[81] Aus demselben Geist heraus wird, getreu dem Kap. XXXVIII der Regel, noch heute in den Benediktinerklöstern sowohl mittags wie abends eine Tischlesung gehalten.

[82] Vgl.Evagrios, De jejunio 8 (MUYLDERMANS, Evagriana Syriaca 151).

[83] Nicht identifiziert. Vgl. Evagrios, De jejunio 5 und 6 (MUYLDERMANS ibid.)

[84] Dieses Offizium, das heute nicht mehr besteht, liegt in der liturgischen HS Mingana 564 f., 149a—151b vor. Auch Rabban Jausep Busnaya erwähnt es noch (ROC 4 (1899) 395).

[85] D. h. wohl im Einklang mit § 68 (Zitat des Abbas Isaias, Logos 4, 45) jene Hälfte der Nacht, die nicht dem Schlaf vorbehalten ist. Vgl. auch das Kap. LXXX (BEDJAN 546 ff./WENSINCK 366 f.) von Isaak von Ninive, das eine sehr ausführliche Beschreibung dieser Nachtwachen der Eremiten enthält. In den ‚Capita scientiae' Jauseps findet sich in der zweiten Centurie (der dritten des Johannes von Dalyatha) eine sehr schöne Abhandlung über die *Bewahrung des Sonntages,* aus der hervorgeht, daß die Eremiten diese Wachen vor allem in der Nacht vom Samstag auf den Sonntag hielten; dies ist auch der ursprüngliche Brauch der ägyptischen Mönche.

[86] Isaak von Ninive spricht ähnlich (BEDJAN 216/WENSINCK 146, auch im „Buch der Gnade" an mehreren Stellen). Dadischo' Qatraya hingegen (im Kommentar zu Abba Isaias, ed. DRAGUET CSCO 237, 140 ff.; auch bei MATEOS, Lelya-sapra, OCA 156 (1972) 472 ff.) wendet sich vehement gegen diese liturgischen Dichtungen, die er als *Neuerungen,* die dem Eremitenleben fremd seien, verurteilt, hier ganz in der Tradition der Wüstenväter stehend (vgl. HAUSHERR, Penthos OCA 132 (1944) 120—123). Da Dadisho' und Isaak dem 7. Jh. angehören, Jausep hingegen dem 8. Jh., dürften die poetischen liturgischen Stücke etwa im 7. Jh. in die kargen Eremitenzellen Eingang gefunden haben.

[87] Es ist dies der Lobgesang der Seraphim Is 6, 3, den Jausep des öfteren zitiert. Auch in Gebeten kommt er gerne vor.

[88] „Paradies der Väter", BUDGE 1. Band, S. 12 (Vita Antonii). vgl. ebd. S. 127 (Paulus Simplex).

[89] „Paradies der Väter", BUDGE I, 105 (Arsenios 30), vgl. auch I, 133 (Arsenios 14) und 134 (Arsenios 15).
[90] S. u. § 167.
[91] Vgl. den schönen Ausspruch des Rabban Jausep Busnaya (ROC III (1898) 112 f.): „Wir sind nicht unter dem Gesetz, sondern unter der Gnade" (Röm 6, 14), als sich sein Schüler Johannan bar Kaldun willkürlich eine Regel auferlegen will.
[92] *Hulala* und *Marmitha* sind Einteilungen des Psalters, ähnlich den Kathismata und Stanzen der Byzantiner, vgl. MATEOS, Lelya-Sapra OCA 156 (1972) 28 ff. (28 Anm. 3) und Appendix I. Diese relative Freiheit dem Offizium gegenüber kennt auch Isaak von Ninive (vgl. Bedjan 129, 392, 446).
[93] „Heiliger Gott, Heiliger Starker, Heiliger Unsterblicher, erbarme dich unser!" Die Syrer wiederholen es wie die Byzantiner zu allen Horen.
[94] Eine im wesentlichen völlig identische Schilderung bietet Jausep im „Buch der Fragen und Antworten", Diarb 100, 203 ff., auf die Frage nach dem Unterschied zwischen Widerwillen, Mutlosigkeit und Trägheit. Vgl. auch u. Anm. 166.
[95] In den syrischen Übersetzungen der Werke des Evagrios geben beide Begriffe das griechische ἀκηδία wider. Jausep unterscheidet sie jedoch, vgl. oben Einleitung § 4. Evagrios ist im folgenden ständig verwandt.
[96] Vgl. die köstliche Schilderung im „Paradies der Väter", BUDGE II, 420!
[97] Evagrios, Praktikos 12. Hier ist allerdings (auch in der syr. Übersetzung) von der 4.—8. Stunde die Rede, d. h. während den heißen Stunden des Tages, vor dem Brechen des Fastens am Abend zur 9. Stunde.
[98] Zu diesen „Götzenbildern" s. u. § 155 f. (mit den Anmerkungen).
[99] Vgl. Evagrios, Antirrhetikos VI, 9 (FRANKENBERG 522).
[100] Vgl. § 90.
[101] Vgl. das berühmte Kap. XLIX des Isaak von Ninive (BEDJAN 341—3/WENSINCK 228—230).
[102] Wie der Tenor der Einleitung vermuten läßt, vielleicht der geistliche Vater Jauseps. Wohl auch derselbe Gewährsmann wie in § 92 f. und 140 f.
[103] „Paradies der Väter", BUDGE I, 23. Vgl. unter den zahlreichen Apophtegmata zu diesem Thema auch Arsenios 11, Paphnutios 5 und das berühmte Wort des Moses 6: „Bleib in deiner Zelle, und die Zelle wird dich alles lehren."
[104] Vgl. Evagrios, Nonnenspiegel, GRESSMANN 150 und Praktikos 71, mit der Anmerkung von GUILLAUMONT. Vgl. auch Budge I, 577!
[105] Vgl. Evagrios, Antirrhetikos II, 11.25.45.55 (FRANKENBERG 486.488.490.492).
[106] Identische Aussagen bei Isaak von Ninive (BEDJAN 209 / WENSINCK 141).
[107] Evagrios, Cent I, 75; III, 15.49 u. ö.

[108] Die Quelle ist wie stets Evagrios, vgl. Cent, Suppl. 50! Die Schönheit des Intellektes ist sein geschöpflicher Urstand. In ihm erblickt sich der Intellekt als saphirblauen Himmel (vgl. Einleitung § 3); s. auch den Kommentar des Mar Babai zu Suppl. 2 (FRANKENBERG 425). Vgl. auch Budge I, 559.
[109] Die „Sonne der Gerechtigkeit" ist Christus (nach Evagrios, vgl. z. B. Paraenesis 39 (MUYLDERMANS, Evagriana Syriaca 162), in der Folge des Origenes). Gemeint ist hier, wie bei Evagrios, die Schau der Heiligen Dreifaltigkeit, die aber bei Jausep nie anders möglich ist, als in der Kontemplation der verklärten Menschheit Jesu Christi, s. o. Einleitung § 3.2
[110] S. dazu A. GUILLAUMONT, Les visions mystiques dans le monachisme oriental chrétien, abgedruckt in: Aux Origines du monachisme chrétien, Bellefontaine 1979 (Spiritualité Orientale 30), 136—147.
[111] Eine analoge Beschreibung findet sich in Text 3, 19. Vgl. auch Evagrios, Antirrhetikos II, 65 (FRANKENBERG 494), und schlimmer noch IV, 36 (FRANKENBERG 506).
[112] Alle diese Heilmittel finden sich bereits bei Evagrios, Antirrhetikos II (gegen den Dämon der Unzucht), den man hier fast ganz zitieren müßte.
[113] Der lichtstarke Stern ist nach Evagrios, De malignis cogitationibus c. 23 (Übersetzung bei PALMER-SHERRARD-WARE, Philokalia I, 52) Symbol der *Leidenschaftslosigkeit* der Seele, bzw. näherhin, nach Jauseps eigenen Ausführungen in Diarb 100, 184, Symbol der *Schau des Intellektes*, d. h. seiner natürlichen Erkenntnis, die ja die Leidenschaftslosigkeit zur Voraussetzung hat. Vgl. indessen auch Text 3, 24 (Stern ein Symbol der Seele).
[114] Evagrios, Cent III, 6; vgl. Cent. Suppl. 2. S. o. Einleitung § 3.
[115] Vgl. u. § 156 ff.
[116] ebd.
[117] Vgl. Evagrios, Antirrhetikos VII, 1. 9 (FRANKENBERG 530. 532).
[118] Evagrios, Praktikos 13; fast wörtlich auch Antirrhekos VII, 26 (FRANKENBERG 534).
[119] Vgl. Evagrios, Antirrhetikos VII, 26 (FRANKENBERG 534), s. auch GUILLAUMONT, Praktikos 529, Anmerkung, und den Artikel von Refoulé (s. o. Anm. 43).
[120] Vgl. dazu, was Evagrios, Antirrhetikos VIII über den Hochmut sagt.
[121] S. o. Anm. 14.
[122] Die rechte Seite ist die gute, die linke die schlechte.
[123] Wohl eine Anspielung auf das berühmte Logion 25 des Abba Arsenios (BUDGE I, 6). Fast wörtlich gleiche Anweisungen finden sich in Text 3,5. Vgl. auch Isaak von Ninive (BEDJAN 177 f. / WENSINCK 120 f.); dieses Kap. XXIV fehlt im Griechischen.
[124] Vgl. die vorhergehende Anmerkung. Ein ähnlicher Rat findet sich bereits bei Evagrios, Parainetikos (FRANKENBERG 560), und vor allem in dem nur syrisch überlieferten Apophthegma Budge II, 494, das wohl auch

syrischen Ursprungs ist. Die Übersetzungen (BUDGE und REGNAULT) lassen das allerdings nicht erkennen, da sie *b'athra shapya* mit „clean place" bzw. „endroit convenable" wiedergeben. Tatsächlich ist aber, wie auch aus Isaak von Ninive, Buch der Gnade VII, 67, wo derselbe Ausdruck erscheint, erhellt, der „Ort der Lauterkeit" gemeint! Demnach wäre zu übersetzen: „Ein Bruder fragte einen Altvater und sprach: „Wenn ich mich am Ort der Lauterkeit befinde und es naht eine Stunde des Offiziums, soll ich dann umkehren?" Der Altvater sprach zu ihm: „Wer wird, wenn er sich an Reichtum erinnert, zur Armut umkehren?" (nach dem syr. Text bei BEDJAN, Acta Martyrum et Sanctorum VII (Paris-Leipzig 1897) 875). Es ist offensichtlich, daß derselbe Gedanke im Hintergrund steht. Vgl. unseren Artikel. Le lieu de la limpidité: À propos d'un apophtegme inigmatique, in: Irenikon 55 (1982) 7–18.

[125] Dieselbe Anweisung in Text 3, 6

[126] Vgl. z. B. BUDGE I, 118 (Epiphanios 3).

[127] Gleiches Zitat in Text 3, 9; s. u. § 117.

[128] Vgl. Evagrios, Cent I, 39.40 (s. o. Anm. 14).

[129] S. o. § 8 f.

[130] Ebenso Text 3, 7. Ein schönes „persönliches Zeugnis" findet sich bei Isaak von Ninive, Buch der Gnade III, 41.

[131] Vgl. Text 2, 8.

[132] Vgl. ausführlich Einleitung § 3.2.

[133] Vgl. dazu Text 2.

[134] Vgl. Evagrios, Cent III, 62. 84; die Sterne sind das Symbol der zweiten natürlichen Kontemplation, deren Gegenstand die Naturen der Geschöpfe sind. Vgl. auch Text 2,5 und Isaak von Ninive, Buch der Gnade II, 78.

[135] Die Quelle ist, wie stets, Evagrios, vgl. Cent. Suppl. 2 (wie ein Saphir oder wie der (blaue) Himmel), 6 (feuriger Zustand des reinen Intellektes), 20 (Licht sonder Form). Vgl. auch Text 2, 11.12 und Einleitung § 3.

[136] Vgl. die Ermahnung zur Demut Text 2, 14 und Evagrios, Cent. Suppl. 3 (FRANKENBERG 426).

[137] S. u. § 129.

[138] Vgl. das schöne Gebet Jauseps, Text 11, 3. Gebet.

[139] S. o. § 39 und u. § 151, ebenso Text 2, 13.

[140] Der Ausdruck stammt von Evagrios, Antirrhetikos, Prolog (FRANKENBERG 472), Cent V, 36.68 u. ö., vgl. auch MUYLDERMANS, Evagriana Syriaca 98 f. Gemeint sind, allegorisch verstanden, die Dämonen, so ausdrücklich Evagrios, Protreptikos (FRANKENBERG 554).

[141] Ebenso Text 3, 9. Der Grund ist, daß der Einsiedler die Menschen in ihrer geschöpflichen Urschönheit schaut, d. h. er sieht in allen Christus!

[142] Gleiche Angabe in Text 2, 5; vgl. Evagrios, Cent. Suppl. 57 (FRANKENBERG 468).

[143] Vgl. die gleichen Angaben bei Isaak von Ninive, Buch der Gnade II, 41 (vgl. I, 8).
[144] Ebenso § 122, auch Text 3, 5.
[145] „Paradies der Väter", BUDGE I, 14 (Achilla 2). Die syr. und gr. Version nicht ganz gleich, in beiden fehlt der schöne Schluß, der wohl aus der Feder Jauseps stammt.
[146] ebd. I, 625 (Arsenios 27). Manches Detail hat Jausep eher aus dem Text herausgelesen. Auf denselben Text verweist Jausep auch Text 3, 14.
[147] Der *zweite* Grund wird nicht eigentlich ausgeführt; er findet sich implizit in der Schlußbemerkung § 124 (Ausharren um Gottes willen). Vgl. die drei Gründe, die Isaak anführt, BEDJAN 292 / WENSINCK 194 f.
[148] Vgl. „Paradies der Väter", BUDGE 1. Band, 2. Buch, c. XXIX, 260—262; der bei Jausep ungenannte Mönch heißt Stephanos.
[149] Vgl. ebd. 1. Band, 2. Buch c. XIII, 219 ff. Der Mönch ist hier namenlos. Liegt bei Jausep ein Gedächtnisfehler vor oder spielt er auf eine andere Mönchsgeschichte an? Jausep verfaßte bekanntlich selbst ein „Paradies der Orientalen" (s. o. Einleitung § 1.2). Zu diesen Wandermönchen vgl. BUDGE II, 619.
[150] Vgl. dieselbe Einschränkung in Text 2, 14.
[151] Vgl. Text 3, 18 ff.
[152] S. o. § 170 ff.
[153] Vgl. dazu Text 3, 20, 26. Verwirrung, Unruhe, Beklemmung usw. sind stets Anzeichen des Wirkens des Widersachers, da Gottes Erscheinen Ruhe und Frieden verbreitet und im Menschen ein Gefühl der Demut weckt, vgl. Evagrios, Admon. paraenetica 11! (MUYLDERMANS, Evagriana Syriaca 158 f.).
[154] D. h. nach Evagrios, Cent. Suppl. 50 (FRANKENBERG 462 f.), wer noch nicht vollständig den alten Menschen abgestreift und den neuen angelegt hat und wissend geworden ist. Wissend aber ist, wer die Leidenschaftslosigkeit erlangt hat.
[155] S. o. § 107.
[156] S. u. Index 4 (Zusammengesetztheit). Vgl. ausführlich zu diesen Thema Text 7.
[157] Im folgenden scheint uns Jausep ausgiebig aus dem Buch der Gnade IV, 27 ff. des Isaak von Ninive geschöpft zu haben. Über den Zusammenhang zwischen Leidenschaft, Geruchssinn, Atem usw. handelt Jausep ausführlich auch im Buch der Fragen und Antworten, Diarb 100, 185 f.!
[158] Die fünf Sinne (auch der Seele) sind in der von Evagrios, Cent II, 35 überkommenen Reihenfolge: 1. Gesicht, 2. Gehör, 3. Geruch 4. Geschmack, 5. Gespür.
[159] S. o. § 119.
[160] Dieselbe Lehre auch in Text 3, 20 u. 4, 26h; vgl. auch Evagrios, Admonitio paraenetica 11 (MUYLDERMANS, Evagriana Syriaca 158 f.).

[161] Vgl. die schöne Sentenz des Antonios 37 (s. auch 38), die aber im Syrischen fehlt. Vgl. BUDGE I, 560 und II, 263; II, 41.
[162] Vgl. die Geschichte bei BUDGE I, 244.
[163] Jos 7, 25; 2 Kg 5, 27; Apg 1, 18.
[164] Wie der gewählte syr. Ausdruck deutlich macht, denkt Jausep nicht an „neue Sprachen" im Sinne der Glossolalie, sondern an eine neue Art des Sprechens, Singens usw. kurz des Lautehervorbringens. Es geschieht also ein Pfingstwunder anderer und neuer Art, vgl. dazu Einleitung § 3.2.
[165] S. zum folgenden § 150.
[166] Es ist nicht leicht zu sehen, auf wen Jausep hier besonders anspielt. Evagrios erwähnt in seinem Antirrhetikos zahlreiche Episoden, die die Dämonen als „Spötter" oder als solche, „die in die Irre führen" darstellen. Vgl. auch Praktikos 12 und De octo spiritibus malitiae 14 (über den Widerwillen). Auch die Apophthegmata sind voller Geschichten, die die Dämonen in dieser Rolle zeigen. Wahrscheinlich spielt Jausep jedoch auf Evagrios, De malignis cogitationibus c. 8 (Übersetzung bei PALMER-SHERRARD-WARE, Philokalia I, 43 f.) an. Evagrios erwähnt hier einen Dämon, den er πλάνος nennt (mat'yana), den Täuscher, Betrüger. Jausep nennt ihn meṣtadyana, Spötter, Betrüger. Die Beschreibung, die Evagrios von ihm gibt, paßt allerdings eher zu den oben § 94 beschriebenen Phänomenen.
[167] Jausep spielt wohl auf die Vita Antonii an (BUDGE, 1. Band, 32).
[168] Vgl. Evagrios, De octo spirit. malitiae 14 (Übersetzt bei St. SCHIWIETZ, Das morgenländische Mönchtum II (Mainz 1913) 69.
[169] Vita Antonii, BUDGE 1. Band, 14.
[170] Vgl. Evagrios, Praktikos 12 (zum Thema Widerwillen), wo die Zelle des Mönchs ebenfalls mit einer Arena verglichen wird. Jausep meint also offenbar eine spezielle Form des Widerwillens.
[171] Vgl. das schöne Kapitel XVIII des Isaak von Ninive (BEDJAN 140 f. / WENSINCK 95 ff.).
[172] Vgl. Evagrios, Antirrhetikos IV, 13. 24 (FRANKENBERG 504. 506). Zu solchen Wahnvorstellungen vgl. den Artikel von F. REFOULÉ, Rêves et vie spirituelle d'après Évagre le Pontique, in: La vie spirituelle, Suppl. 56 (1961) 470—516.
[173] Vgl. BUDGE I, 127. Daß die Dämonen uns zum Psalmengebet anreizen können, sagt auch Evagrios, In Ps 136, 3 (s. o. Einleitung Anm. 163), natürlich um uns zu verspotten.
[174] Zum folgenden vgl. den ganzen Logos IV des Antirrhetikos (über den Dämon der Trauer, der sich vornehmlich in Angstzuständen manifestiert).
[175] D. h. der Angstschweiß läuft an seinem Leib herab.
[176] Denselben Rat gibt Evagrios, Antirrhetikos IV, 22 (FRANKENBERG 504). Der ganze Antirrhetikos ist überhaupt nichts anderes als ein riesiges Arsenal von „Geschossen", bestehend aus Schriftzitaten, die man dem Versucher entgegenschleudern soll, nach dem Vorbild Jesus Christi in der

Wüste (vgl. den Prolog). Eine ganz ähnliche Kette solcher Psalmenzitate findet sich im Protreptikos, FRANKENBERG 554 f.

[177] Denselben Rat geben die Väter, vgl. BUDGE II, 628.

[178] Evagrios, Antirrhetikos IV, 14 (FRANKENBERG 504). Vgl. den ganzen vierten Logos.

[179] ibid. IV, 45 (FRANKENBERG 508).

[180] ibid. IV, 18 (FRANKENBERG 504).

[181] ibid. IV, 20 (FRANKENBERG 504).

[182] Vgl. Vita Antonii, BUDGE, 1. Band 14.

[183] S. o. Einleitung § 3.2.

[184] „Paradies der Väter", BUDGE II, 54, mit dem Kommentar II, 668.

[185] Zusammengesetztheit und Zahl sind Zeichen der Geschöpflichkeit und Hinfälligkeit. Im Zustand der Vollkommenheit werden Zahl und Vielheit verschwinden, vgl. Evagrios, Cent I, 7.8 . 11 u. ö. Vgl. H. U. VON BALTHASAR, Metaphysik und Mystik des Evagrius Ponticus, ZAM 14 (1939) 31—47, vor allem 37 ff.

[186] Dieses Thema behandelt Jausep ausführlich in seinem großen Memra über die Gottheit (vgl. Einleitung § 1.2). Ebenso unten Text 6, 14 ff.

[187] Die „zweite natürliche Erkenntnis" hat zum Gegenstand die Körperlichen (bei Evagrios die 3. Kontemplation, vgl. Cent III, 19.21 und I, 27). S. dazu A. GUILLAUMONT, Un philosophe au désert, Évagre le Pontique, in: RHistRel 181 (1972) 29—56, vor allem 44 ff.

[188] Jausep zählt nicht die acht Hauptlaster des Katalogs Evagrios' auf, sondern nur jene Leidenschaften, die dem Einsiedler auf dieser Stufe besonders den Krieg machen.

[189] S. o. § 63.

[190] s. o. § 135.

[191] Vgl. dazu Isaak von Ninive (BEDJAN 245 f. / WENSINCK 164 f.).

[192] S. o. § 40.

[193] „Paradies der Väter" Budge I, 148; vgl. auch Isaak von Ninive, Buch der Gnade II, 28: „Das wahre Tor, durch welches die arbeitsamen (*'AMILE*) Väter das gelobte Land betreten, ist die Überflutung durch den Jordanfluß, durch die Ströme, die aus den Augen fließen, nicht aus Zwang oder Willen, sondern vor übernatürlicher Freude. Und mit diesen bedarf es der Hilfe der Gnade und der Leitung des giestlichen Vaters". Vgl. auch sein Kap. XIV (BEDJAN 125 ff./WENSINCK 85 ff.), das ganz den Tränen gewidmet ist. In Text 2, 13 identifiziert Jausep das „gelobte Land" mit dem Ort der Lauterkeit.

[194] S. o. Anm. 36. Im selben Zusammenhang spricht Ammonios auch von dem ersten und zweiten Eifer.

[195] Zur Schau des selbst vgl. Evagrios, Cent. Suppl. 2. 50, Brief 39 (FRANKENBERG 593), Gnostikos 147 (FRANKENBERG 553) und Antirrhetikos VI, 16. (FRANKENBERG 524). An letztgenannter Stelle berichtet Evagrios, wie er zusammen mit Ammonios dem berühmten Seher der The-

bais, Johannes, die Frage vorlegt, welcher Herkunft dieses Licht sei, ob die Natur des Intellektes dies Licht aus selbst entlasse oder ob er von außen damit erleuchtet werde. Der Seher antwortet, daß das kein Mensch wissen könne! Der syr. Text Jauseps ist in der Tat doppelsinnig, man könnte auch übersetzen, „das Licht, in dem (der Intellekt) weilt". Vgl. auch unten Text 2.

[196] D. h. heißt nach evagrianischem Schema die 2. Kontemplation (der Körperlosen), die 3. (der Körperlichen), die 4. (des Gerichtes) und die 5. (der Vorsehung). Jausep faßt hier je zwei als eine Kontemplation zusammen.

[197] Vgl. auch Text 3, 9. Diese wunderbare und wahrhaft biblische „Theologie der Hoffnung" stammt von Johannes von Apameia, vgl. HAUSHERR OCA 120 (1939) 86 ff.

[198] S. u. § 162.

[199] Gemeint sind die vielen „Bilder" der Geschöpfe, die sich dem Intellekt durch die Sinne einprägen und seine Reinheit trüben. Gott aber ist bildlos und will im Geiste angebetet werden. Es ist dies das „reine Gebet", d. h. frei von jeder Beimischung leidenschaftsgeprägter Bilder (Vorstellungen materieller Dinge), ja überhaupt aller Bilder. S. dazu die schönen Darstellungen bei Isaak von Ninive (BEDJAN 260 f. / WENSINCK 174 f.)

[200] Die „Sonne der Gerechtigkeit" ist Christus selbst, Evagrios, Praktikos, Epilog (vgl. GUILLAUMONT 713 mit Anm.). Jausep spricht auch Text 2, 6 davon.

[201] Das Bild von der „Sonne der Gerechtigkeit", die am Firmament des Herzens aufleuchtet, stammt offenbar von Isaak von Ninive. Vgl. Buch der Gnade I, 53 (Herz ein Himmel), II, 77 (Firmament des Herzens), III, 34 (Sonne, die im Herzen aufstrahlt), IV, 23 (Sonne am Firmament des Herzens) u. ö.

[202] S. o. 1 126 ff. Vgl. auch Text 3, 18 (auch dort wird das Wirken des Widersachers als Nachäffung der echten Wirkungen der Gnade beschrieben).

[203] Um was es sich hier handelt, sagt Jausep ausführlich im „Buch der Fragen und Antworten", Diarb 100, 188 ff.; vgl. auch Cent II, 19 ff. (Text bei BEULAY, Des centuries 19). Im Hintergrund steht Evgarios, Cent. Suppl. 14; Praktikos 55 (vgl. die Anm. von GUILLAUMONT), s. auch 23. Demnach sind die „Götzenbilder" *anonyme* leidenschaftsgeprägte Bilder, die nicht auf eine bestimmte Person fixiert sind, sondern auf ein *Idol*, nach Evagrios Zeichen einer alten Verwundung. Im Gegensatz dazu sind die „personhaften Bilder" an eine *konkrete menschliche Person* gebunden, die man kennt, nach Evagrios Zeichen einer noch frischen Verwundung. Die „Götzenbilder" können demnach auch phantastische Mischformen von Mensch und Tier usw. annehmen; vgl. Diarb 100,

188 ff. Die moderne Psychologie wird diese feinen Beobachtungen nur bewundern können.
[204] Vgl. Text 3, 25.
[205] Vgl. die Ratschläge Text 3, 21.
[206] Das Ganze klingt evagrianisch, dürfte aber in der Formulierung aus der Feder des Isaak von Ninive stammen. Zu Evagrios vgl. Cent Suppl. 24 (FRANKENBERG 446)
[207] S. u. § 162: Die Offenbarungen der Stufe der Geisthaftigkeit sind unsagbar.
[208] Gemeint sind die Bücher der Hl. Schrift, wenn auch nicht ausschließlich.
[209] Vgl. Isaak von Ninive (BEDJAN 259 / WENSINCK 174).
[210] Im „Buch der Fragen und Antworten", Diarb 100, 326 f. definiert Jausep die *drei* Höhepunkte folgendermaßen: auf dem ersten wird der Intellekt geübt, auf dem zweiten vollendet und auf dem dritten gekrönt. Der dritte Höhepunkt ist also der Zion, in dem David (der Intellekt) als König herrscht; vgl. die Folge.
[211] D. h. über die dritte, vierte und fünfte Kontemplation des Evaggrios, vgl. Cent I, 27.
[212] D. h. er befindet sich auf der Stufe der zweiten Kontemplation der Geistwesen, vgl. Text 2, 9.
[213] Vgl. Einleitung § 3.2
[214] Gemeint ist der himmlische Lobgesang, die zarten, feinen Laute der Geistwesen, das seraphische „Heilig, Heilig, Heilig" (Is 6, 3); vgl. Text 3, 11 und das Gebet Jauseps, Text 11, 3. Gebet.
[215] Vgl. Isaak von Ninive (BEDJAN 195 ff. / WENSINCK 132 ff.).
[216] Vgl. Evagrios, De Oratione 57, mit dem Kommentar von HAUSHERR.
[217] S. o. Anm. 214. Zum folgenden vgl. Text 4, 26!
[218] S. o. § 152.
[219] Ebenso Text 3, 9, aber in anderem Kontext.
[220] Zu dieser Passivität der Kontemplation vgl. Isaak von Ninive, (BEDJAN 169 ff. / WENSINCK 115 f.). Es ist der Zustand jenseits dessen, was man Gebet nennen kann. Ausführlich handelt Jausep auch in Text 6 darüber!
[221] Vgl. auch Evagrios, Cent I,34.
[222] Zur Schau des Erlösers s. auch Text 2, 2 und Einleitung § 3.2.
[223] Ebenso Text 3, 12, mit einem anderen Bild (Fisch im Meer), das sehr an Johannes von Dalyatha gemahnt. Ausführlich handelt Jausep auch im „Buch der Fragen und Antworten", Diarb 100, 96 f. und 112 darüber (hier unter dem Bild des Edelsteines und der Sonne; das Licht der Steine verschmilzt mit dem Licht der Sonne zu einem Licht — und doch sind beide verschieden!
[224] Ebenso Text 3, 11, wo noch hinzugefügt wird, daß dies ein Wirken des Hl. Geistes sei, der nach Röm 8, 27 für (anstelle) der Heiligen bete.

[225] Wohl Isaak von Ninive, nicht identifiziert.
[226] Vgl. Einleitung § 3.2, dort auch Anm. 163.
[227] Statt „Lauterkeit" sollte man eher „Geisthaftigkeit" erwarten, oder „Ort jenseits der Lauterkeit".
[228] Vgl. dazu, was Isaak von Ninive über den Zustand jenseits des Gebetes sagt, o. Anm. 220.
[229] Vgl. Isaak von Ninive, Buch der Gnade VII, 3.
[230] Subscriptio des Kopisten.

5.2 Von Mar ʿAbdishoʿ Ḥazzaya: Brief über die verschiedenen Wirkungen der Gnade, die den Gottesfürchtigen zuteil werden[1].

5.2.1 *Einleitung*

Das Geheimnis, das in deinem Brief verborgen war, habe ich gelesen, oh eifriger Gottesfürchtiger, und meine Seele ward mit Freude und unsagbarem Jubel erfüllt.

5.2.2 *Die Anfrage des Adressaten*

Deine Liebe schrieb mir in der Tat: „Ich sehe die Sonne, indem sie bisweilen zum Zenit aufsteigt. Und das Firmament ist voller Sterne und ihr Licht verdeckt das Licht der Sonne und sie ist nicht (mehr) sichtbar. Und wiederum sehe ich die Sonne ohne die Sterne, weil ihr Licht das Licht der Schönheit der Sterne verdeckt und sie nicht (mehr) sichtbar sind. Und bisweilen sehe ich das Licht der Sterne ohne das Licht der Sonne. Und bisweilen sehe ich die Sphäre des Mondes, dieweil auch er ganz voll Sterne ist. Und bisweilen (wiederum) sehe ich ihn, wie er von den Sternen entblößt ist und ganz allein dasteht."

5.2.3 *Zur Beantwortung schöpft Jauṣep teils aus eigener Erfahrung, teils aus der vertrauenswürdiger Leute*

Und du bist über diese Dinge im Zweifel, ob du (etwa) nicht die Wahrheit siehst, wie ich aus der Lektüre deines Briefes erfahren habe. Und du trägst an mich die Bitte heran, daß ich die Geheimnisse dieser Wirkungen mittels eines Briefes schriftlich niederlegen und dir zusenden möge. Was mich betrifft, oh Freund, so gehorche ich, da ich deine Demut gesehen habe, deiner Liebe, indem ich einige dieser Wirkungen von der Erfahrung ausgehend, die ich selbst gemacht habe, und andere vom Hören wahrhaftiger Leute, die mit Geheimnissen wie diesen betraut waren, aufschreibe und deiner Liebe zur Kenntnis gebe.

5.2.4 *Die drei Stufen der Erkenntnis*

In einem reinen Herzen und einem Intellekt, der zum Ort der Lauterkeit gelangt ist, sind die Wirkungen der Gnade reichlich (und) auf verschiedene Weise vorhanden[2]. Denn alle Wirkungen, die du vor mir aufgezählt hast, entsprechen den drei Stufen des Geistes in der Erkenntnis. Die erste ist die der Leidenschaftslosigkeit der Seele. Und die zweite ist die der Lauterkeit des Geistes. Was aber die dritte (Stufe) betrifft, so ist ihr Wirken jenseits der Reinheit und der Lauterkeit.

5.2.5 *Die dritte Stufe: Die Schau des Lichtes der Heiligen Dreifaltigkeit im Licht der Einsichten der neuen Welt*

Was nun dies betrifft, was du mir sagtest: „Ich sehe die Sonne, wie sie bisweilen zum Zenit aufsteigt, und sie ist voller Sterne, deren Licht stärker ist als das Licht der Sonne“, so ist dies das Wirken, das jenseits der Reinheit und der Lauterkeit ist, welches die Schau des Lichtes der Heiligen Dreifaltigkeit darstellt[3]. Die Sterne nämlich, die dir an diesem Ort erscheinen, deren Intensität stärker ist als das Licht der Sonne, sind die Einsichten der neuen Welt, welche wegen ihrer Feinheit nicht zur Formulierung des Wortes gelangen. Sie werden nur von der Sonne erhellt[4] und die Sonne erscheint durch ihr (der Sterne) Licht dem Intellekt. In diesem Augenblick nämlich erscheint ihre (der Sonne) Sphäre, welche die Schau unseres Erlösers ist, nicht, weil der Intellekt durch das Licht der Schau der Sterne in Erstaunen versetzt ist. Denn diese Sterne sind in diesem Augenblick die Ursache für die Schau der Sonne am Firmament des Herzens.

5.2.6 *Die Schau der „Sonne der Gerechtigkeit"*

Was aber dies betrifft, was du sagst: „Ich sehe die Sonne ohne die Sterne, weil die Schönheit ihres (der Sonne) Lichtes die Sterne übertrifft und sie in diesem Augenblick nicht zu sehen sind", so ist diese Wirkung vorzüglicher als die erste, weil hier die Sphäre der „Sonne der Gerechtigkeit" dem Intellekt erscheint und er im Staunen dasteht, so daß sich in ihm keine Einsicht regt, weder über das Heilswirken unseres Herrn, noch über das Geheimnis der neuen Welt. Es erscheint vielmehr dem Intellekt das Licht der Herrlichkeit unseres Herrn.

5.2.7 Dies sind die beiden Wirkungen des Ortes, der sich jenseits der Natur befindet[5].

[Über das zweite Wirken der Gnade im Intellekt[6]]

5.2.8 *Die erste Stufe: Die zweite natürliche Kontemplation*

Die Sterne aber, von denen du sagst, oh mein Bruder, „ich sehe sie ohne das Licht der Sonne", bedeuten jenen Ort der

Reinheit, welcher die „Leidenschaftslosigkeit der Seele" genannt wird. Die Sterne sind die Einsichten der Naturen der Geschöpfe. Dies ist die Ursache ihres Erscheinens im Intellekt: Das Lesen der Schriften und die Belehrung seitens anderer und seitens des Schutzengels. Kurz gesagt, diese Sterne stellen das Wirken der *natürlichen Samen* dar, welches unsere Väter die „zweite natürliche Kontemplation" nennen[7]. An diesem Ort erscheint die Spähre der Sonne nicht, sondern einzig ihr Licht.

[Über das dritte Wirken der Gnade im Intellekt]

5.2.9 *Die zweite Stufe: Die Kontemplation der Körperlosen*

Der Mond[8] aber, von dem du sagst, daß seine Sphäre bisweilen voller Sterne erscheine bedeutet die Kontemplation der Körperlosen, die am Ort der Lauterkeit erscheint. Die Sterne aber, von denen er voll ist, bedeuten das Wirken des *zweiten Sinnes* der Seele[9], welcher von ihnen die Einsichten der Erkenntnis empfängt. In diesem Augenblick besteht für den *ersten* und den *zweiten Sinn* (die Seele) ein Wirken[10]. Denn der *erste* (Sinn) bedeutet die Schau des Lichtes der Sphäre (des Mondes), die Sterne aber das Wirken des *zweiten Sinnes*.

5.2.10 Und bisweilen wiederum, wenn du die Sphäre des Mondes siehst, die von den Sternen entblößt ist, da erscheint in diesem Augenblick jene Kontemplation dem Intellekt ohne Einsichten. Das heißt, es besteht kein Wirken für den *zweiten Sinn*, sondern nur für den *ersten*. Das Wirken indessen, bei dem die Sphäre des Mondes voller Sterne ist, ist viel erhabener als dies, da sie der Sterne entblößt ist[11].

5.2.11 *Die drei Erscheinungsformen des Intellektes*

Ferner erscheint der Intellekt am ersten Ort bekleidet mit dem *Licht sonder Form*[12]. Am zweiten (Ort) indessen ist der Anblick der Seele *feurig*[13]. An diesem dritten (Ort) aber erscheint der Intellekt zur Zeit des Gebetes bekleidet mit einem Licht gleich dem des *Kristalls,*[14] welch (selbigen Ort) unsere Väter den Ort der Lauterkeit nennen.

[Über verschiedene andere Wirkungen der Gnade]

5.2.12 Ferner erscheint die Seele zur Zeit des Gebetes, oh Freund meiner Seele, einem Spahir gleichend oder der Färbung des Himmels, und diese Erscheinung gehört dem natürlichen Ort an[15]. Und bisweilen erscheint die Beschaffenheit des Intellektes unter mischt mit Licht und Feuer. Und dies ist eine Erscheinung, die dem Ort der Lauterkeit angehört[16]. Wiederum erscheint die Beschaffenheit des Intellekts zur Zeit des Gebetes dem Licht der Sonne gleichend[17]. Und diese Erscheinung gehört dem Ort an, der jenseits der Natur liegt. Und dies ist es, was der heilige EVAGRIOS sagte: „Der Intellekt wendet sich bisweilen von einer Einsicht zu einer (anderen) Einsicht, und von einer Kontemplation zu einer (anderen) Kontemplation, und dann erhebt er sich von der Schau der Kontemplation zur Schau des Lichtes sonder Form[18]."

5.2.13 Wenn also alle diese Gaben in deinem Geiste vorüberziehen, dann wisse, daß du dich am Ort der Lauterkeit befindest, welchen unsere Väter das „gelobte Land" nennen. Die erste Erscheinung bedeutet die Schau der Kontemplation der Körperlichen, die mit der Erscheinung der Reinheit verbunden ist[19]. Jene aber, die mit Licht und Feuer untermischt ist, bedeutet die Erscheinung des Ortes der Lauterkeit, welche die Schau der Kontemplation der Körperlosen ist[20]. Was indessen die Sonnenvision betrifft, so ist dies die Schau des Lichtes der Heiligen Dreifaltigkeit[21].

5.2.14 Sieh also, mein Freund, soweit das Geheimnis dieser Wirkungen offenbart worden ist, haben wir es vor dir offenbart. Es gibt indessen noch verschiedene (andere) Wirkungen der Gnade, die sich in der Seele ereignen die unmöglich schriftlich niedergelegt werden können. Nur der, der sich von den Leidenschaften gereinigt hat, empfängt sie wirklich in seiner Seele. Du also, oh unser lieber Freund, erwirb Demut und Liebe und Fasten und Gebet und Nachtwachen, zusammen mit Glauben und Geduld in den Bedrängnissen, und bitte unseren Herrn, daß er dich zu einem Hafen der Liebe mache und zu einer Bleibe für die Gabe seiner Wirkungen. Auch für uns bitte in Liebe, daß unser Herr unseren Kampf nach seinem Willen vollende. Amen.

5.2 Von Mar 'Abdisho' Ḥazzaya: Brief über die verschiedenen Wirkungen der Gnade, die den Gottesfürchtigen zuteil werden.

[1] Dies der Titel in dem Sammelband N. D. des Semences 237 (VOSTÉ XXVI). In der Sammlung der Briefe des Johannes von Dalyatha lautet er: „Brief desselben Eremiten an einen der eifrigen Brüder, über die verschiedenen Wirkungen der Gnade, die den Gottesfürchtigen zuteil werden. Leser, sammele deinen Intellekt!" Der zugrunde gelegte syr. Text (samt einer franz. Übersetzung) bei BEULAY, PO XXXIX, 500—507. Neben den von BEULAY verwandten HSS sowie den beiden Kopien von N. D. des Semences 237, Vat. Syr 506 und Mingana 601, liegt in Mingana 47, f. 248b—249b noch eine weitere Kopie, und zwar der §§ 1—11, vor (von BEULAY offenbar nicht bemerkt), wohl ebenfalls eine Abschrift von N. D. des Semences 237.
[2] Jausep arbeitet in der Folge deutlicher als in seinen anderen Schriften heraus, daß es sich bei den drei Stufen nicht um Etappen handelt, die der Einsiedler eine nach der anderen hinter sich läßt, sondern eher um „Zustände", in denen er sich zu verschiedenen Zeiten befindet. In Text 1, 166 ist dies wenigstens angedeutet. Vgl. auch die treffenden Bemerkungen von BEULAY, PO XXXIX, 501 Anm. 4.
[3] Diese Sonne ist die „Sonne der Gerechtigkeit", d. h. Jesus Christus selbst dessen Erscheinen den unsichtbaren Vater sichtbar macht. Vgl. Text 1 Anm. 109.
[4] Vgl. Evagrios, Cent I, 35
[5] Sie besteht also darin, daß der Intellekt, nachdem er einmal die Geheimnisse der neuen Welt im Lichte der „Sonne der Gerechtigkeit"-Christus geschaut hat, diese dann in der alles absorbierenden Schau der Sonne selbst, in der alles Gedenken an irgendetwas außer Gott selbst, im Staunen vergeht, vergißt. Die unteren Kontemplationen haben also nur hinführenden Charakter. All dies liegt jenseits der Natur, d. h. jenseits der Reinheit (dem adamitischen kreatürlichen Urstand des Menschen) und der Lauterkeit (der kreatürlichen Vollendung), ist also reine Gnade und im strengen Sinn übernatürlich, d. h. nicht mehr der ersten, sondern der neuen Schöpfung angehörig.
[6] Ob diese im folgenden eingeklammerten *Zwischentitel* ursprünglich sind, scheint uns zweifelhaft. Sie finden sich allerdings sowohl in den HSS der Briefsammlung Johannes' von Dalyatha, als auch in N. D. des Semences 237.
[7] Über diese „zweite natürliche Kontemplation" vgl. Einleitung § 3.2. Die Schau dieser Einsichten ist dem Intellekt *natürlich*, daher an die Leidenschaftslosigkeit gebunden, die ja seinen natürlichen Umstand bezeichnet.

[8] Evagrios, Cent III, 52: „der intelligible Mond bedeutet die vernünftige Natur, die von der Sonne der Gerechtigkeit beleuchtet wird". Seltsamerweise zieht Jausep in seinem „Buch der Fragen und Antworten", Diarb 100, 207 ff. seitenlang gegen die zu Felde, die behaupten, der Mond werde von der Sonne erleuchtet, obwohl den Zeitgenossen das Gegnteil wohl bekannt war, vgl. A. MINGANA, Job of Edessa, The Book of Treasures, Cambridge 1935, 248 f.

[9] Wie der Leib, so hat auch die Seele (oder der Intellekt) fünf Sinne, vgl. Evagrios Cent II, 35. Jausep behandelt sie ausführlich im „Buch der Fragen und Antworten", Diarb 100, 225 ff, zählt hier aber *sechs* Glieder der Seele auf, wobei der Intellekt das Haupt der fünf anderen ist. Bei dem Vergleich mit den fünf Sinnen des Leibes fällt auffälligerweise der *Geschmack* weg, ganz im Gegensatz zu Evagrios. Worauf bezieht sich Jausep hier? Auf Evagrios, oder auf seine eigene Analyse? Dieselbe Frage wird sich auch bei den ‚Capita scientiae' erheben. Wahrscheinlich eher auf Evagrios. In diesem Fall wäre mit dem zweiten Sinn des Intellektes das Wahrnehmen der Sinngehalte *(Logoi)* der Dinge gemeint, bildlich als „Hören" bezeichnet. Das Gehör entspricht im übrigen bei Jausep dem „Verstehen" *(buyana)*.

[10] Der erste Sinn wäre nach dem Vorhergehenden „das Sehen des Seins der Dinge als Objekte" (Evagrios a.a.O.). Bei Jausep handelte es sich um ein Wirken des Geistes *(mad'a)*, der die Augen darstellt.

[11] D. h. wenn der erste und der zweite Sinn zusammen wirken, oder anders ausgedrückt, wenn Geist (Wahrnehmen) und Verstehen (Hören) zusammengehen.

[12] Der erste Ort ist jenseits der Natur, gehört also der neuen Schöfung an. Das Licht sonder Form ist das Licht der Heiligen Dreifaltigkeit, vgl. Evagrios Cent. Suppl. 21 u. ö.

[13] Vgl. Evagrios, Cent. Suppl. 6, s. auch unten Cent I, 84. Der zweite Ort wäre logischerweise der der Lauterkeit, der dritte der der natürlichen Reinheit. Indessen bezeichnet Jausep den dritten Ort als den der Lauterkeit. Diese scheinbare Unstimmigkeit rührt daher, daß diese „Orte" (oder Regionen) nicht Fixpunkte sind, sondern Grenzzonen, also in einem Übergangsbereich liegen.

[14] S. u. Text 9 (Cent I, 83). Kristall und Saphir (blaue Farbe des reinen Himmels) sind identisch. vgl. auch Einleitung Anm. 158!

[15] Jausep geht hier die drei Erscheinungsformen noch einmal in umgekehrter Richtung durch.

[16] Licht mit Feuer untermischt, da der zweite Zustand feurig ist, der erste aber Licht sonder Form. Der Übergangscharakter dieses zweiten Zustandes wird hier schön deutlich.

[17] Er gleicht der Sonne, weil er mit dem Licht sonder Form überkleidet ist, d. h. wie Jausep hier andeutet, mit der „Sonne der Gerechtigkeit",

also Christus selbst! Wenn man hier von einer Vergottungstheologie reden will, dann wäre es genauer, von einer „Verchristung" zu sprechen.

[18] Evagrios, Cent. Suppl. 23 (frei zitiert). Der griechische Originaltext ist erhalten, vgl. MUYLDERMANS, Evagriana, in: Le Muséon 44 (1931) 376.

[19] Die zweite natürliche Kontemplation, die zweite der fünf des Evagrios.

[24] Die erste natürliche Kontemplation, die zweite der füf des Evagrios.

[21] Die Kontemklation der Heiligen Dreifaltigkeit, die erste Kontemplation des Evagrios.

5.3 Ein Brief desselben Mar ʿAbdishoʿ an einen seiner Freunde, über das Wirken seitens der Gnade.

5.3.1 *Eingangssegen*

Gesegnet sei Gott, der Vater unseres Herrn Jesus Christus, der das Geheimnis seiner Liebe in unseren Herzen geoffenbart hat und in unserem Geist die Einsicht seiner Gnade hat aufstrahlen lassen!

5.3.2 *Veranlassung des Briefes*

Ich habe, oh Mann Gottes, von lieben Brüdern, die zu uns kamen, über dich gehört, daß du in unserem Herrn große Liebe zu uns besitzest. Und aus der Lektüre deines Briefes ist mir bewußt geworden, daß dem (wirlich) so ist. Und um des schönen Zeugnisses willen, das (man) über dich (abgibt), wollte ich meine Liebe mit deiner Liebe vermischen und dir jene Dinge schreiben, die du von unserer Niedrigkeit erbatest.

5.3.3 *Unterscheiden zwischen Wahr und Falsch*

Du sollst wissen, oh mein Herr, daß einige von den Erscheinungen, die dir widerfahren sind, Wahrheit sind, andere aber (nur) Schein sind, der voll von der falschen Täuschung des Irrtums ist. Weil du indessen weit entfernt von uns wohnst und ein Herkommen zu uns für dich nicht leicht ist, wollte ich dich mit einem Brief über die Erscheinung dieser Wirkungen aufklären.

5.3.4 *Die Frage des Briefstellers*

Was nun dies betrifft, was du sagst: „Von Zeit zu Zeit stehe ich da und betrachte meine Seele und es regt sich in ihr kein Gedanke, weder der Gerechtigkeit noch des Gegenteils. Sondern der Intellekt ist in ihr (der Seele) untergetaucht ohne irgendein Wirken, und er murmelt nicht einmal einen Lobpreis. Sondern es herrscht nur Stille über alle Regungen des Leibes und der Seele, sodaß er weder Lust zur Lesung hat, noch zur Rezitation der Psalmodie. Und der Intellekt empfängt (seine) Nahrung einzig von ihnen her, von der sich auch der Leib nährt[2]."

5.3.5 I. *Zustand: Das Eingetauchtsein des Intellektes*

(Was das Gesagte betrifft), so ist, solange sich der Intellekt an diesem Ort befindet mein Bruder, dieser Zustand weit besser als alle Zustände der Tätigkeiten, die der Seele widerfahren. Und die Gnostiker sagen, daß dem Intellekt in diesem Zustand der Heilige Geist auf verborgene Weise Nahrung gibt, von der sich auch der Leib nährt und (daher) nicht der Nahrung seines (gewöhnlichen) Unterhaltes bedarf[3]. Denn dieses Eingetauchtsein, in das der Intellekt in diesem Zustand eingetaucht ist, ist dasselbe, in das (auch) der selige Moses auf der Spitze des Berges Sinai untertauchte[4].

Solange du dich nun in diesem Zustand befindest, sei nicht begierig nach der Lesung oder dem Psalmenoffizium[5], sondern bewahre nur den Intellekt in Reinheit[6], das heißt, verlaß die Abgeschiedenheit ganz und gar nicht, und wenn möglich, dann komme in diesen Tagen, da du dich in diesem Zustand befindest, mit niemandem zusammen und höre, wenn möglich, nicht einmal die Stimme eines Vogels[7], sondern geh in deine innere Zelle und verschließe alle Türen und sei dessen sicher, was dir widerfährt.

5.3.6 II. *Zustand: Das Wirken der von innen aufleuchtenden Einsichten*

Wenn aber dieser Zustand von dir weicht, dann folgt auf ihn der Zustand des Wirkens der Einsichten. Hier hüte dich vor dem Dämon der Zerstreutheit! Solange indessen die Einsichten im Intellekt *aus dem Inneren* aufleuchten, bewahre die Abgeschiedenheit und die Regel des ersten Zustandes.

Wenn aber der Intellekt anfängt, den Einsichten nachzustreunen, die *außerhalb* von ihm sind, indem er Bilder darstellt und Einsichten komponiert, dann brich die erste Regel und fahre mit den Psalmen und der Lesung und den Metanien vor dem Kreuz fort. Erhebe dich männlich und kraftvoll und gestatte dem Intellekt nicht, aus der inneren Tür seines Herzens herauszugehen, aufdaß er nicht sein Leben durch die Zerstreutheit der Gedanken zugrunde richte.

5.3.7 III. *Zustand: Der Eifer für Psalmodie und Lesung*

Nach diesem Zustand der Einsichten kommt, wenn sich der Intellekt vor der Zerstreutheit der Gedanken hütet, ein anderer Zustand, (nämlich der) der Liebe zu den Psalmen und zur Lesung. Und derart lodert die Flamme (der Liebe) zu den Psalmen und zur Lesung innen im Herzen, daß der

Intellekt, wenn möglich, auch dieweil einer sitzt, um Nahrung zu sich zu nehmen, sich innerlich mit der Psalmodie und der Lesung beschäftigt[8].

Mit diesem Zustand ist das Wirken des eitlen Ruhmes verbunden. Erforsche jedoch deinen Geist und sieh zu, wenn du das Offizium betest oder liest, ob du um der Liebe zu Gott willen zelebrierst, oder ob sich nicht etwa andere Bilder in dem (Intellekt) abbilden, um derentwillen er sein Offizium und seine Lesung verrichtet.

5.3.8 IV. *Zustand: Tränenausbruch und Niederfallen vor dem Kreuz* *Die Grenze zwischen Reinheit und Lauterkeit*

Auf diesen Zustand des Lesens und der Psalmodie folgt wiederum ein anderer Zustand, falls der Intellekt frei ist von den Gedanken des eitlen Ruhmes, welcher (Zustand) der Ausbruch der Tränen und das beständige Niederfallen vor dem Kreuz ist. Diese Tränen fließen nicht aus Zwang, noch hat der Wille Macht über sie, sondern es entflammt die Seele einzig ein Feuer von innen her und der Leib vergießt von außen Tränen.

Dieser Zustand der Tränen stellt die Grenze zwischen der Reinheit und der Lauterkeit dar. (Diese Tränen) sind nämlich jenseits des Ortes der Reinheit, aber noch unterhalb des Ortes der Lauterkeit. Indessen führen sie den Intellekt in den Ort der Lauterkeit ein.

5.3.9 V. *Zustand: Die Kontemplation von Gericht und Vorsehung Gottes*

Nach diesem Wirken dieser Tränen kommt es bei dem Intellekt zu dem Wirken der beiden Kontemplationen, das heißt der des Gerichtes und der Vorsehung. Und durch die Schau dieser (Kontemplationen) fällt in die Seele die Liebe zu den Menschen und die beständige Fürbitte für ihre Bekehrung[9]. Und wenn (der Intellekt) in sich hineinblickt, dann schaut er alle (Menschen) in der Form des Bildes Gottes in dem sie erschaffen wurden[10].

Dort, in der Schau dieses Zustandes, gibt es weder Gerechte noch Sünder, weder Sklave von Freien, weder Beschneidung noch Vorhaut, weder Mann noch Frau, sondern Christus erscheint alles und in allen (vgl. Kol 3, 11)[11]

5.3.10 VI. *Zustand: Aus dem Herzen aufsteigende Regungen*

Nach diesem Zustand aber kommt ein anderer Zustand, (der) der Regungen, die sich im Herzen regen und aufsteigen, und sie sind wie Licht vermischt mit Feuer[12]. In diesem Zustand erfährt der Intellekt ein vorzüglicheres Wirken, das sich durch den *dritten* und den *vierten Sinn* vollzieht.

5.3.11 VII. *Zustand: Das Hören des himmlischen Lobgesanges*

Auf dieses Wirken folgt eine anderer Zustand, der noch vorzüglicher ist als jener. Es gibt nur ein Wirken für den *zweiten Sinn,* dieweil er den Laut der zarten Stimmen (der Geistwesen) im Lobgesang hört, welchen die Regungen der Seele und des Leibes nicht zur Formulierung der Zunge zu bringen vermögen[14]. Dieser Zustand und dieser Lobgesang gehören der neuen Welt an, welcher (Lobgesang) das *Angeld* der zukünftigen Güter ist. Denn dies ist das Wirken jenes Geistes, von dem der selige Apostel sagte, daß er anstelle der Heiligen bete (Röm 8, 26).

In diesem Zustand erscheint dir eine Wolke intelligibler Sterne[15], auch hörst du ihre zarten Stimmen, mit denen dein Geist, wenn sie sich vernehmen lassen, im Lobgesang der Erhebung vereint wird.

5.3.12 VIII. *Zustand: Das Schwimmen im Licht, wie ein Fisch im Meer*[16]

Nach diesem Lobgesang aber wird der Intellekt zum Schweigen gebracht und in das Licht der Schau dieser hohen und intelligiblen Kontemplation versenkt, wie ein Fisch im Meer. In diesem Zustand wird der Intellekt mit jenem Wirken, das in ihm wirkt, vermischt und sie werden eins. Denn das Licht des Intellektes ist nicht getrennt von jenem Meer, in dem er sich badet[17].

In diesem Zustand gibt es ein Wirken nur für den *ersten* Sinn[18].

5.3.13 IX. *Zustand: Der Mensch wird mit Feuer überkleidet.*

Auf diesen Zustand folgt ein anderer Zustand, bei dem den Menschen von seiner Fußsohle bis zu seinem Scheitel ein

Feuer erfaßt, sodaß, wenn der Mensch sich selbst betrachtet, er (seinen zusammengesetzten Leib nicht (mehr) sieht, sondern nur jenes Feuer, mit dem er bekleidet ist[19].

Das Zeugnis des Evagrios

Dies ist der Zustand, über den der heilige EVAGRIOS sprach, indem er die Wissenden von denen unterschied, die kein Wissen besitzen. Er spricht in der Tat folgendermaßen: „Diejenigen, die jetzt feine Körper besitzen, herrschen in den Welten, die waren. Diejenigen aber die mit „praktischen" Körpern verbunden sind, werden in den zukünftigen Welten herrschen"[20], indem er „feine Körper" die Leiber der Heiligen nennt, die zu diesem Zustand gelangt sind, von dem ich sprach.

5.3.14 *Das Beispiel des Abba Arsenios*

Und damit niemand über diese Dinge im Zweifel ist, wollen wir ihm ein anderes Zeugnis anführen, aufdaß er dessen noch mehr versichert sei. Der selige PALLADIOS sagt in der Tat bezüglich des ABBA ARSENIOS folgendes:" Dieweil er im Gebet stand und ihm dieser Zustand widerfuhr, sodaß er ganz wie Feuer ward, kam einer von den Brüdern, ein Gnostiker, und sah den Altvater durch das Fenster, wie er ganz wie Feuer war[21]." Und der Schreiber bezeugt hinsichtlich dieses Bruders, „daß er dieser Schau würdig war"; denn jener Bruder, der den ABBA ARSENIOS in diesem Zustand erblickte, war ein Seher[22].

5.3.15 X. *Zustand: Unmöglich, ihn zu beschreiben!*

Sodann kommt es nach diesem Zustand zu einem anderen Zustand, der in einem Brief nicht beschrieben werden kann[23]. Du sollst bloß wissen, daß er sich wirklich ereignet. Und sein Erkennungszeichen ist dies: Es gibt weder zwei noch drei[24], noch auch unterscheidet sich die Vierheit im Vergleich zur Fünfheit[25], sondern eines dehnt sich aus und das andere nimmt ab[26], und die Speise der beiden ist ein (und dieselbe) in diesem Zustand[27]. Denn in den beiden Zuständen, von denen ich sprach gibt es ein Wirken für den *ersten* und den *fünften Sinn*[28].

5.3.16 XI. *Zustand: Eine Freude unbekannter Herkunft*

Nach diesem Zustand nun kommt es wiederum zu einem anderen Zustand, (und zwar dem) der Freude; auch Tränen gibt es darin. Und der Mensch weiß nicht, welche die Ursache dieser Freude ist; er weiß nur, daß er froh ist, weshalb er froh ist, weiß er nicht. Hier besteht ein Wirken für den *dritten* und *vierten Sinn*[29], weil die Wirkungen dieser beiden Sinne miteinander verbunden sind.

5.3.17 XII. *Zustand: Der Ausbruch geistlicher Rede*

Nach diesem Zustand aber kommt es zu einem anderen Zustand, (dem) des Ausbruchs geistlicher Rede[30], der eine Wirkung des *zweiten Sinnes* ist[31].

5.3.18 *Über die Täuschungen der Dämonen*

Über das Wirken der Gnade haben wir (dich) also bis hierhin aufgeklärt, in dem Maße, wie uns dies möglich war. Jetzt wollen wir, oh mein Freund, über den Irrtum der Rebellen reden, welcher die Wahrheit nachahmt.

5.3.19 *Die Erhitzung durch den Dämon der Unzucht*

Zuerst will ich über die Zustände des Wirkens der Hitze sprechen. Der Dämon der Unzucht fängt in der Tat folgendermaßen an, eine Erhitzung bei dem Gottesfürchtigen zu bewirken: Die Erhitzung beginnt beim Kopf und steigt nach unten herunter, dieweil eine große Last auf dem Kopf drückt und die Verwirrtheit des Kopfes (herrscht) und die Last und die Versunkenheit eines tiefen Schlafes, ohne dass er bisher die Saat seiner Bosheit in ihn zu säen vermochte, während er ihm anrät, daß in diesem Wirken (der Erhitzung) von ihm weder Lesung noch Psalmodie gefordert sei. Wenn ihm nun der Mensch gehorcht, dann vermehrt er seine Erhitzung dermaßen, bis er dem Gehirn einen Schaden zufügt.

Wenn aber (der Mensch) seinem Rate nicht gehorcht und mit der Psalmodie und der Lesung beginnt, dann steigt er vom Kopf herab und entflammt seine Erhitzung um das Herz herum, oder im Rücken, dem Herzen gegenüber.

5.3.20 *Das Unterscheidungsmerkmal*

Das Zeichen seiner Täuschung aber ist dies: Sobald seine Erhitzung anfängt, beginnt eine Dumpfheit im Leibe (sich auszubreiten) und von innen her die Gedankenverwirrung (des Gedankens) des eitlen Ruhmes, und Einsichten von Dingen, die gar keinen Sinn haben. Und eine große Zerstreutheit der Gedanken herrscht über den Intellekt. Auch einen trügerischen Geruch bewirkt er hier in diesem Zustand. Indessen das Zeichen seines Geruches ist dies: In dem Maße, wie er ausströmt, herrscht die Konvulsion der Gedanken in der Seele. Er erzeugt seinen Geruch auch ausgehend von den Naturen der Geschöpfe, weil (sein Geruch) eine (gewisse) Ähnlichkeit (mit dem ihren) hat[32]. Für den Geruch der Gnade indessen gibt es nichts Vergleichbares unter allem, was auf der Erde ist, was mit diesem Sinn (d. h. dem Geruchssinn) verbunden ist[33].

Hier sind Wachen und Niederfallen vor dem Kreuz für den Gottesfürchtigen erforderlich, bis diese Versuchung vorübergeht.

5.3.21 *Die Gegenmittel*

Dann wiederum wendet sich der Feind den unteren Gliedern zu und fängt an, seine Erhitzung zu entflammen und mit ihr Gedanken der Unzucht. Diese (Erhitzung) aber steigt auf bis zu den Nieren. Das Heilmittel aber für diese Versuchung ist Fasten und beständiges Wachen und der Entzug des Trinkens von Wasser, auch beständiges (Auf- und Ab-) Gehen zusammen mit der Psalmodie und Lesen, und dies, daß man nicht ausgestreckt (auf dem Boden) schläft, sondern sitzend oder auf seinen Füßen stehend, solange man sich in dieser Versuchung befindet[34].

5.3.22 *Über die verschiedenen dämonischen Trugbilder*

Was aber ferner die anderen Zustände der Bilder betrifft die von den Dämonen simuliert werden, hör zu!

5.3.23 Jedesmal, wenn du in der Kontemplation das Bild eines zusammengesetzten Feuers[35] sieht, dann wisse und sieh dich vor, daß dies eine Falle des Betrügers ist, der dich in ihr zu (deinem) Verderben fangen will. Du jedoch, oh Gottesfürchtiger, hefte deinen Blick auf das Innere des äußeren Bildes und du wirst darin ein (anderes) Bild finden, das (dir) voller Finsternis erscheint. Denn sofort, wenn der Blick des Gnostikers auf das Bild fällt, das vor ihm dargestellt wird, wird der Trug seiner Täuschung aufgedeckt[36].

5.3.24 Und wenn du etwas wie eine Sphäre *vor dir* siehst, so ist auch dies ein Phantasiegebilde der Dämonen. Oder etwas wie Sterne, oder einen Bogen, der in den Wolken erscheint, oder etwas wie einen Thron, oder einen Wagen und Pferde von Feuer[37]. All dies, mein Bruder, ist eine Täuschung der Dämonen. Und kurz gesagt, alles was *außerhalb* von dir in diesen Bildern erscheint ist Täuschung der Dämonen. Die Erscheinung der Kontemplation nämlich ist einfaltig und es gibt da kein zusammengesetztes Bild in ihr (der Erscheinung), weder wenn sie innen erscheint, noch außen. Die Dämonen indessen haben nicht die Macht, *nach innen* hereinzukommen und (dort) ihre Trugbilder erscheinen zu lassen[38].

Wenn du indessen bisweilen *in dir* etwas wie eine Sphäre oder einen Stern erblickst, dann sei nicht verwirrt. Denn auch die Seele erscheint in diesen Zuständen. Aber vor denen die draußen erscheinen sollst du dich hüten.

5.3.25 *Andere Bilder verschiedener Dämonen*

Und sieh dich auch vor, mein Bruder und hüte dich vor einem anderen Bild, das die Dämonen simulieren, welches aus Licht und Dunkelheit untermischt besteht, welches eine Wirkung des Dämons des Zornes ist. Und es gibt noch ein anderes (Bild), bei dem das Leuchten seines Lichtes heftig ist, und dies ist ein Bild des Dämons der Unzucht. Und es gibt schließlich noch ein anderes feuriges Bild, welches dem Dämon des Hochmutes angehört[39].

5.3.26 *Die Unterscheidungsmerkmale*

All diese Dinge wirst du unterscheiden, oh mein Bruder, durch das Kriterium, das ich dir angeben werde: Jedesmal, wenn du eines diese Bilder siehst, (und), wenn es sich dir offenbart, dein Denken dann friedlich ist und Stille über es herrscht, dann wisse, daß dies eine Wirkung der Gnade ist, in der es keine Täuschung gibt.

Wenn aber die Kontemplation deiner Seele, da du diese Bilder erblickst, anfängt sich zurückzuziehen und dein Herz mit Mattigkeit erfüllt wird und mit Gedankenverwirrung und auch Zerstreutheit, dann wisse, daß dies von den Dämonen kommt[40], zusammen mit dem Rest der anderen Bilder, die von den Dämonen simuliert werden, welchselbige diejenigen nachahmen, die von seiten der Gnade der Seele zur Zeit des Gebetes zuteil werden.

5.3.27 *Briefschluß*

Diese Dinge habe ich, mein Freund, wie ich von deiner Liebe gebeten ward, dir in kürze aufgezeichnet. Du aber, oh mutiger Gottesfürchtiger, lies und verstehe, was vor dir aufgezeichnet ist, und bete auch für mich[41]. Und wisse, oh mein Herr, daß wir, wenn (die genannten Erscheinungen) von der Rechten her stammen, (unsere) Bittgebete vermehren müssen, und die Erde soll unser Denken sein. Und wenn sie von der Linken sind, so laßt uns mit Seufzen zu dem schreien, der von den Toten aufzuerwecken vermag.

Selig der, der sich mit dem bekleidet hat, der[42] in ihm ist. Selig aber auch der, der gewürdigt ward, sich an dem zu ergötzen, was in ihm ist. Ob wir nun Wissende sind oder Unwissende, nennen wir uns selbst Unwissende! Und ob wir nun Sünder oder Gerechte sind, laßt uns bei Christi Barmherzigkeit Zuflucht suchen!

5.3 Brief desselben Mar 'Abdisho' an einen seiner Freunde, über das Wirken seitens der Gnade.

[1] So der Titel in N. D. des Semences 237 (VOSTÉ XXXI). In der Sammlung der Briefe des Johannes von Dalyatha lautet er: „Ein anderer Brief an einen seiner Freunde, über die gleichen Wirkungen der Gnade. Leser verstehe und staune und sage Jesus, unserem Gotte, Dank!" Der syr. Text bei BEULAY, PO XXXIX, 508—521. Eine englische Übersetzung bietet MINGANA, Woodbrooke Studies VII (1934) 169—175.
[2] Vgl. Evagrios, Cent. Suppl. 57: „Wer in sich selbst gegründet ist, diesem Fremdling genügt die süße Speise der Schönheit seiner Person". — Die folgenden 12 Stufen finden sich auch bei Bar Hebraeus, vgl. Einleitung § 3.2.
[3] Ebenso Text 1, 120 u. Text 8, 3 Vgl. auch vorhergeh. Anm.
[4] Gemeint ist, daß Moses dort 40 Tage und 40 Nächte ohne Nahrung blieb (vgl. Ex 24, 18 und 34, 28), vgl. Diarb 100, 305 u. ö. Seine Speise waren die Einsichten, deren er teilhaftig wurde.
[5] Ebenso Text 1, 113. 121. 169.
[6] D. h. ohne alle Bilder und Vorstellungen materieller Dinge.
[7] Dasselbe Bild Text 1, 112.
[8] Ebenso Text 1, 115.
[9] Ebenso Text 1, 153.
[10] D. h. er schaut, wie die Folge zeigt, *Christus* in allen Menschen.
[11] Von Jausep oft zitierte Stelle, vgl. Diarb 100, 227. 247 f. u. ö.
[12] Ebenso Text 2, 12. Die Mischung von Licht und Feuer deutet den Übergangscharakter an.
[13] Gemeint sind die Sinne des Intellektes. Zur Erleichterung des Verständnisses der folgenden Aussagen sei hier die Schlüsselstelle aus Evagrios, Cent II, 35 ganz zitiert: „Le *nous*, lui aussi, possède cinq organes des sens spirituels, avec lesquels il voit et sent les intellections des créatures. La vue lui montre l'être des choses en tant qu'objets; avec l'ouïe il reçoit les *logoi* qui les concernent; par l'odorat il se délecte de l'odeur sainte, dans laquelle il n'y a pas de mélange trompeur, tandis que le palais de sa bouche se délecte de ceux-là; par le toucher il reçoit avec exactitude la certitude véritable qui est en ceux-là." (Übersetzung GUILLAUMONT). Der 6. Zustand ist also durch ein Sichergötzen und Verkosten der Sinngehalte der Dinge bzw. deren Einsichten gekennzeichnet.
[14] „Hören" ist hier nach dem Vorhergehenden als „Wahrnehmen der Sinngehalte" zu verstehen, nach Jausep näherhin als „Verstehen" (s. o. Text 2 Anm. 9), und zwar als ein überrationales Verstehen, das nicht formulierbar ist. Ebenso Text 1, 163.
[15] Nach dem Folgenden die Geistwesen.

[16] Bar Hebraeus (s. o. Einleitung § 3.2) nennt diesen Zustand zutreffend den der „Ähnlichkeit" oder „Verähnlichung" *(damyutha)*, vgl. BEDJAN, Liber Ethicon 501. Als Vergleich führt Bar Hebraeus nicht den Fisch im Wasser an, sondern die von der Sonne zum Leuchten gebrachte Wolke.
[17] Ebenso Text 1, 167. Es ist dies das Überkleidetwerden mit dem göttlichen Licht, vgl. Evagrios, Cent. Suppl. 53 (FRANKENBERG 464).
[18] D. h. das Gesicht. Nach Diarb 100, 225 f. 248 ist eine Tätigkeit des Geistes *(mad'a)* gemeint, mit der der Intellekt „schaut".
[19] Vgl. Evagrios, Cent. Suppl. 6; ebenso auch Text 1, 118. Eigentümlicherweise geht diesem Zustand hier die Lichtvision *voraus*. Im allgemeinen symbolisiert das Licht einen höheren Grad als das Feuer. Bar Hebraeus a. a. O. vergleicht diesen Zustand mit dem des Eisens im Feuer und deutet damit ein noch größeres Erfaßtwerden von Gott an, als dies beim Überkleidetwerden mit Licht der Fall war.
[20] Evagrios, Cent I, 11. Evagrios (syr.) unterscheidet zwischen Leib *(pagra)* und Körper *(gushma)*. Ersterer ist der materielle Bestandteil des Menschen (Leib und Seele), letzterer dessen verfeinerter, spiritualisierter Seinszustand; vgl. GUILLAUMONT Cent z. St. Die „praktischen" Körper sind die Körper derer, die die πρᾶξις üben, die Askese. Die Heiligen sind also bereits hier auf Erden zu dem Zustand gelangt, zumindest angeldhaft, den die übrigen Menschen erst mit der Auferstehung erlangen werden.
[21] „Paradies der Väter", BUDGE I, 625; s. auch Text 1, 122.
[22] Dieses Beispiel zitiert auch Isaak von Ninive, BEDJAN 563. Es ist ein locus classicus.
[23] Bar Hebareus a.a.O. nennt ihn den Zustand der Eingiung *(hdayutha)*.
[24] D. h. weder Gehör- noch Geruchsinn der Seele.
[25] D. h. Geschmack und Gespür. BEULAY übersetzt: „Il n'y a pas de deux ni de trois, et le fait d'être quatrième n'y est même pas déterminé en fonction du fait d'être cinquième".
[26] Das Schmecken nimmt ab und das Spüren nimmt zu.
[27] Die Speisen sind die Sinngehalte *(logoi)* der Dinge, Evagrios, Cent II, 35.
[28] Wenn wir richtig verstehen, dann ist der 9. Zustand durch das *Sehen* charakterisiert, hingegen der 10. durch das *Spüren* d. h. durch eine ständig zunehmende Gewißheit bezüglich der Wahrheit der Sinngehalte der Dinge, dieweil das sich an ihnen Ergötzen abnimmt. Bar Habraeus hat diese ziemlich rätselhaften Aussagen stark reduziert: „Es gibt nicht länger zwei noch drei, sondern eins dehnt sich aus und das andere nimmt ab, und die Nahrung beider ist eine."
[29] Geruch und Geschmack.
[30] S. dazu oben Einleitung § 3.2.
[31] Gehör, das heißt *Begreifen*. Die Funktionen der einzelnen Sinne der Seele in diesem stufenweisen Aufstieg sind sehr aufschlußreich. Zunächst, sie treten erst am Ort der *Lauterkeit* in Aktion (d. h. vom 5. Zustand an).

Auf der 6. Stufe steigen Regungen im Herzen auf, an deren *Duft* sich die Seele ergötzt und die sie verkostet. Auf der 7. Stufe *hört* sie den himmlischen Lobgesang, d. h. sie nimmt die *Logoi* der Geistwesen wahr. Auf der 8. Stufe *schaut* sie das Licht, d. h. das Sein der Dinge wird im göttlichen Licht sichtbar. Auf der 9. Stufe *sieht* der Mensch sich selbst wie aus Feuer, d. h. er nimmt sein vergöttlichtes Sein wahr, die Folge jenes Bekleidetwerdens mit dem göttlichen Licht, das auf der 8. Stufe erfolgt. Auf der 10. Stufe *spürt* d. h. empfängt er dann die Gewißheit des Geschehenen. Auf der 11. Stufe *ergötzt* er sich daran, jedoch nun auf ganz andere Weise, als auf der 6. Stufe. Auf der 12. Stufe schließlich *bricht* all dies im *Wort* aus. Hier ist das *Gehör* wieder aktiv, weil der Mensch nun *erkennt* wie er erkannt ist. Dabei stimmt er dann in den ewigen Lobgesang der Geistwesen ein. Daß Wissen, Erkennen und Lobpreis, man könnte auch sagen: Liebe, hier in eines zusammenfallen, ist sehr bezeichnend.

[32] Vgl. die letzte Strophe des Gebets Jauseps, Text 11, 3. Gebet.

[33] S. o. Text 1, 128. 129; Diese Ausführungen zeigen deutlich, daß man sich hüten muß, die Lehre von den fünf Sinnen der Seele buchstäblich zu nehmen! Wirkliche *sinnliche* Wahrnehmungen sind zumeist Täuschungsmanöver des Widersachers, der geistige Phänomene auf sinnenhafte Weise nachahmt.

[34] Es sind die Heilmittel, die Evagrios, Antirrhetikos II, 55 empfiehlt.

[35] Zusammengesetzt, d. h. materiell, im Gegensatz zu einfältig, intelligibel und geisthaft.

[36] Erscheinungen von *Feuer* sind typisch für den Dämon der Traurigkeit, vgl. Evagrios, Antirrhetikos IV, 14. 20. 36. 48. 49. 58. 62.

[37] All diese Phanatasiegebilde gehören nach Evagrios dem Dämon der *Traurigkeit* an, der den Mönch zur Mutlosigkeit und zum Aufgeben treiben will.

[38] Jausep widmet der Frage, wie es den Dämonen möglich ist, uns ihren Trug zu suggerieren, oblgiech sie die Seele selbst nicht zu sehen vermögen, mehrere Abschnitte seines „Buches der Fragen und Antworten", Diarb 100, 179 ff.

[39] Ebenso Text 1, 156.

[40] Das klassische Unterscheidungsmerkmal: Der Dämon erzeugt, wie er auch erscheint, stets Furcht, Verwirrung usw. Vgl. Evagrios, Admonitio paraenetica 11 (MUYLDERMANS, Evagriana Syriaca 158).

[41] Der folgende Textabschnitt findet sich nur in der HS N. D. des Semences 237 und deren Abschriften, nicht in der Sammlung der Briefe des Johannes von Dalyatha.

[42] Oder: *was* in ihm ist.

5.4 Ferner, DER FÜNFTE BRIEF DES RABBAN JAUSEP AN EINEN SEINER FREUNDE DER IHN BAT, IHM ZU ZEIGEN, DURCH WELCHES TUN SICH DER MENSCH, MEHR ALS DURCH ALLE ANDEREN TUGENDEN, GOTT NÄHERT UND WELCHER DER NÄCHSTE WEG IST, AUF WELCHEM DER MENSCH GOTT FINDET, BESSER ALS AUF DEN VIELEN ÜBRIGEN WEGEN, DIE GOTT NAHEBRINGEN[1].

5.4.1 *Das Thema des Briefes*

Deine Ehrwürden schrieb uns einmal, oh Freund der Tugenden, welcher der Weg sei, der uns Gott nahebringt und welches das Gebot sei, dessen Tun wir vor allem obliegen sollten, mehr als allen übrigen Geboten unseres Lebensspenders, unseres Herrn Jesus Christus, welches (Tun) eine Zusammenfassung all seinen Gebote sei (und das bewirke, daß) wenn einer sich darum bekümmere, er das *Angeld* der zukünftigen Güter finde.

5.4.2 *Das erste Gebot: Die Liebe zu Gott und dem Nächsten*

Das erste und das letzte aller Gebote, die Gott allen Vernunftwesen auferlegt hat, durch welches sich die Menschen und die Engel Gott nähern, ist die Liebe zu Gott und zum Nächsten[2]. Wie denn Gott auch, als er das Gesetz diktierte, es zuerst benutzte, indem er sprach: „Höre Israel, der Herr dein Gott ist ein Herr!" (Dt 6, 4). Und nachdem er ihm (Moses) befohlen hatte, daß Gott einer sei und es sich gebühre, ihm zu dienen und daß es keinen anderen Gott gäbe, zeigte er ihm, welches das Tun ist, das ihm (Gott) nahebringt, indem er spricht: „Du sollst den Herrn deinen Gott lieben aus deinem ganzen Herzen und aus deinem ganzen Denken (Dt 6, 5), und deinen Nächsten wie dich selbst (Lev 19, 18)“.

5.4.2 *Lobpreis dieses Weges*

Dies ist das Tun, das Gott nahebringt, und dies ist der nächste Weg, auf dem es keine Auf- und Abstiege gibt. Denn seine Pfade sind ausgewogen und seine Behausungen voll des Lichtes und der Wonne des ewigen Lebens[3]. Dies ist der Ort, den kein fremder Fuß je betrat[4]. Und der Schatz und der Reichtum seiner Bewohner ward nie von Dieben gestohlen. Alle nämlich, die ihn betreten, haben keine Furcht mehr in ihrem Herzen, daß ihnen etwa der Schatz geraubt würde, den sie mit ihrem eigenen Blut erworben haben. Denn dieser ganze Ort ist voll von Quellen lebendigen Wassers, jenes (Wassers) worüber unser Herr sprach: „Jeder, der an mich glaubt, wird beständig von ihm trinken, und aus seinem Herzen werden Ströme des Reichtums der Erkenntnis hervorströmen, um die anderen zu tränken.“ (vgl. Joh 4, 14 und 7, 38)

5.4.4 Dies ist der erste und der letzte Weg, der jene zu Gott bringt, die Söhne Gottes werden wollen und Miterben Jesu Christi (Röm 8, 17)[5]. Auf diesem Wege gibt es keine Räuber und keine, die im Versteck lauern oder Plünderer im Verborgenen. Auf ihm gibt es weder Furcht noch Finsternis. Wie die Schrift sagt: „Furcht gibt es in der Liebe nicht. Sondern die vollkommene Liebe treibt die Furcht aus“ (1 Joh 4, 18)[6]. Auf ihm gibt es keine Scheinbilder. Auf ihm gibt es kein langes Herumwandern, noch die Mühe und die Erschöpfung langer Jahre. Vielmehr, sobald einer anfängt auf ihm zu gehen, betritt er (schon) seine glorreichen Rastplätze und erquickt sich in ihnen. Zu seinem Ende aber vermag niemand zu gelangen, weder die Ersten noch die Letzten, denn seiner Rastplätze sind viele.

5.4.5 *Die Stadt in der Höhe*[7]

Eine Stadt indessen liegt vor denen, die auf ihm wandeln, und sobald sie die Stadt erblicken und ihre Tore, die geöffnet sind, und den König, dessen Licht seines Antlitzes in ihr erstrahlt, werden sie nicht müde, zu diesem Ort hinzuwandern.

Die Stadt liegt in der Höhe, ihren Beschauern gegenüber. Der Weg aber, auf dem man zu ihr gelangt, wird in der Höhe getreten.

5.4.6 *Das Gebet als Himmelsleiter*

Es ist indessen nötig, daß wir dir zeigen, welche die Leiter ist, die dich zu jener erhabenen Höhe hinaufführt und dich auf diesem Lebensweg wandeln macht, und welche die enge Türe ist, durch welche du jenen Ort des Lichtes betritts. Die Leiter nun, die dich zu dieser heiligen Höhe hinaufsteigen läßt, ist das Gebet. Gebet jedoch nicht nur des Leibes, sage ich, sondern des Leibes und der Seele. Gleichwie nämlich der Mensch aus zwei Teilen besteht, Leib und Seele, ebenso auch wird das Gebet ohne Leib und Seele nicht Gebet genannt[8].

5.4.7 *Lobpreis der Kraft des Gebetes*

Es gibt keine Sünde, die nicht durch das Gebet vergeben wird, und keine Verurteilung, welche es nicht auflöste. Es gibt keine Offenbarung, deren Ursache es nicht wäre, und keine Geheimnisse und Vorzeichen, die es nicht deutete[9].

5.4.8 *Biblische Vorbilder*

Was gewährte der Hanna zum Sohn den Priester Samuel, wenn nicht das Gebet (1 Sam 1, 10—11)? Und was errettete den David vor der Bosheit Sauls, wenn nicht das Gebet (vgl. Ps 11, 1; 17, 1 etc)? Und was war es, das Amalek besiegte und Israel durch den Sieg berühmt machte, wenn nicht das Ausstrecken der Hände des Moses im Gebet (Ex 17, 8 ff.)? Und was versöhnte Gott mit Israel, weil sie seinen Kult verlassen und ein Kalb angebetet hatten, wenn nicht das Gebet des seligen Moses, der betete und sprach: „Wenn du ihnen ihre Gottlosigkeit vergeben willst, so vergib. Wenn aber nicht, dann lösche mich aus dem Buch aus, das du geschrieben hast“ (Ex 32, 32). Und Gott nahm sein Gebet an und vergab die Sünde des Volkes. Was gewährte Zwillinge im Leib der Rebekka, wenn nicht das Gebet Melchisedeks, des Priesters Gottes (Ex 25, 21)[10]?

5.4.9. Was deckte den Betrug Achars auf, wenn nicht das Gebet des Josua des Sohnes Nuns, der sich vor dem Herrn niederwarf vom Morgen bis zum Abend, und dann öffnete ihm sein Gebet eine Türe und seine Bitte ward erhört und er brachte das Gebannte aus Israel hinweg (Jos 7)? Was ließ Regen herabkommen zur (Zeit der) Weizenernte und strafte das ungetreue Volk, das einen König verlangte, wenn nicht das Gebet des Priesters Samuel (1 Sam 12, 17 f.)?

Was schaffte die Sünde Davids hinweg, wenn nicht das Gebet, das er auf Sack und Asche (verrichtet) (2 Sam 11. 12)? Was wandte wohl den Zorn von Jerusalem ab und tötete im Lager der Assyrer 185 000 (Mann) wenn nicht das Gebet des Propheten Isaias und des Königs Ezechias (Is 37)? Was wandte wohl die Sonne zurück und fügte den Tagen seines Lebens (15 Jahre) hinzu, wenn nicht das Gebet, desselben Ezechias, das dies vollbrachte (Is 38)?

5.4.10 Was offenbarte wohl die verborgenen Dinge und zeigte dem Daniel die zukünftigen Dinge, die waren und die noch sein werden, wenn nicht das Ausstrecken seiner Hände im Gebet zur Abend- und zur Morgenzeit (Dan 2, 18)? Was würdigte wohl den Zacharias, daß ihm ein Sohn ward, der das Lamm Gottes vor Engeln und Menschen bekannt macht, wenn nicht sein Gebet im Heiligtum (Lk 1, 5 ff.)?

Was verschloß die Tore des Himmels drei Jahre und sechs Monate, aufdaß kein Regen auf die Erde fiele, und (was) vermehrte das Mehl im Topf und machte das Öl im Krug viel, wenn nicht das Gebet Elias des Fremdlings (1 Kg 17)? Was wandte wohl den Zorn (Gottes) ab, der die Niniviten bedrohte, wenn nicht das Gebet und das Flehen der milchsaugenden Kindlein (Jon 3)?

5.4.11 Was würdige wohl die Prophetin Hanna, die Tochter Phanuels, jener glorreichen Schau unseres Herrn Christus, wenn nicht das Gebet, das sie 84 Jahre lang im Tempel (verrichtete) (Lk 2, 36 f.)? Was brachte wohl den Petrus aus dem Gefängnis heraus und öffnete vor ihm die eiserne Tür, wenn nicht das Gebet, das für ihn von der ganzen gesegneten Versammlung der Jünger dargebracht ward (Apg 12, 11)? Was zeigte ihm wohl die Zulassung der Völker zur Hausgemeinschaft Gottes durch das Behältnis, das ihm erschein, wenn nicht sein Gebet zur neunten Stunde (Apg 10, 9 ff.)? Was brachte wohl den Kornelius der Gabe des Heiligen Geistes nahe, wie im Schatz des Lebens geschrieben steht, wenn nicht sein ständiges Gebet bei Nacht und bei Tag vor Gott (Apg 10, 1 ff.)?

5.4.12 *Das Gebet — Schlüssel zum Himmelreich*

Und, um es dir in kürze zu sagen, oh mein Freund, es gibt keinen Menschen, der (je) von Gott eine Gabe empfing, oder göttlicher Offenbarungen und Gesichte gewürdigt ward, sowohl dieser Welt als auch der zukünftigen, ohne die Beständigkeit des Gebetes. In den Händen des Gebetes liegen die Schlüssel jenes Königreiches (Mt 16, 19), in das du einzutreten begehrst, und ohne dieses kannst du in ihm nicht Erbe werden, um einer der Erstgeborenen zu sein, deren Namen im Buch des Lebens geschrieben stehen (vgl. Hebr 12, 23).

5.4.13 *Das Gebet — die enge Tür zum himmlischen Jerusalem*

Dies ist in der Tat die schmale und enge Türe (Mt 7, 13 f.), durch welche die Heiligen das Jerusalem im Himmel betreten. Denn das beständige Gebet ist das Licht der Seele, in welchem sie jenen glorreichen Ort des Lichtes schaut, von dem ich oben sprach, welche in der wahrhaftigen Liebe zu Gott und dem Nächsten besteht.

5.4.14 *Das Gebet — Summe der Gebote Christi*

Das Gebet ist in der Tat die Zusammenfassung aller Gebote. Darum gebot es auch unser Herr beständig, indem er spricht: „Betet zu jeder Zeit und werdet nicht müde" (Lk 18, 1) und: „Seid beständig wachend und betend" (Mt 26, 41). Und dies deutet er uns an und zeigt es uns in seiner eigenen Person, indem er in den Nächten hinausging und im Gebet zu Gott verweilte (Lk 6, 12).

5.4.15 *Ein Wort des Theodor von Mopsuestia*

Wie auch der heilige und große Mar (Theodor), der Exeget sagt: „Unser Herr bedurfte des Gebetes nicht, aber er zeigte den Kindern des Lichtes, daß sie beständig beten sollten, auf daß sie nicht von den Feinden des Schatzes beraubt würden, den sie erworben hatten, sondern, indem sie beständig dem Gebet obliegen, ihr geistlicher Reichtum bewahrt werde."

5.4.16 *Beispiele aus den Evangelien*

Und um uns hinsichtlich der Beständigkeit im Gebete zu bestärken, führte er (Jesus) uns das Gleichnis von jener Witwe an, die beständig an die Türe des Richters klopfte. Und weil sie beständig anklopfte, säumte er nicht, ihre Bitten zu beantworten (Lk 18, 1—8)[11]. Und an einem anderen Ort wiederum sagte er: „Wer von euch, zu dem sein Freund um Mitternacht kommt und zu ihm sagt: Mein Freund, leihe mir drei Laiber (Brot)! würden ihm (nicht), auch (wenn) er um der Liebe seiner Kinder willen säumt, dies zu tun, und (sie) ihm um seiner Freundschaft willen nicht geben wird, doch um seiner Zudringlichkeit willen alles geben, was er erbittet" (Lk 11, 5—8). Und unser Herr sprach: „Um wieviel mehr wird daher euer Vater im Himmel denjenigen Gaben geben, die ihn bitten" (Lk 11, 13).

5.4.17 All dies gebot unser Herrn denjenigen, die auf dem Weg der Tugend zu wandeln begehren der zu jener Stadt hinführt, welche die Liebe ist, die in der Himmelshöhe liegt. Ich spreche aber nicht von dem Gebet bestimmter Stunden und begrenzter Zeiten, sondern von jenem beständigen, das vollkommen ohne Unterbrechung ist.

Es gibt in der Tat keine Zeit, da einer dem Gebet zu Gott obliegt, bei der sein ganzes Denken und Schauen nicht zu Gott hingekehrt wäre. Beständigkeit im Gebet ist die Erfüllung aller Gebote. Und dies ist das intelligible Kreuz[12], von dem unser Herr sagte, daß ein jeder, der es auf sich nimmt, mit ihm (Christus) das ewige Leben erben wird (Mt 26, 24 f.).

5.4.18 Das Gebet nämlich steht beständig an der Türe und klopft an und kehrt nicht wieder um, bis es das Tor der Wohnung der Gottheit, der Herrin der Welt, geöffnet hat. Und der Intellekt tritt ein und erlangt seine Bitte und kehrt um mit Freuden[13].

Und daß alle Bitten und Gaben des Geistes durch Gebet verliehen werden, sagte unser Herr (folgendermaßen): „Bittet, und es wird euch gewährt werden. Suchet, und ihr werdet finden. Klopfet an, und es wird euch aufgetan werden. Und jeder der bittet, empfängt, und wer sucht, der findet, und dem der anklopft, wird aufgetan werden" (Mt 7, 7—8).

5.4.19 Du siehst, daß alle Gaben durch die Beständigkeit im Gebet von Gott den Menschen verliehen werden. Ich sage dir, oh Freund meiner Seele, daß das Gebet der Schlüssel zu jenem himmlischen Schatz ist. Es gibt keinen Intellekt, der vor die ehrfurchtgebietende Majestät tritt, ohne die Beständigkeit im Gebet.

*

5.4.19 a Wer reich ist im Gebet, der ist (auch) reich im Freimut vor Gott. Und in dem Masse, wie die Mühen und die Gebete sich mehren, wird auch die Gnade reichlich ausgegossen und wird der Intellekt in Gott erleuchtet.

Definition des Gebetes

Das Gebet ist eine göttliche Süßigkeit, die über alle Glieder und Gelenke ausgegossen ist. Das Gebet ist ein stiller Geist, der Lobpreis in der Sprache der Engel raunt. Das Gebet ist Frieden des Herzens, Erquickung des Verstandes und Gespräch mit Gott. Das Gebet ist ein Geist, der mit Gott an der Offenbarung seiner Geheimnisse teilhat. Das Gebet ist nicht Lehre und Wissen von Worten, sondern Konzentration des Geistes und des Intellektes, die gesammelt und befriedet sind durch das Schweigen der Regungen und der Sinne, ein Intellekt, der der Schönheit seiner selbst gewahr geworden ist und im Staunen durch das Schweigen der Regungen dasteht.

*

5.4.20 *Beten mit Unterscheidung*

Ich rede also nicht von jenem Gebet, das durch die Zerstreutheit der Gedanken, sondern von dem, das durch die Mühe des Leibes und die reinen Gedanken der Seele dargebracht wird. Wenn sich in deinem Geist die Regungen des Gebetes rühren, dann sieh zu, welche die Wirkungen sind, die in deinem Herzen tätig sind. Denn das Gebet erfordert mit der Beständigkeit auch das Unterscheidungsvermögen der Erkenntnis, weil die Scheinbilder des Widersachers zur Zeit des Gebetes gar zahlreich sind. Wenn aber der Intellekt zur Zeit des Gebetes die Unterscheidungsabe hat, dann bleiben alle Scheinbilder unterhalb des Ortes des Gebetes stehen, weil jene heilige Kraft, welche das Gebet in Bewegung setzt, dem Intellekt nicht gestattet, sie zu betrachten.

5.4.21 *Die drei Weisen des Gebetes*

Drei sind die Weisen, in denen das Gebet dargebracht wird, abgesehen von dem, das durch den Leib (geschieht). Die erste (Weise) ist das Sichregen der natürlichen Samen[14]. Die andere stammt aus dem Sichnähern des Schutzengels, und die dritte in jene, die durch das Wirken des guten Willens (geschieht), der die Tugenden begehrt. Mit der ersten Regung des Gebetes ist die Reue verbunden, zusammen mit Liebe und Hitze der Gedanken, die im Herzen brennen, wie ein Feuer. Mit der zweiten Regung aber ist das Wirken der Einsichten (verbunden), zusammen mit Tränen der Freude. Mit der dritten schließlich Liebe zu den leiblichen Mühen, zusammen mit Tränen, die ein wenig die Gedanken erregen.

5.4.22 *Über den Ort jenseits des Gebetes*

Außerhalb von diesen drei Regungen, die ich erwähnte, gibt es keine Regung, die man Gebet nennt. Denn von hier an und darüber hinaus gibt es kein Gebet mehr, sondern ist Staunen, welches von den Weisen nicht „Ort des Gebetes" genannt wird, sondern „Licht sonder Form"[15]. Und außerhalb dieser drei Regungen ist jede Regung, die sich rührt, eine Zerstörung des reinen Gebetes[16].

5.4.23 *Über das Wirken des Widersachers*

Und nun, da ich dir dargelegt habe, welche die Regungen des reinen Gebetes sind, und dir auch die Wirkungen unterschieden habe, die mit einer jeden von ihnen verbunden sind, wollen wir jetzt darlegen, mit welcher von ihnen ein Wirken des Widersachers verbunden ist. Mit der ersten Regung ist kein Wirken des Widersachers verbunden, weil sie eine Zerstörerin aller Regungen des Widersachers ist[17]. Auch bei der dritten (Regung) lassen die Dämonen ihr übles Wirken nicht sehen, weil sie darauf nicht sonderlich neidisch sind[18]. Allein mit der zweiten Regung ist ein Wirken des Widersachers verbunden. Und nach dem Bilde dieser Regung zeigen die Dämonen beständig dem Intellekt ihre (eigenen) Bilder zur Zeit des Gebetes[19].

5.4.24 *Die Unterscheidungsmerkmale*

Das Gebet nun, das durch das Nahen des Schutzengels entsteht, erfüllt die Seele mit Stille und Befriedung der Gedanken. Jenes hingegen, das durch die Einsicht des

Wirkens der Dämonen in der Seele entsteht, läßt Verwirrtheit und Zerstreutheit der Gedanken über sie herrschen[20].

Sieh du also zu, oh mein Bruder, wenn du zur Zeit des Gebetes dastehst, welche von diesen vier Regungen sich in deinem Herzen rührt. Wenn es die erste ist, dann ist dies ihr Anzeichen: Reue, zusammen mit Tränen der Freude und Liebe zu Gott, die in deinem Herzen brennt. Und wenn du dich am zweiten Ort des Gebetes befindest, dann sei dir dies das Anzeichen, daß Einsichten in dein Herz fallen, indem das Staunen, das durch sie hervorgerufen wird, den Intellekt durch Befriedung in Verwunderung versetzt. Und du wirst dastehen wie ein Trunkener, dieweil es auch an diesem Ort Tränen der Freude gibt. Wenn sich aber dein Intellekt am dritten Ort des Gebetes befindet, dann sei dir dies das Zeichen, daß dein Gebet gänzlich mit dem Leibe dargebracht wird. Indessen gibt es auch an diesem Ort Tränen, die jedoch erzwungen sind; auch verwirren sie den Intellekt. Wenn sich dein Intellekt jedoch zur Zeit des Gebetes am vierten Ort befindet, der derjenige der Dämonen ist, dann herrschen über deine Seele Verwirrtheit und Zerstreuung der Gedanken.

*

5.4.24a *Über die Stufenleiter des Gebetes*[21]

Wenn du nun durch die Beständigkeit der ununterbrochenen Gebete und die häufigen Unterhaltungen in ihnen, wie wir oben sagten, Kraft erlangt hast und deine Sinne im Wandel des Intellektes geübt sind, welcher beständige Betrachtung über die göttlichen Dinge bedeutet, dann bemühe dich, bis du zum Wandel des Heiligen Geistes gelangst, welcher Staunen über Gott ist, mehr als um alle Mühen um die *erzwungenen Gebete*. Und durch die erzwungenen Gebete, die beständig in Leid und Reue und Tränen dargebracht werden, erwirbst du Langmut und Geduld, aus denen das *freiwillige Gebet* sproßt, das ohne Zerstreuung gebetet wird, in Frieden und Freude.

5.4.24b Und durch die Kontemplation, die durch die geistliche Betrachtung gesammelt ist, wirst du das Gespräch der *verborgenen Gebete* empfinden. Und durch die Beständigkeit in diesen (verborgenen Gebeten) wird im Herzen das Gebet der Betrachtung eingepflanzt, welche sich im Geiste regt, welches das *Gebet der Gnade* ist. Und allmählich wächst die Erkenntnis und es wird das Herz mit Hoffnung und verborgenem Trost gefestigt, und das Wirken des Geistes beginnt tätig zu werden.

5.4.24c *Das Überschreiten der Grenze*

Und wenn er in diesen (Gebeten) erzwungenermassen und bitterlich unterwiesen und geübt ward, wie unsere Väter gesagt haben[22], dann wird (der Intellekt) erhöht und befindet sich (nun) in einem Wandel, welcher die Ruhe der Freiheit bedeutet, welche die Ruhe des Verstandes ist, der gesammelt ist und still und sich allzeit in Gott regt. Und er hat angefangen, seine Grenze niederzutreten, außerhalb allen Wandels des Zwanges, und von nun an geschieht es, — weil jene Dinge, die er ehedem aus Zwang erfüllt hatte, süß sind, — daß er durch die Gewalt der Süßigkeit zu ihnen hingezogen wird[23]. Und er erwirbt die Demut der Willensfreiheit, dieweil er vom Zwang absteht, und jenes

Staunen zieht ihn hin zu den Dingen, die nicht aus dem Willen stammen. Und es wird in ihm die Liebe zu Christus eingepflanzt und gefestigt durch die beständige Betrachtung über ihn und die Unterhaltung des verborgenen Gebetes.

5.4.24d *Der Zustand der Entrückung*

Und dann, durch die Gotteswonne und die Einsichten, die ihm zur Zeit und zur Unzeit zukommen, geschieht es, daß Verwunderung auf ihn fällt durch die göttliche Süßigkeit, die im Herzen erstarkt[24]. Und er steht ab vom Denken und von der Erinnerung, dieweil er still ist und in Verwunderung verharrt. Denn er verwundert sich über die Süßigkeit der geistlichen Wonne und steht da in sanftem Schweigen, ohne Regung. Und wie im Wandel der neuen Welt weilt er und ist froh. Er brennt nämlich vor Verlangen nach den intelligiblen Dingen. Und siehe, die Regungen und Sinne verharren in Untätigkeit, es schweigt die Zunge von dem Bewegtwerden durch die Stimme. Und es wird ihm ein Wort zuteil[25] und er steht im Staunen des Nichtwissens da, das erhabener ist als das Erkennen. Und es leuchtet der Intellekt und die Erkenntnis im Empfinden des neuen Lebens. Und er brennt in unersättlichem Verlangen und rühmt sich der Kindlichkeit der Erkenntnis der Fischer (d. h. der Apostel). Und die Betrachtung seines Herzens verkehrt mit den Geistwesen im verborgenen Gebet. Er wird zu einem anderen (Menschen): Er sieht — und sieht nicht, er hört — und hört nicht, er ißt — und ißt nicht[26]. (Er freut sich nicht über Lobsprüche und wird durch Beleidigungen nicht verwirrt[27].) Er wird weder durch Ehre aufgeblasen noch durch Tadel betrübt. Er hat nämlich die Rüstung aus der Höhe angezogen und verachtet die Schande. Und siehe, es sprossen von alleine die Gaben des (Heiligen) Geistes.

*

5.4.25 Dies sind die Stufen jener Leiter, auf der der Intellekt zur Höhe des Himmels hinaufsteigt und jene wahrhaftige Stadt betritt, welche die Schau unseres Erlösers bedeutet[28]. Dies ist der nächste Weg, und dies ist der friedliche Hafen, in dem Gott erscheint, dem du dich zu nähern begehrst. Es gibt keinen Weg, der näher wäre zu Gott, als dieser, noch einen Pfad, der (den Weg) stärker abkürzte und zu ihm hinleitetete, als das Gebet. Das Gebet, oh eifriger Gottesfürchtiger, kennt, wenn es mit seinen Regeln gebetet wird, keine Zeit, da der Intellekt nicht mit Gott vermischt wäre[29].

5.4.26 *Die Regeln des Gebetes*

Die Regeln des Gebetes aber sind diese: Fasten, Demut, Gehorsam, beständiges Wachen[30]. Sei eifrig in diesen Tugenden, damit du das Gebet findest. Und (wenn du es gefunden hast,) dann hast du den heiligen Weg zu Gott gefunden, welcher die Liebe ist, wie ich oben sagte. Denn dies ist der wahrhaftige Weg, auf dem die Heiligen jene Stadt des Lebens betreten, welche die Schau des Lichtes der Heiligen Dreifaltigkeit bedeutet[31].

Sieh, ich habe vor dir den Weg. aufgezeichnet, und jene Leiter und jenen Pfad und die Stadt, zu der du aufzusteigen begehrst. Es liegt nun an deiner Weisheit, sich zu mühen, um jene glorreiche Stadt zu betreten, und der Schau unseres

Herrn Christus gewürdigt zu werden, welche das Ziel aller Wege ist, die zu Gott führen[32].

*

5.4.26a *Der Lohn des Gehorsams*

Was der Gehorsam seiner heiligen Gebote ist und welcher der Lohn des Gehorsams ist, das höre in kürze[33].

Der erste Lohn ist die Krone der Leidenschaftslosigkeit, welche die Freiheit von den Leidenschaften bedeutet. Die Schau des Lichtes seiner selbst[34]. Die Einsichten der Natur der Geschöpfe. Die geistliche ‚Weisheit voll der Mannigfaltigkeiten' (Eph 3, 10), die in ihnen verborgen ist. Dies ist der erste Lohn des wahrhaftigen Gehorsams der göttlichen Gebote.

Der zweite Lohn aber ist die Schau der Kontemplation der Vorsehung und des Gerichtes. Und Freude und Tränen, die aller Wonnen voll sind.

Der dritte Lohn ist die Schau der Kontemplation der Körperlosen, zusammen mit der Unterscheidung der Geister, welche die Urheberin aller Erquickungen ist. Ein heiliger Hauch. Der Ausbruch geistlicher Rede[35]. Ein Geschmack, der den Gaumen des Geistes durch seine Lieblichkeit versüßt[36].

Und nach all dem, was ich nannte, die Schau der Kontemplation der Heiligen Dreifaltigkeit. Diese ist kein Lohn, sondern sie wird gnadenhaft verliehen, (ich will sagen, soweit sie hier erkannt werden kann)[37]. All das, was ich nannte, ist der Lohn für den Gehorsam (den göttlichen Geboten gegenüber)[38].

5.4.26b *Das Vorbild Christi*

Du also, mein Bruder, wenn du dich nach dem Gehorsam den göttlichen Geboten gegenüber sehnst und begehrst, sie in eigener Person zu erfüllen, aufdaß du die Stufen, die wir oben nannten[39], betretest und erreichest, und wenn deine Seele darnach verlangt, zum Hafen der Leidenschaftslosigkeit zu gelangen, und wenn du wünschest, daß dich dein täglicher Gehorsam nicht ermüde, dann stelle dir das Ebenbild und getreue Abbild des Gehorsams unseres Herrn um deinetwillen (bildhaft) vor und sinne über die Taten seines Heilshandelns nach. Und durch die Erinnerung an seinen eigenen Gehorsam werden, wie Quellen von Wasser, die Tränen aus deinen Augen fließen, und dein Herz wird mit Freude und unsagbarem Frohlocken erfüllt werden.

5.4.26c Höre den seligen Apostel, wie er das Ziel des eigenen Gehorsams unseres Herrn zu erkennen gibt, warum er geschah, indem er folgendermaßen spricht: „Durch die Furcht und die Leiden, die er erduldete, lernte er den Gehorsam“ (Heb 5, 8), und „er, der Gott ist, kostete aus Gnade für jedermann den Tod“ (Heb 2, 9). Sieh da, das Vorbild des Gehorsams, oh mein Bruder, des Logos-Gottes selbst, der in seiner erhabenen Gottheit im Schoße seines Vater verherrlicht ist, (und) der aus eigenem Willen gehorsam ward bis zum Tode, zum Tode aber des Kreuzes (Phil 2, 8), zusammen[40] mit dem anderen Gebot, das er uns vorgeschrieben hat, welches das Band und die Zusammenfassung aller Gebote ist, und durch seine Majestät erhabener ist als alle Gesetze, nämlich die Barmherzigkeit (und die Liebe zum)[41] Nächsten (Joh 15, 12). Die Barmherzigkeit nämlich bildet in dem, der sie besitzt, das Gleichbild Gottes ab (Lk 6, 36).

5.4.26d *Barmherzigkeit als Summe aller Gebote*

Auf zwei Weisen allerdings wird die Barmherzigkeit von den Menschen geübt. Erstens in den äußeren Taten, und zweitens im Gedanken[42]. Viel erhabener indessen ist die Vergeltung jener (Weise) durch den Gedanken, als die erste (Weise). Denn für den, bei dem die Barmherzigkeit den Menschen gegenüber in seinen Sinn eingepflanzt ist, gibt es keine Zeit, da seine Augen nicht leidvolle Tränen um ihretwillen vergössen.

5.4.26e Die Barmherzigkeit, oh mein Bruder, ist das Tor, durch welches die Heiligen zur Erkenntnis Gottes eintreten und das Empfinden des neuen Lebens empfangen, durch ausgegossene Liebe ohne Unterschied über Gute und Böse, nach dem Vorbild Gottes (Mt 5, 45).

5.4.26f *Barmherzigkeit als Frucht der Kontemplation von Gericht und Vorsehung*

Du sollst wissen, oh Freund meiner Seele, daß jedesmal, wenn sich Regungen der Barmherzigkeit in dir rühren, dies Einsichten der Kontemplation von Gericht und Vorsehung sind[43]. Denn der Mensch vermag die wahre Barmherzigkeit nicht zu erwerben, ohne die Schau dieser beiden Kontemplationen. Von woher entstände (wohl auch) im Menschen die Barmherzigkeit, ohne daß er wüßte, was den Menschen nach der Auferstehung von den Toten widerfährt? Denn diese Kontemplationen machen, wenn sie in Vollendung im Geiste aufleuchten, dem Intellekt Offenbarungen über die Geheimnisse der Erneuerung der Auferstehung. Und weil er die Hoffnung der Menschen empfindet, welche Herrlichkeit und welches ewige nicht endende Leben sie in der neuen Welt empfangen sollen, entsteht aus der Erkenntnis und dem Begreifen dieser Dinge in der Seele, die Gott ähnlich ist, die wahre Barmherzigkeit.

5.4.26g Die Barmherzigkeit nämlich der Taten, die außen geübt wird, geschieht, wie oft, aus (blosser) Gefälligkeit den Menschen gegenüber. Die Barmherzigkeit, die im Gedanken entsteht, ist frei von eitlem Ruhm und ahmt einzig Gott nach, gemäß dem Wort unseres Herrn, der sagte: „Ahmet euren Vater nach, der im Himmel ist" (Mt 5, 48), „der seine Sonne über Gute und Böse aufgehen läßt, und seinen Regen auf Gerechte und Gottlose herabkommen läßt (Mt 5, 45). Er möge uns in seiner Gnade würdig machen, daß wir uns an den glorreichen Geheimnissen seines Heilswirkens ergötzten!

5.4.26h *Gebet*

Und laßet uns beten und folgendermaßen sprechen[44]:

Gewähre mir, mein Herr, in deiner Gnade,
daß mein Geist sich mit deiner Majestät unterhalte,
in jenem Gespräch,
das nicht von der Stimme des Leibes geformt
und nicht von der Zunge von Fleisch ausgesprochen wird.

Sondern gewähre mir,
daß ich dich im Schweigen preise, Schweigsamer,
der du in unaussprechlichem Schweigen gepriesen wirst.

Gewähre mir, mein Herr,
einen Mund von Feuer und eine einfaltige Zunge von Licht,
damit ich durch sie dich, Christus, preise,
der du in glorreichem Lichte wohnst,
das niemand sieht und dem sich niemand zu nahen vermag.

Ich bitte dich, Sproß des Vaters und Abglanz seines Wesens,
beraube mich nicht in dieser Stunde
jener Liebe und jener Zärtlichkeit,
in der die Seelen deiner Heiligen lodern,
um mich mit dir in untrennbarer Einheit zu vereinen.

Würdige mich in deiner Gnade,
daß ich mit den Ohren meiner Seele
jene furchterregende Stimme
der erhabenen Heerscharen vernehme,
die deine Majestät feiern.

Und gewähre mir,
daß ich den Gesang und die Preisung höre,
die in dieser Stunde
von dem Geist der Heiligen vernommen wird.

Wahrhaftig meine Brüder, glaubt mir meine Brüder, was ich (euch) sage, ich lüge nicht[45]! Wenn diese Preisung und dieser Gesang in die Ohren des Geistes fällt, dann werden alle Regungen der Seele und des Leibes wie im Schlaf zum Schweigen gebracht. Und (es verhält sich so), wie ich von Leuten gehört habe, die würdig sind, mit derartigen Geheimnissen betraut zu werden. Sie sagen nämlich, daß auch, wenn die Seelen der Heiligen diese Welt verlassen, die Stimme der Süßigkeit dieser Preisung sie zieht und aus dem Leibe austreten läßt.

Gewähre mir, mein Herr, in deiner Gnade,
daß ich der Schau jener feurigen Einsichten gewürdigt werde,
die sich zur Zeit des Gebetes offenbaren,
und mich an jenem süßen Duft ergötze,
der von ihnen ausströmt.

Und würdige mich,
daß ich dich mit den intelligiblen Heerscharen verherrliche zusammen mit deinem Vater und deinem lebendigen und Heiligen Geist, jetzt und immerdar und in die Ewigkeit der Ewigkeiten. Amen

Beendet ist dieser Brief.

5.4. Der fünfte Brief des Rabban Jausep

[1] Zu den HSS s. o. Einleitung Anm. 91. Eine englische Übersetzung der kurzen Version (nach Mingana 601) findet sich bei A. MINGANA, Woodbrooke Studies VII (1934) 178—184. Eine französische Übersetzung der langen Version (nach Cambridge Add. 2019) bei KHALIFÉ-HACHEM, Melto 5 (1969) 32—59. Wir folgen für die kurze Version Mingana 601 und Vat. Syr 509. Für die lange Version haben wir Sachau 352 (= B) zugrunde gelegt und dort, wo der Text unlesbar war, die Lücken nach BM Add 12.1167 (= A) und KHALIFÉ-HACHEM (=C) ergänzt. Die älteste HS BM Add. 12.167 weist leider den Verlust eines oder mehrerer Blätter auf, Add. 14.729 ist sehr schwer lesbar und Add. 17.163 nur ein Fragment. Sachau 352, eine sehr schöne und deutlich geschriebene HS des 13. Jh., eignete sich daher schließlich noch ehesten als Grundlage der Übersetzung. Nur die wesentlichen Abweichungen der beiden Versionen wurden notiert. Zu diesem Brief vgl. Kap. XXII des Isaak von Ninive (Bedjan 163 ff./Wensinck 111 ff.), sowie sein Buch der Gnade,' auf das in den Anm. verwiesen wird.

[2] Das Folgende bis § 3 einschließlich übergeht C.

[3] Das Folgende bis § 3 einschließlich übergehen A, B.

[4] Vgl. Text 1, 165, wo diese Wendung den Ort der Geisthaftigkeit bezeichnet.

[5] Das Folgende bis § 5 einschließlich übergeht C.

[6] Das Folgende bis § 5 einschließlich übergehen A, B.

[7] Dasselbe Bild entwickelt Text 9, 63.

[8] Vgl. Text 1, 78.A B C fügen hier noch hinzu: ,,Es gibt in der Tat nichts, das mächtiger wäre als das Gebet".

[9] Das Folgende bis § 11 einschließlich lassen A B C aus.

[10] Im großen ‚Memra über die Gottheit' (Mingana 601, f. 308a) führt Jausep diese Deutung auf *Theodor von Mopsuestia* zurück. Sie ist auch sonst in ostsyrischen Kreisen verbreitet, vgl. die ‚Syrische Schatzhöhle' (Übersetzung von W. BUDGE, The Book of the Cave of Treasures, London 1927, 154 f.) und A. LEVENE, The Early Syrian Fathers on Genesis, London 1951, 96 und 299.

[11] Das Folgende bis § 17 (... in der Himmelshöhe liegt.) lassen A B C aus.

[12] S. u. Text 9, 84.

[13] Das Folgende bis § 19 (... himmlische Schatz ist.) lassen A B C aus

[14] S. o. Text 1 Anm. 14.

[15] Vgl. Evagrios, Cent. Suppl. 21, s. auch Text 6.

[16] Das Gebet ist ‚rein', wenn es von allen Bildern und Vorstellungen frei ist.

[17] Die Reue nämlich zerstört alle Versuchungen des Widersachers, vgl. Text 1, 114.

[18] Weil es sich um ein rein äußerliches Hersagen von Gebetesformeln handelt, s. weiter unten.

[19] S. dazu Text 1, 155 f.

[20] Das klassische Unterscheidungsmerkmal, s. Text 3 Anm. 40.

[21] In den folgenden §§ 24 a—d ist Isaak von Ninive, Buch der Gnade V, 27 ff. so ausgiebig benutzt, daß alle Verweise ermüdend wären. Alle Themen finden sich dort wieder. Wie der Hinweis auf die „Väter" in § 24c zeigt, hatte Jausep seine Quelle offenbar vor Augen. Es ist zu beachten, daß Jausep hier mit dem in Mingana 86 überlieferten Text übereinstimmt, der von dem Vat Syr 563 etc. erhaltenen gerade hier z. T. erheblich abweicht! In einzelnen Fällen sind mir daher nicht dem Text KHALIFÉ-HACHEMS gefolgt, um Sachau 352 zu ergänzen, sondern Mingana 86.

[22] Gemeint ist Isaak von Ninive, Buch der Gnade V, 29. 31.

[23] Vgl. Text 9, 89.90 (mit Bezug auf die drei Stufen).

[24] Zum Folgenden vgl. die analoge Beschreibung in Text 1, 76 und 3, 4. Die Quelle ist wieder Isaak, Buch der Gnade V, 32. 33.

[25] Diese seltsame Wendung erklärt sich vielleicht aus Isaak, Buch der Gnade V, 33: „... Er verkehrt ferner nicht mehr mit den Menschen, weil sie einer des anderen Sprache nicht mehr verstehen. Es ward nämlich der Sprache der Engel gewürdigt und in ihr lobpreist er in der Verborgenheit seines Geistes." Gemeint ist also wohl das, was Jausep sonst den „Wort-Ausbruch" nennt, s. o. § 3.2.

[26] Vgl. ausführlich Text 6, 23! S. auch Isaak, Buch der Gnade V, 33.

[27] Der eingeklammerte Satz fehlt in B. Zum Folgenden vgl. Isaak, Buch der Gnade V, 32.

[28] S. Einleitung § 3.2. Gottesschau ist stets Schau des verklärten Erlösers Jesus Christus.

[29] A B C fügen hinzu: „und in der Erkenntnis an der Offenbarung seiner Geheimnisse teilnähme."

[30] A B und C (mit etwas anderer Einleitung) fügen hinzu: „zusammen mit einem Ort, der Gelegenheit zur Abgeschiedenheit gibt, damit die Sinne zum Schweigen gebracht werden von dem Lärm und dem Umgang mit der Menge".

[31] Vgl. Text 2,5.

[32] In der kurzen Version folgt hier die Schlußdoxologie: „Ihm sei der Lobpreis und uns gebe er die Kraft, um auf dem Weg des Lebens zu wandeln und auf dieser Leiter hinaufzusteigen und die Stadt des Lebens zu erben. Amen."

[33] Die von KHALIFÉ-HACHEM a. a. O. 27f. hier empfundenen Textschwierigkeiten müssen auf einem Mißverständnis beruhen und können kaum als Erweis einer Interpolation herhalten. Der Übergang ist etwas

unvermittelt, — doch solcher Übergänge gibt es viele in diesem Brief! — aber grammatisch einwandfrei.

[34] Vgl. Text 1,51.128.152,167; 8,1; 10,28.

[35] Vgl. Einleitung § 3.2

[36] Zur Bedeutung der fünf Sinne des Intellektes s. o. Text 3 Anm. 13.

[37] Der eingeklammerte Satz findet sich nur in A C.

[38] idem. Zum folgenden vgl. Text 1, 23 f. 30 f.!

[39] Gemeint sind §§ 24abc, wo allerdings der Begriff „Stufe", den Jausep sonst nur im Sinne der drei Stufen (Leib-, Seelen- und Geisthaftigkeit) verwendet, nicht vorkommt.

[40] KHALIFÉ-HACHEM a. a. O. 28 f. empfindet diesen Übergang als so hart, daß er ihm als Erweis der Einführung eines weiteren Textstücks erscheint. Die Schwierigkeit beruht zum Teil auf der von KHALIFÉ-HACHEM benutzten HS. Sachau 352, der wir folgen, läßt sich sehr wohl so verstehen, daß dieses „zusammen" auf das vorhergehende „sieh da, das Vorbild..." zurückgreift und weiterführt.

[41] So in A, B ist beschädigt, C läßt die Worte aus.

[42] Die folgende Unterscheidung wirkt leicht mißverständlich. Jausep will sicher nicht die werktätige Liebe zugunsten einer reinen Gesinnungsliebe herabsetzen, sondern nur die Notwendigkeit der Verwurzelung der Liebe im Herzen einem bloß äußerlichen Tun gegenüberstellen.

[43] Vgl. Text 1, 152 f. 3, 10; 6,4. Trotz des evagrianischen Vokabulars steht sachlich vor allem Johannes von Apameia im Hintergrund, vgl. HAUSHERR OCA 120 (1939) 86 f.!

[44] Sowohl A B als C, die zudem voneinander abweichen, weisen eine gewisse Inkonsequenz hinsichtlich von Person und Numerus auf. Wir haben daher einheitlich mit der 1. Ps. Sg. übersetzt.

[45] KHALIFÉ-HACHEM a. a. O. 29 f. hält dieses Prosastück, daß das Gebet unterbricht, für eine weitere Interpolation und verweist auf Text 6,30 als Quelle. Ist jedoch ein solches Verfahren „mit Schere und Klebstoff" schon an sich unwahrscheinlich, so wäre auch auf Text 1,164 zu verweisen, wo Jausep identische Aussagen macht. Wir haben es also einfach mit normalen Wiederholungen zu tun, wie sie bei einem Autor, der so viel geschrieben hat wie Jausep, leicht vorkommen. Man denke nur an Evagrios!

5.5 Von dem selben Mar ʿAbdishoʿ, über die geistliche Kontemplation, welche den Intellekt zur Zeit des Gebetes über das Bewegtwerden der Sinne hinauszieht, und über die Gedanken und Einsichten der Dinge hinaus. Und über die feurige Regung, welche die Seele in ihr Bildnis umwandelt, jedesmal, wenn diese Kontemplation den Intellekt zu sich hinzieht[1].

5.5.1 Bei denjenigen nun, denen die Gnade Gottes Gedeien gewährt hat, und die sich der Werke der Tugend befleißigt haben, und die die Behausung ihres Herzens von den Leidenschaften und Begehren und Neid und Zorn und Verleumdung und Überheblichkeit, der Mutter und Pflegerin aller Leidenschaften, gereinigt haben, und die die Reinheit der Seele und die Lauterkeit des Intellektes erworben haben, und die um ihrer Liebe zu unserem Herrn Christus willen schon zu heiligen Tempeln für Gott, den Allerhöchsten, den König aller Welten geworden sind, gemäß dem Wort des Propheten, der da sagt: „Ihr seid Tempel Gottes, wenn ihr vor ihm eure Wege und eure Werke angenehm macht" (Jer 7,4—5)[2], und denen sich die Kraft des Schatzes des Lebens geoffenbart hat, der in ihnen liegt, das heißt der Heilige Geist, den sie durch die heilige Taufe bei der Wiedergeburt, empfangen haben, und deren Intellekt die heilige Schau erworben hat, welche die Höhe und die Tiefe aller Naturen betrachtet, seien sie nun sinnlich oder intelligibel, — erhebt sich jedesmal wenn sie zum Gebet schreiten und zur göttlichen Liturgie, um in der Ordnung des geistlichen Priestertums im inneren Allerheiligsten zu zelebrieren, in ihrer Seele eine feurige Regung, aus welcher ein unsagbar lieblicher Durft ausströmt und hervorgeht[3].

5.5.2 Wenn die Seele, die dessen gewürdigt ward, ihn riecht, dann ersteht sie von der Sterblichkeit zum Leben auf, und aus der Finsternis geht sie zum Licht hervor, und von der Unwissenheit tritt sie hin zur wahren Erkenntnis, und vom Zweifel zur Genauigkeit der Wirklichkeit, und von der Schau der sinnlichen Dinge zur Schau der intelligiblen Dinge, und von der Verwirrtheit der Zerstreuung dieser Welt zum Emfpinden der neuen Welt. Und von der Ordnung ihrer Natur wird die Seele zu dem Bild, das jenseits ihrer Natur ist, umgewandelt, und von der bisherigen Leidensfähigkeit in ihren Gedanken wird sie durch jene feurige Regung in ihren Gedanken zur Leidenschaftslosigkeit hingebracht.

5.5.3 Denn wie durch reinen Wein, so wird der Intellekt trunken und in Staunen versetzt durch die Schau dieser feurigen Regung, durch welche er in dem lieblichen Duft jenes heiligen Hauchs die Verwandlung erfährt.

5.5.4 Darum ist diese feurige Regung, von der ich sprach, ein geistlicher Schlüssel, der vor dem Intellekt die innere Türe des Herzens öffnet und ihm den geistlichen Ort weist, an dem unser Herr Christus wohnt, innen in uns, in der Verborgenheit unseres Herzens, nach dem Wort des göttlichen Paulus, der da sagte, indem er uns zur Erkenntnis dieser erhabenen Gabe mahnte: „Prüfet euch selbst, ob ihr im Glauben steht. Erprobet euch selbst. Oder wißt ihr etwa nicht, daß Jesus Christus in euch ist? Es sei denn, daß ihr Verworfene seid." (2 Kor 13, 5). Denn da, wo der Herr Christus weilt, da ist auch sein Geist gemäß dem Apostel Paulus. Und da, wo der Geist des Herrn ist, da ist auch Freiheit (2 Kor 3, 17) von den Leidenschaften. Und da, wo Befreiung von den Leidenschaften ist, da herrschen das

Königreich und Friede Heil und Freude im Heiligen Geist (vgl. Röm 14, 17).

5.5.5 Und vor der Gewalt der Freude und des Jubels des Herzens weiß der Mensch seine Sinne nicht (mehr) zu ordnen, weil er nämlich das Wirken dieser feurigen Regung nicht zu ertragen vermag. Daher fällt der Mensch, sobald jene feurige Regung sich in seiner Seele erhebt sogleich auf die Erde und er ißt den Staub, der auf ihr ist, wie Brot, vor dem Aufwallen der göttlichen Liebe und dem Auflodern und dem Brand ihrer Hitze[4].

5.5.6 Selig der Sohn des Menschen, der jener Heimsuchung gewürdigt ward, und der Sohn des Fleisches, dessen Gaumen seines Geistes jene Süßigkeit der Wonne gekostet hat, die von jener feurigen Regung herrührt, welche mit den Regungen der Seele verkostet wird, durch das Erbarmen der Barmherzigkeit Christi unseres Herrn!

5.5.7 Und durch das Wirken jener göttlichen Regung erstrahlt sodann, wenn es eine gewisse Zeit andauert, in der Seele wie eine Wolke die geistliche Kontemplation bezüglich der Schau und der Einsicht der Welten die waren und die sein werden, auf. Und hinfort wird, so wie bei dem Sohne Amrams (d. h. Moses) auf der Spitze des Berges (Ex 34, 29), gleicherweise das Antlitz des Geists im Lichte ihrer (der Kontemplation) Schau schimmern, und sie wird den Intellekt zu sich hinziehen, weg von der Schau und den Einsichten aller Erkenntnisse.

5.5.8 Und es bleibt dem Intellekt kein Empfinden von irgend etwas, außer dem (Empfinden) ihrer (der Kontemplation) Schau und Einsicht. Und das Herz des Menschen wird ganz ausgefüllt mit jenem heiligen Licht der Schau dieser Kontemplation bis der Intellekt auch sich selbst nicht mehr sieht oder unterscheidet, denn alle Regungen seiner Geistigkeit sind in diesem Augenblick ihr (der Kontemplation) gleich[5]. Dort gibt es keinen Gedanken an irgend etwas, und kein Denken und keine Überlegung, und weder Regungen noch Bewegungen, sondern nur Verwunderung über Gott und unsagbares Staunen.

5.5.9 Selig derjenige, der dieser Gabe gewürdigt ward, deren Wirkungen für eine fleischliche Zunge aunaussprechlich sind. Denn Geheimnisse offenbaren sich dort und Offenbarungen, die der Geist von einem Geist (allein) auf geistliche Weise zu empfangen vermag, weil eine Zunge von Fleisch tatsächlich keine Macht über sie hat, um sie auszusprechen.

5.5.10 Die Väter sagen nämlich, daß der Mensch in der Schau dieser heiligen Kontemplation des Eintretens in den Ort der Geisthaftigkeit gewürdigt wird[6]. Denn die Heimsuchung der Schau dieser Kontemplation widerfährt dem Menchen *zwischen* der Stufe der Seelenhaftigkeit und dem Ort der Vollkommenheit. Denn unterhalb von ihr befindet sich der Ort der Seelenhaftigkeit, an dem Opfer und Gebete dargebracht werden. Von dieser Heimsuchung an und darüber hinaus aber ist der Ort der Vollkommenheit, an dem weder Opfer noch Gebet dargebracht werden[7], sondern an dem sich dem geisthaften Intellekt Geheimnisse und Offenbarungen der neuen Welt offenbaren.

5.5.11 Deshalb ist dies ein wahrhaftiges Erkennungszeichen und Unterscheidungsmerkmal, an dem einer, wenn er sich seiner bewußt wird, erkennt, daß er nunmehr am Ort der wahren Seelenhaftigkeit[8] angelangt ist: Solange dein Intellekt noch nicht zu jener Schau jener Kontemplation gelangt ist, erkenne bei dir selbst, daß du dich in deinem Wandel (noch) unterhalb des Ortes der Lauterkeit befindest. Und wie es in deiner Kraft steht, streite mit den Gedanken und erwirb dir Wachen und Fasten und Gebet und Lesen und Betrachtung der göttlichen Schriften durch welche du in den Ort der Lauterkeit eingeführt werden kannst.

5.5.12 Denn von der Ordnung der Leibhaftigkeit wird der Mensch zur Reinheit erhoben, und von der Reinheit wird er zur Stufe der Seelenhaftigkeit geführt, und von der Seelenhaftigkeit wiederum zum Empfinden und zur Schau dieser staunenswerten Heimsuchung, und vor der Schau dieser (Heimsuchung) zum Eintreten in den Ort der Vollkommenheit, um im inneren Allerheiligsten zu zelebrieren[9], dort, wo sich als wahrer Hohepriester unser Herr Jesus Christus befindet.

5.5.13 Dort aber gibt es nicht ein Licht und noch ein Licht, und nicht ein Bild und noch ein Bild, und nicht ein Empfinden und noch ein Empfinden, sondern (nur) ein Licht und ein Empfinden und ein Bild, das heißt die glorreiche Schau unseres Erlösers, er der in seinem Erbarmen einen jeden, der von seinem Fleisch und seinem Bein ist, der Wonne jener glorreichen Geheimnisse würdigen möge, hier auf geheimnisvolle Weise, und dort im Jenseits in voller Wirklichkeit. Amen.

5.5 Von demselben Mar ʿAbdishoʿ, über die geistliche Kontemplation.

[1] HSS: N. D. des Semences 237 (VOSTÉ XXVII), und deren Abschriften Vat Syr 509, f. 104a—106a und Mingana 601, f. 143b—145b. Englische Übersetzung bei MINGANA, Woodbrooke Studies VII (1934) 148—151. — Eine deutsche Übersetzung veröffentlichte A. RÜCKER, Aus dem mystischen Schrifttum nestorianischer Mönche des 6.—8. Jahrhunderts, in: Morgenland 28 (1936) 51—53. — Eine weitere Kopie, wohl ebenfalls von N. D. des Semences 237, liegt vor in Mingana 47, f. 249b—251a (von MINGANA selbst nicht bemerkt und aus dem Katalog nicht zu ersehen).
[2] So nach der Version der Pshita, die z. B. auch Afrahat zitiert (Patrologia Syriaca I, 1 col 9). Der Sinn in M und LXX ist ein gänzlich anderer!
[3] Vgl. Text 1, 119. Der Gedanke des geistlichen Priestertums, der Liturgie des Herzens, ist auch Isaak von Ninive besonders lieb, vgl. z. B. Buch der Gnade I, 47 u. ö.
[4] Vgl. Text 1, 119—120.
[5] Vgl. Text 1, 167 und Text 3, 12.
[6] Verweis auf Isaak von Ninive? Nicht identifiziert.
[7] Vgl. Text 4, 22.
[8] So alle HSS. Liegt nicht ein Verschreiben von „Lauterkeit“ vor? S. u. Text 6, 12, wo ebenfalls von der *wahren Lauterkeit* die Rede ist.
[9] Ein Bild, das auch Isaak von Ninive gerne verwendet, vgl. z. B. Buch der Gnade I, 47 u. ö.

5.6 Von demselben (Mar ʻAbdishoʻ), über das Gebet, das dem Intellekt am Ort der Lauterkeit zuteil wird, und gegen jene, die behaupten, dass die Schau des Intellektes (noch) Bild und Form habe, wenn er zum Ort jenseits der Lauterkeit gelangt ist. Und (darüber), wie die Schau am Ort der Reinheit ist, und wie (der Intellekt), wenn er zum Ort der Lauterkeit kommt, weder Bild noch Form hat, gleichwie Gott weder Bild noch Form hat, weil die (Gott) betreffende Schau sich jenseits von Bildern und Formen befindet[1].

5.6.1 *Das Gebet am Ort der Lauterkeit ist allein geistiges Schauen und Betrachten*

Wiewohl wir in der dieser vorhergehenden Abhandlung über die geistliche Kontemplation gesprochen haben[2], die dem Intellekt zwischen der Lauterkeit und dem Ort der Vollkommenheit durch (göttliche) Heimsuchung zuteil wird, so gedenke ich doch jetzt auch über die Weise der Ordnung im Gebet zu sprechen, das dem Intellekt am Ort der Lauterkeit widerfährt. Auch wenn nämlich für den Intellekt wenn er zur Lauterkeit gelangt ist, keine Zeit (mehr) besteht, wo er etwa nicht betete, so hat sein Gebet doch eine Ordnung, die verschieden ist von dem (Gebet), das er am Ort der Reinheit betet. Das wahre Gebet, das der Intellekt am Ort der Lauterkeit betet, ist folgendes. Nämlich: Einsichten der Heiligen Schriften, Geheimnisse und Offenbarungen in der Kontemplation der Körperlichen, die den Geist beständig in Staunen versetzen vor Verwunderung über die Tiefe der Weisheit des Allherrn, die in ihnen verborgen ist, und die den Geist zu sich hinzieht, weg von allen Dingen, die im Körper zum Wohlgefallen des Willens

Gottes geübt werden. Wie der Apostel sagte: ,,Er schied die Zeiten durch sein Gebot und setzte die Grenzen der Wohnung der Menschen fest" (Apg 17, 26). Und hinzufügend sagt er: ,,Damit sie nach Gott suchten und forschten, und ihn aus seinen Geschöpfen fänden" (Apg 17, 27). Und wiederum: ,,Die verborgenen Dinge Gottes sind seinen Geschöpfen seit Grundlegung der Welt durch die Werke in der Einsicht offenbar, auch seine Kraft und seine ewige Gottheit" (Röm 1, 19—20).

5.6.2 Deshalb gibt es am Ort der Lauterkeit (nur) eine Ordnung des Gebetes des Geistes, wie ich (schon) einmal gesagt habe, weil es dort weder Gebete noch Opfer gibt, an jenem erhabenen und von dem Tumult der Leidenschaften freien Ort, noch Flehen und Bitten für die früheren Übertretungen. Besteht doch noch nicht einmal eine Erinnerung an den sinnenhaften Wandel, der am Ort der Reinheit vollbracht wird, und dessen Erinnerung sich beständig im Geiste regt, sondern all' diese Dinge und was ihnen gleicht hören am Ort der Lauterkeit bei dem Intellekt auf und ihre Erinnerung verliert sich aus dem Empfinden des Geistes. Und er wird beständig von Dingen, die erhabener und vorzüglicher sind als diese, im Staunen über die Schöpfermacht Gottes, des Allweisen, angeregt.

5.6.3 Denn wie ich oben sagte, gibt es (nur) eine Ordnung des Gebetes des Geistes, wenn er zum Ort der Lauterkeit erhoben wir, nämlich die Schau und das süße Betrachten in der geistlichen Erkenntnis, die in all dem steckt und verborgen ist. Gleichwie nämlich der selige Moses, als er während sechs Tage in der Wolke stand, an denen die Schöpfung von dem weisen Schöpfer erschaffen wurde[3], kein manifestes Gebet hatte, sondern nur ein Betrachten und geistliches Schauen der Geschöpfe Gottes, des Allherrn, und einen Umgang und ein Gespräch mit der Majestät des Allerhöchsten und Gepriesenen, dessen Name heilig und dessen Wohnung heilig ist, ebenso (und) auf die gleiche Weise hat auch der Geist, der durch die Erfolge seines göttlichen Wandels zur Lauterkeit gelangt ist, von da an kein Betrachten und kein Schauen mehr von irgend etwas anderem, abgesehen allein von dem einen einzigen süßen Betrachten der Gemächte Gottes, des weisen Schöpfers.

5.6.4 Dies ist es, was der Prophet sagte: „Brot der Engel ass der Mensch" (Ps 78, 25), das heißt, die geistliche Einsicht, die versteckt und verborgen ist in den Werken Gottes, und einzig von dem reinen Geist empfunden und erkannt wird, der zur Lauterkeit gelangt ist. Und mit unendlicher Freude wird der Intellekt an diesem Ort erfüllt und mit unsäglichem Jubel, und Friede und Stille herrschen in allen Kräften und Teilen der Seele. Und hinfort besitzt der Mensch wahrhaftige Liebe und Zärtlichkeit zu allen Menschen, indem er mit ihnen leidet und es ihn um sie schmerzt, daß sie durch die Süßigkeit der Verlockungen der Lüste dessen beraubt sind.

5.6.5 *Gebet, Opfer usw. gehören der Stufe der Seelenhaftigkeit an*

Da es aber nun viele gibt, die wider ihr besseres Wissen[4] behaupten, daß es auch am Ort der Lauterkeit noch Gebete und Opfer und Seufzer und Flehen für die früheren Übertretungen gebe, ohne (überhaupt) zu wissen, weder was sie sagen, noch worüber sie Behauptungen anstellen, möchte ich klar aufzeigen, wie und in welcher Ordnung es Raum für die Gebete gibt, die verrichtet werden, und die Bitten und Flehen für die früheren Übertretungen, und wo sich eine Erinnerung an sie in der Seele regt und sie zu den Mühen der Tugend aufweckt.

5.6.6 Wenn also der Mensch diese Welt in dem tugendhaften Gedanken der Gottesfurcht verlassen und sich diesem heiligen Stand des Mönchtums beigestellt hat und hinfort mit dem Weg der Tugend angefangen und sein Fuß bereits die Stufe der Leibhaftigkeit betreten hat, dann beginnt er das Fundament seines Wandels auszuheben und zu legen, daß heißt die harten Mühen aller Art, die durch den Leib geübt werden, weil ihn beständig die Erinnerung an die vergangenen Dinge, in denen er sich verfehlt hat, sticht. Und er vermag nicht von den sinnenhaften Mühen abzulassen oder sich abzuwenden, welche mit dem Körper zum Wohlgefallen des Willens Gottes geübt werden, weil sich hier auch das Feuer der natürlichen Samen in ihm regt[5]. Und in dem Maße, wie dieses (Feuer) in seinem Herzen entflammt wird, fügt er zu den Mühen hinzu und vervielfältigt die Verpflichtungen und vermehrt seine Tugenden auf die unterschiedlichsten Weisen:

5.6.7 Durch das Erbarmen über die Armen und Elenden, durch das Mitleid mit den Bedürftigen, durch das Mitgefühl mit den Bedrängten unde Geschlagenen, durch das Aufnehmen der Fremden, durch das Waschen der Füße der Erschöpften, durch das Besuchen der Kranken, durch das Bedienen der Leidenden, mit den restlichen Tugenden die diesen gleich sind, indem er streitet und sich müht, alle jene Gebote (zu erfüllen), von denen unser Herr im Evangelium zu den Söhnen der Rechten sprach: „Ich war krank und ihr habt mich besucht, und ich war nackt und ihr habt mich bekleidet, ich war fremd und ihr habt mich aufgenommen, ich war im Gefängnis und ihr habt mich besucht" usw. (Mt 25, 35 ff.). Diese (Tugenden) werden sich bei dem Menschen Stück für Stück in Vollendung finden, der mit diesem heiligen Weg angefangen hat.

5.6.8 Und durch all diese und andere (Tugenden), die wir nicht erwähnt haben, wird die Seele von den ihr eigenen Leidenschaften gereinigt, dem Begehren will ich sagen, und dem Zorn, dessen Helfer. Und wenn die Seele dann von diesen Dingen gereinigt ist, weil sie nicht mehr in die entgegengesetzte Richtung bewegt werden und nach links hin wirken, sondern in der natürlichen Ordnung wirken, dann wird der Seele von da an die Quelle der göttlichen Gebete und Bitten und Flehen zuteil. Und von nun an besitzt sie die Reinheit. Und wenn sie rein geworden ist und nunmehr in ihrer natürlichen Ordnung auferstanden ist, dann erscheint sie beständig in der Farbe des Saphirs oder des Himmels[6] und all ihre Gebete steigen im Herzen wie feurige Wohlgerüche auf und reinigen und säubern die Seele, gleichwie das Eisen, das ins Feuer geht und von aller Schlacke gereinigt wird. In gleicher Weise auch reinigen die (Wohlgerüche) durch das Wirken der natürlichen Samen, die in (der Seele) wirken, ihr Gebet und bringen (die Seele) zum Ort der Lauterkeit.

5.6.9 *Am Ort der Lauterkeit*[7]

Am Ort der Lauterkeit nun hören alle Regungen des Gebetes auf, wie ich oben dargelegt habe, weil die Seele dort keine Erinnerung mehr an irgendeine der früheren Übertretungen hat, daß sie sich um Gebete und Bitten kümmern müßte. Sondern (es herrscht nur) ein Frieden, der höher ist als alles Verstehen, und Stille weilt in allen Regungen der Seele und des Intellektes, und es bleibt ihm keine Erinnerung an irgend etwas, sondern nur Staunen über die Weisheit Gottes, die in den Naturen und den Dingen der Schöpfung verborgen ist. Denn auch die Einsicht in das Gericht und die Vorsehung Gottes leuchtet beständig in der Seele auf und zieht sie zu sich hin, wie ein Magnetstein, der die Eisenspäne zu sich hinzieht. Und (die Einsicht) gestattet (der Seele) nicht, sich dem Gebete zuzuwenden oder irgendeine Handlung zu unternehmen, sondern sie reißt sie beständig zum Staunen über das Erbarmen Gottes des Allherrn hin.

5.6.10 In einem solchen Staunen und einer solchen Verwunderung hören alle Regungen der Gebete auf und bleiben untätig. Denn Gebete bringt einer aus folgenden Gründen dar: Entweder betet einer wegen der Schwachheiten, die er früher begangen hat, oder wegen einer Erkrankung des Leibes, oder um der Bedürfnisse von Dingen willen, die ihm nötig sind, oder um die Befreiung von seinen Leidenschaften, die sich beständig in ihm regen und ihn mit ihren Quälereien stacheln, oder um die Freiheit und Rettung vor den tyrannischen Dämonen, die uns den Krieg machen, oder wegen der Schädigungen der anderen, die uns übel getan haben, oder darum, daß es uns wohl gehe, zusammen mit anderen, diesen ähnlichen (Gründen), die wir nicht alle aufzuzählen brauchen. Um all dieser Gründe willen also, die ich genannt habe, wird Gott von uns ein Gebet dargebracht, auf daß er uns Befreiung wirke und von diesen Dingen errette, und uns den Beistand seiner Barmherzigkeit gewähre, auf daß wir fleckenlos vor ihm seien. Und kurz gesagt, um dieser Dinge willen und wegen der Erinnerung an sie bringen wir Gott eine Bitte dar. „Opfer und Spenden bringt man dar, wo Sünde ist", sagt einer der Heiligen[8].

5.6.11 Darum hört, wenn der Intellekt bereits zum Ort der Lauterkeit gelangt ist, und dem Druck der Leidenschaften entronnen ist und von dem Wirken der Sünde befreit ward, die Erinnerung an all jene Dinge, von denen ich oben sprach, auf, da er sich jenseits des Ortes der Leidenschaften und ihres Sichregens am Ort der Lauterkeit befindet. Und eines ist das Gebet hinfort, das der Geist dort besitzt, nämlich für die Bekehrung der Menschen, die vom Irrtum festgehalten werden, auf daß sie sich von der Bosheit zur Tugend wenden und von der Unwissenheit zur Erkenntnis der Wahrheit. Und abgesehen von diesem einen hat er kein anderes Gebet, sondern vielmehr die Schau und das Staunen über die „Weisheit Gottes, voll der Mannigfaltigkeiten (Eph 3, 10)[9]", die in den Naturen der Geschöpfe verborgen ist.

5.6.12 Dies sage ich indessen nicht hinsichtlich der (nur) teilhaften Lauterkeit, sondern bezüglich der vollkommenen. Denn es gibt eine Lauterkeit, die (nur) teilhaft ist, und es gibt die vollendete, bei der der Intellekt in Wolken von kristallenem Licht geborgen ist, wie jener gottgeliebte Stammelnde, der Sohn Amrams[10], auf der Spitze des Berges sechs Tage lang (Ex 24, 16). Denn jedesmal, wenn der Intellekt zur Stufe der wahren Lauterkeit gelangt, ist er beständig mit einer Kontemplation bekleidet, die das Aussehen des Lichtes des Kristalls hat[11].

5.6.13 Dies ist der Ort, an dem die Geistwesen in ihrer Natur geschaut werden, deren Stimmen ein Feuer sind, das brennt und lodert. Denn dies ist der Ort, an dem die Geistwesen auf geisthafte Weise das dreifache „Heilig" jenem Verborgenen und Verhüllten lobpreisen[12], der in glorreichem Lichte wohnt, dem sich niemals jemand zu nahen vermag (vgl. 1 Tim 6, 16). Wie der Prophet Isaias, der Sohn des Amos, sagte: „Ich sah den Herrn auf einem hohen und erhabenen Thorn sitzen und die Glorie seiner Herrlichkeit erfüllte seinen Tempel. Und Seraphim standen über ihm, von denen ein jeder je sechs Flügel hatte. Und sie fliegen und schweben ohne aufzuhören und rufen einer dem anderen zu und sprechen: Heilig, Heilig, Heilig, der Herr der Allmächtige, von dessen Herrlichkeit die Erde voll ist!" (Is 6, 1—3).

Und von diesem Ort der Lauterkeit wird der Intellekt zum Ort der Geisthaftigkeit erhoben, wo seine Schau weder Bild noch Form hat, weil er ganz und gar mit der Schau des Lichtes sonder Form bekleidet ist[13].

5.6.14 *Wider die Leugner der Bildlosigkeit der Schau am Ort der Geisthaftigkeit.*

Es gibt indessen viele, die sich aus Unwissenheit (etwas) einbilden und sagen: ‚Von der Lauterkeit an und darüber hinaus besitzt die Schau des Intellektes (noch) Bild und Form', dieweil sie garnicht wissen, was sie da behaupten. Wie soll denn das überhaupt möglich sein, da doch dann der Intellekt weder sich selbst erkennt noch sich von der Herrlichkeit des Lichtes sonder Form zu unterscheiden vermag, in dem seine Geisthaftigkeit versunken ist[14]? Und wenn dies wahr ist, wie können dann jene sagen, daß die Schau des Intellektes (noch) Bild und Form habe, von der Lauterkeit an und darüber hinaus? Denn[15] Gott hat weder Bild noch Form, wiewohl in den Schriften Formen über ihn ausgesagt werden, in denen er seine Offenbarungen manifestiert und uns über sein Wesen belehrt; doch sind alle diese (Formen) der Natur seines Wesens fremd[16]. Denn die Natur seines Wesens gleicht weder dem Feuer, noch dem Licht der Sonne, noch der Luft noch irgend einem der übrigen Elemente, noch den Stoffen, die von ihnen herstammen. Denn die Natur seines Wesens ist erhabener als alle Formen und Bilder und zusammengesetzten Dinge in dieser unserer Schöpfung. Denn seine Natur ist in der Tat feiner auch als Feuer, Licht und Luft, so daß diese (Elemente) im Vergleich zu dieser glorreichen Natur des Herrn des Alls (geradezu) dicke und schwere Körper sind. Deshalb gibt es für ihn kein Bild in irgend einem von den Dingen, die in unserer Schöpfung zu sehen sind.

5.6.15 Ebenso verhält es sich aber auch mit dem Intellekt, dem Ebenbild Gottes, wenn er zum Ort der Vollkommenheit gelangt und zur erhabenen Stufe der Geisthaftigkeit, weil ja jedes Gebet, das existiert, die Bilder seiner Prototypen[17] in sich eingegraben trägt. Und wie es für Gott, den Prototyp, weder Bild noch Form gibt, so auch nicht für den Intellekt, sein Ebenbild, wenn er zum Ort der Vollkommenheit gelangt ist. Dort hat er weder Bild noch Form, noch auch seine Schau. Weil, wenn seine Geisthaftigkeit in jener verborgenen Glorie der Kontemplation der Heiligen Dreifaltigkeit versunken ist, dort niemand mehr seine Natur von jenem heiligen Licht zu unterscheiden vermag; noch auch besitzt er dort Formen oder Bilder.

Diejenigen indessen werden verstehen, was ich sage, die durch die Gnade unseres Herrn des Betretens dieses Ortes der Vollkommenheit gewürdigt wurden, und sie werden begreifen, daß alles, was ich gesagt habe, die Wahrheit ist und daß es darin keine Lüge gibt. Denn aus Geschriebenem und aus dem Hören (allein), ohne persönliche Erfahrung, weiß dies niemand.

5.6.16 Und, um es kurz zu sagen, der Intellekt besitzt dort keine Schau von irgendetwas, sondern bloß die glorreiche Schau unseres Erlösers, die sich jenseits der Sinne und jenseits der sinnlichen Formen und Bilder befindet. Darum vertritt auch der Berühmte unter den Heiligen, MAR ISAAK, dieselbe Meinung: „Diejenigen die behaupten, daß es in dieser Welt eine Schau unseres Erlösers auf eine andere Weise als in der Kontemplation gäbe, gleichen denen, die behaupten, daß in der zukünftigen Welt die Wonne seines Königreiches sinnenhaft sei, und es ein materielles Bedürfnis gäbe und die Schwere der Leiber[18]". Und er fügt darauf hinzu: „Alle beide sind von der Wahrheit abgewichen. Denn wie er, werden auch seine Brüder sein (vgl. 1 Joh 3, 2). Denn wenn Christus unser Herr sich dem Geist der Heiligen am Ort, der jenseits der Lauterkeit ist, offenbart, dann hat seine glorreiche Schau weder Bild noch zusammengesetzte Form."

5.6.17 Selig, meine Brüder, wer gewürdigt ward, unseren Herrn Christus in jener Schau zu sehen, von der ich sprach, und der der Welt gestorben ist und all ihren Vergnügungen! Denn die Schau unseres Erlösers, in der er sich jetzt nach der Auferstehung von den Toten befindet, ist unaussprechlich und unbegreiflich für den Geist der Menschen. Und was sage ich „der Menschen", wo doch seine Schau auch für die Geistwesen unbegreiflich und unerklärlich ist, und sie die staunenswerte Herrlichkeit sonder Form nicht zu verstehen und zu betrachten vermögen, in der unser Herr aus dem Grabe auferstanden ist? Und wenn also die Schau der heiligen Engel durch seine Herrlichkeit geblendet wird und sie diese Majestät nicht zu begreifen vermögen, wie kann dann jemand behaupten, daß der Geist von uns Menschenkindern in der Lage sei, jene erhabene und unsagbare Herrlichkeit, die unser Herr durch die Auferstehung von den Toten angelegt hat, zu gestalten und zu formulieren?

5.6.18 Darum besitzt der Intellekt am Ort der Geisthaftigkeit keine Schau von irgendetwas, weder (die Schau) der Kontemplation der Körperlichen noch die der Körperlosen, und weder die des Gerichtes noch die der Vorsehung, noch auch regt sich im Geist auf irgendeine Weise die Einsicht von all dem was existiert, sondern nur die Schau unseres Erlösers selbst, welche alle Geistwesen in Staunen versetzt.

Wahrhaftig, meine Brüder, ich lüge nicht, jedesmal, wenn allein die Erinnerung an diese glorreiche Schau in meinem Verstande aufsteigt, sind alle Regungen des Leibes zusammen mit denen der Seele in ein unsagbares Staunen versenkt, ohne daß sich auch nur irgend ein Gedanke in meiner Seele regte, außer dem Staunen über Ihn. Und wenn dies den Geringen und Niedrigen wie mir allein schon durch die Erinnerung an seine Majestät widerfährt, was soll man dann von den Starken und Vollkommenen sagen, die sich allzeit an der glorreichen Schau unseres Erlösers erfreuen, es sei denn das, was ich oben gesagt habe?

5.6.19 Denn ebensowenig wie sich in den staunenswerten Welten der heiligen Engel in ihnen irgendein Gedanke an das, was in dieser Welt ist, regt oder rührt, sondern nur die Erinnerung und die Schau unseres Herrn selbst, besitzt auch der reine Geist[19] vom Ort der Lauterkeit an und darüber hinaus eine Schau oder Erinnerung von irgendetwas anderem, ausgenommen die Schau unseres Erlösers selbst und das süße Ihn-Betrachten. Ferner, gleichwie es in den Welten der intelligiblen und unsichtbaren Mächte weder zusammengesetzte Formen noch Bilder gibt, sondern ihre Welt geisthaft ist und sie selbst geisthaft sind, ebenso besitzt auch die Schau des reinen Geistes am Ort der Geisthaftigkeit weder zusammengesetztes Bild noch Form. Denn wenn der Geist dorthin gelangt ist, dann ist er wie sie und heiligt und preist mit ihnen die glorreiche Gottheit.

5.6.20 Gleichwie es in der neuen Welt weder irgendeine Form noch ein Bild von all dem gibt, was in dieser unserer Welt ist, weil sie sich jenseits von allen Formen und Bildern und zusammengesetzten Dingen des Diesseits befindet, ebenso besitzt auch die Schau des geisthaften Mannes weder Form noch Bild mehr von irgendeinem der Dinge, die in dieser Welt sind. Denn die Schau des Geistes dort ist ein Angeld der neuen Welt und alle Dinge, die ihm dort offenbart werden, gehören der neuen Welt an. Wie der Apostel sagte: „Hier sehen wir wie durch einen Spiegel, im Gleichnis, das Angeld der Herrlichkeit der Auferstehung. Dann aber von Angesicht zu Angesicht, wenn wir die Auferstehung in Wirklichkeit empfangen." (vgl. 1 Kor 13, 12). Und wiederum sagt: „Das Auge hat nicht gesehen und das Ohr hat nicht gehört und zum Herzen des Menschen ist nicht aufgestiegen, was Gott denen bereitet hat, die ihn lieben" (1 Kor 2, 9 vgl. Is 64, 4).

5.6.21 Aus all dem, was der selige Apostel sagte, ist offenkundig, daß es am Ort der Geisthaftigkeit des (menschlichen) Geistes weder irgendeine Form noch ein zusammengesetztes Bild gibt. Und wenn die Hoffnung der hervorragenden Einsiedler bloß soweit ginge, daß die Schau ihres Geistes auch am Ort der Geisthaftigkeit nicht über die zusammengesetzten Formen und Bilder hinausginge, dann wären sie unglücklicher als alle Menschen! Dem ist aber nicht so, Gott behüte! Das Gegenteil ist vielmehr der Fall. Das heißt, wir Einsiedler erwarten und erhoffen, am Ort der Geisthaftigkeit das zu sehen, was in seiner Erhabenheit jenseits der Sinne des Leibes und der Regungen der Seele liegt.

5.6.22 *Über das Wesen der Schau des Erlösers*

Entsprechend der vorhergehenden Darlegung, die der Apostel zu unserer Unterweisung und Belehrung gesagt hat, (nämlich) daß wir die Anstrengung unseres Geistes nicht auf die sinnlichen Dinge beschränken sollen, und nicht von jenen, die unsichtbar sind, und die bis zur Stunde nur in der Hoffnung erwartet werden, habe ich gesagt und sage ich wiederum: Wenn alle unsere jetzige Erkenntnis über Christus unseren Herrn und seine glorreiche Schau, die in unseren Herzen erscheint, bloß bis zu einer (zusammengesetzten) Form reichte, dann wäre Christus umsonst gestorben und sein Kommen in unsere Welt würde uns garnichts nützen. Und sein Leiden und sein Tod um unseretwillen würde garnichts bedeuten, wenn er, wie den Erzvätern und den Propheten, auch jetzt seinen Heiligen (bloß) in Formen und Bildern erschiene.

5.6.23 Jetzt ist dem aber nicht so! Sondern seit sich Christus unser Herr in einem Leib offenbart hat, der von uns (genommen ward), zur Rettung und zur Erneuerung aller Vernunftwesen, ward die Ordnung seiner Offenbarungen uns gegenüber gleichwie auch den unsichtbaren Mächten gegenüber geändert, weil er nicht mehr in zusammengesetzten Bildern erscheint, wie den Früheren, sondern vielmehr in einer glorreichen Schau, die jenseits der sinnlichen Bilder und Formen ist.

Wir sagen zwar, daß wir ein Licht sehen, dort, an jenem Ort der Geisthaftigkeit, aber es ist nicht wie dieses materielle Licht. Und wir haben dort eine geistliche Speise, aber sie ist nicht wie die hiesige. Und wir hören die Stimme der Heiligung[20] der Geistwesen, und ein Sprechen und eine Unterhaltung besitzt unser Intellekt dort aber es ist nicht wie dieses Sprechen, das wir (hier) miteinander haben. Denn der Laut, den der Intellekt dort hört, ist (ganz) fein, und unsere Sinne vermögen ihn nicht zu erfassen. Darum ist eine Zunge von Fleisch nicht fähig, über das zu sprechen oder zu reden, was dort dem Geist offenbart wird, sei es nun im Schauen oder im Hören.

5.6.24 Wie der Apostel, als er die Korinther darüber unterrichtete, gleichsam in der Person eines anderen, sagte: „Ob im Leib oder ohne den Leib, ich weiß es nicht; Gott, der weiß, daß er ins Paradies entrückt wurde und unaussprechliche Worte hörte, die einem Menschen auszusprechen nicht gestattet ist“ (2 Kor 12, 3—4), indem er dadurch klar und deutlich zeigt, daß jene Dinge, die dem Intellekt auf der Stufe der Vollkommenheit offenbart werden, nicht zur Formulierung der Zunge gelangen. Wie also einer, nach dem Zeugnis des göttlichen Apostels, nicht zu beurteilen weiß, ob er im Leib oder ohne den Leib ist, gibt es demnach weder Geheimnisse noch Offenbarungen, die am Ort der Lauterkeit und darüber hinaus dem Geist offenbart werden, die man zur Formulierung des Wortes bringen könnte, wie die übrigen Offenbarungen, (die einem) von der Lauterkeit an und darunter (zuteil werden).

5.6.25 *Die Schau Gottes ist bildlos wie Gott selbst*

Und wenn also der Intellekt die Geheimnisse und Offenbarungen, die dort offenbart werden, nicht zur Formulierung bringen kann, wie bilden sich dann viele (etwas) ein und sagen, daß die Schau des Geistes am Ort jenseits der Lauterkeit (noch) ein Bild habe, und die feinen Laute der Heiligung der Geistwesen, die dort vernommen werden? Denn gleichwie Gott in der Tat kein Bild hat, wie ich oben sagte, hat auch das, was dem Geist dort offenbart wird, kein Bild irgendeiner Art. Denn alles Zusammengesetzte und alle Formen und Bilder und Zahlen gehören dem Bereich der Lauterkeit und darunter an.

5.6.26 Daher, sosehr der Intellekt auch kämpfen mag, daß seine Schau sich über das Zusammengesetzte und die Bilder hinaus erhebe, am Ort der Lauterkeit und darunter vermag er es nicht. Auch Kämpfe und Gefechte nämlich gibt es (noch) am diesem Ort, und dort haben sie Gelegenheit, mit dem Intellekt zu kämpfen. Auch Bilder und Formen besitzt die Schau des Geistes in der Tat, solange sich sein Tun dort befindet.

Von der Lauterkeit an jedoch und darüber hinaus wird er aller Formen und Bilder und zusammengesetzten Dinge und Zahlen enthoben. Und dort gibt es weder Satan noch übles Mißgeschick, sondern (nur) Gerechtigkeit und Friede und Freude im Heiligen Geist.

5.6.27 Und wenn da irgendjemand darüber streitet, so ist er im Irrtum befangen und weiß garnichts, und er ist noch niemals den Büchern der geistlichen Väter begegnet, noch hat er selbst je eine Erfahrung des Gegenstandes gemacht, und er weiß nicht, was die Lauterkeit ist, noch was der Ort ist, der jenseits davon liegt, ja selbst nicht einmal was Reinheit und Unreinheit ist. Sondern er sagt wider seine eigene Person, was er da behauptet, dieweil er noch nicht einmal eine von diesen Stufen kennt, und nicht begreift, dieser Weise da, daß diese Stufen wie Sprossen und eine Leiter angeordnet sind, an die sich der Intellekt hält und auf denen er in seinem Gang gradweise voranschreitet, bis er zum Ende der Leiter gelangt, an welcher sich der Herr hält (vgl. Gen 28, 12), welches die Stufe der Geisthaftigkeit bedeutet und das Ziel des Laufes des Intellektes.

5.6.28 Die Lauterkeit ist in der Tat das Siegel und die wahrhaftige Signatur des (menschlichen) Geistes. Denn solange sich der Mensch in seinem Wandel (noch) unterhalb der Lauterkeit befindet, ist das Siegel noch nicht auf das Dokument seiner Tugenden gesetzt worden. Denn bisweilen arbeitet er wie ein Lohnknecht mit Gott, indem er täglich die Lohnauszahlung für seine Mühen erhofft. Und bisweilen wie ein Sklave, indem er die Befreiung und die Freiheit von der Knechtschaft erhofft.

Am Ort der Lauterkeit indessen ist es nicht auch so, sondern vielmehr ist das Gegenteil der Fall. Der Mensch ist nämlich der Bennenung der Sklaverei und der Mietlingschaft entronnen, wenn er zum Ort der Lauterkeit gelangt ist, und er ist zur Sohnschaft eingeschrieben und ward zum Erben Gottes und Miterben Jesu Christi (Röm 8, 17). Und er arbeitet ferner nicht als Sklave oder als Lohnknecht mit Gott, sondern wie ein Sohn mit seinem Vater. Und er ward versiegelt mit dem Siegel des Geistes und über die Schätze seines Vaters gesetzt, und Furcht und Angst sind von ihm hinweggenommen, und er besitzt den Freimut der Söhne, um von da an Gott „Vater" zu nennen. Wie der Apostel zu den Römern sprach, die an unseren Herrn gläubig geworden waren: „Ihr habt nicht den Geist der Knechtschaft wiederum zur Furcht empfangen, sondern ihr habt den Geist der Sohnschaft empfangen, in dem wir rufen: Abba, unser Vater! Und er, der Geist, bezeugt unserem Geiste, daß wir Söhne Gottes sind. Und wenn Söhne, dann auch Erben, Erben Gottes und Miterben Jesu Christi" (Röm 8, 15—17).

5.6.29 Deshalb nimmt (der Mensch), wenn er bereits zum Ort der Lauterkeit gelangt ist und zur Sohnschaft eingeschrieben ward, beständig mit Gott an der Offenbarung seiner Geheimnisse teil und schaut hinfort alles auf geisthafte Weise und hört von dortan (auf geisthafte Weise). Und seine Liturgie und seine Heiligung und sein Gesang befinden sich beständig (in Gemeinschaft) mit den Geistwesen.

Selig der Mann, der dieser Gabe und dieses Freimutes gewürdigt ward, und der mit den Augen seines Geistes jene glorreiche Erscheinung gesehen hat, und mit den Ohren seines Herzens jene zarte Stimme gehört hat, die dem geisthaften Mann jenseits der Lauterkeit offenbart wird!

5.6.30 Wahrhaftig, meine Brüder, glaubt mir, was ich euch sage. Jedesmal, wenn der Intellekt mit seinen intelligiblen Ohren die Stimme der Geistwesen hört, dann ist all sein Tun jenseits der Sinne des Leibes und die Regungen des Intellektes schweigen und ruhen wie im Schlaf, ob der Süßigkeit, die er durch die Heiligung der Geistwesen empfängt. Und dieweil wiederum der Leib schläft, rühren sich die Regungen des Intellektes im Wachen, weil er für sie nämlich keine Ruhe von der Liturgie mit den Geistwesen gibt. Deshalb sind Nacht und Tag gleich für den Intellekt, der dieser Gabe durch die Gnade unseres Herrn gewürdigt ward, dem die Ehre sei durch alle Vernunftswesen, die er erschaffen, und der die Himmlischen und die Irdischen an seiner Herrlichkeit hat teilnehmen lassen. Amen

5.6 Von demselben (Mar 'Abdisho'), über das Gebet, das dem Intellekt am Ort der Lauterkeit zuteil wird.

[1] HSS: N. D. des Semences 237 (VOSTÉ XXVIII), und deren Abschriften Vat Syr 509, f. 106a — 112b und Mingana 601, f. 145b—154a. Englische Übersetzung bei MINGANA, Woodbrooke Studies VII (1943) 151—162.
[2] S. o. Text 5.
[3] Jausep sieht in den *sechs Tagen,* die Moses in der Wolke stand, ehe Gott zu ihm am siebten Tag sprach (Ex 24, 16), einen typologischen Hinweis auf die sechs Tage der Schöpfung. In diesen sechs Tagen schaute Moses alle Werke, die Gott gewirkt hatte, d. h. das ganze Schöpfungswerk der sechs Tage Gen 1.
[4] Wörtlich ,,wider ihr Antlitz". MINGANA trifft hier wohl den Sinn mit ,,against their best judgment". Die polemische Spitze ist offenbar gegen den ganz unberechtigten Vorwurf des Messalianismus gerichtet; vgl. dazu GUILLAUMONT, L'Orient Syrien 3 (1958) 12 f. Es genügt, die erhaltenen Texte Jauseps *im Zusammenhang* zu lesen, um die Böswilligkeit der Unterstellung zu erkennen.
[5] Vgl. Text 1, 6 f.
[6] Evagrios, Cent. Suppl 2 u. ö. Vgl. Einleitung § 3.
[7] Zum folgenden vgl. das Kap. XXII des Isaak von Ninive (BEDJAN 163 ff./WENSINCK 111 ff.), das Jausep sichtlich vor Augen hatte.
[8] Nicht identifiziert, vielleicht ein freies Zitat von Hebr 10, 18.
[9] Vgl. Evagrios, Cent II, 21.
[10] D. h. Moses, vgl. Ex 4, 10.
[11] S. u. Text 9 (Cent I, 84). *Kristall* und *Saphir* sind bei Jausep Äquivalente und beziehen sich auf den natürlichen, geschöpflichen Zustand der Seele. Vgl. Einleitung Anm. 158.
[12] Wörtlich: ,,heiligen".
[13] S. o. Text 1, 167 u. ö.
[14] S. o. Text 3, 12 (versenkt im Licht wie ein Fisch im Meer), u. ö.
[15] Wörtlich: ,,Denn *wie* Gott ...". Der Vergleich wird erst in § 15 (*ebenso* auch ...) wieder aufgegriffen.
[16] Das Thema des *bildlichen Redens* von Gott hat Jausep ausführlich in seinem großen ,,Memra über die Gottheit" (Mingana 601, f. 250 ff. behandelt.
[17] D. h. die Prototypen dessen, worum man betet.
[18] Isaak von Ninive, nicht identifiziert; vgl. MINGANA a.a.O. 157. Anm. 3.
[19] ,,Reiner Geist" stets im Sinne von ,,gereinigter Geist"!
[20] D. h. des ,,Heilig, Heilig, Heilig ..." (Is 6, 3).

5.7 Von demselben (Mar ʻAbdishoʻ), über das Wirken der Regungen, die zur Zeit des Gebetes im Intellekt aufstrahlen. Welche zusammengesetzt und welche einfaltig sind, und welche unbegrenzt und bildlos sind[1].

5.7.1 *Über die verschiedenen Arten von Regungen*[2]

Zur Zeit des Gebetes gleicht die Seele in der Tat einem Schiff, das sich auf hoher See befindet[3], der Intellekt hingegen steht wie der Steuermann auf dem Schiff, die Regungen aber, die das Schiff leiten, sind wie die Winde. Und gleichwie nicht alle Winde, die wehen, der Fahrt des Schiffes förderlich sind, ebenso sind auch die Regungen, die sich zur Zeit des Gebetes in der Seele rühren, nicht alle der Fahrt des Schiffes nützlich, um ohne Angst zu einem wellenfreien Hafen zu gelangen, sondern einige ja, andere nein.

5.7.2 Denn einige prägen der Seele etwas *Zusammengesetztes* und ein Bild ein, und diese sind der Fahrt des Schiffes des Steuermann-Intellektes hinderlich, hin zu dem Hafen, auf den sein Wollen blickt.

5.7.3 Andere Regungen aber, die sich (zur Zeit des) Gebetes in der Seele rühren, sind *einfaltig*, und dies sind die angenehmen Winde, welche das Schiff der Seele über die Wellen hinweg zu dem Hafen geleiten, der voll von großer Stille ist.

5.7.4 Es gibt indessen wiederum andere Regungen, die zur Zeit des Gebetes im Lichte aufstrahlen, und diese werden *unbegrenzt* genannt. Und die sind weder zusammengesetzt noch einfaltig, sondern (eben) unbegrenzt, wie ich oben sagte. Denn nicht alle einfaltigen Regungen sind auch schon unbegrenzt. Denn auch die heiligen Engel und die Naturen unserer Seele sind einfaltig, aber nicht notwendigerweise auch unbegrenzt[4]. Sie sind vielmehr einfaltig, unterstehen aber einer Begrenzung. Denn ein einziger von allen ist unbegrenzt, und alle Regungen, die auf Ihn gerichtet sind, sind (gleicherweise) unbegrenzt. Wie der Prophet sagt: „Seine Einsicht hat keine Begrenzung (Ps 147, 5).

5.7.5 *Die zusammengesetzten Regungen*

Die zusammengesetzten Regungen nun sind die folgenden: Alle Einsichten, die sich durch die Vermittlung der Sinne des Leibes in der Seele regen, die sind zusammengesetzt[5]. Und sie sind zur Zeit des Gebetes hinderlich für die Fahrt (des Schiffes) der Seele[6]. Auch wenn sie (ansonsten) nützlich sein mögen, so sind sie doch zur Zeit des Gebetes der Seele schädlich. Denn zur Zeit des Gebetes sind es die einfaltigen Regungen, die die Seele zu den unbegrenzten hinleiten.

5.7.6 *Die einfaltigen Regungen*

Die einfaltigen Regungen[7] hingegen sind die folgenden: Die verborgene geistliche Erkenntnis, die in den Naturen der Geschöpfe verborgen ist; die wunderbaren Einsichten bezüglich der Kontemplation der Körperlosen; und (die Einsichten), die aus der Kontemplation des Gerichtes und der Vorsehung entstehen. Alle diese Regungen entstehen zur Zeit des Gebetes und sind einfaltig.

5.7.7 Deshalb versüßen sie, jedesmal wenn sie sich dem Geist zur Zeit des Gebetes offenbaren, wie eine Honigwabe den Gaumen des Intellektes, und entflammen durch ihre Hitze alle Kräfte der Seele zusammen mit denen des Leibes. Und Tränen ohne Maß fließen aus den Augen des Menschen ob des Sichregens dieser Regungen in seinem Geist, dieweil sie nicht durch Leiden oder den Kummer angesichts von Fehlern (hervorgerufen werden), sondern vielmehr durch Freude und Wonne und Staunen über die Schöpfermacht und das Erbarmen und die Vorsehung Gottes allem gegenüber:

5.7.8 Wie überreich sein Erbarmen uns Menschenkindern gegenüber ist, und wie überaus groß unsere Undankbarkeit ihm gegenüber ist; und wie er uns, dieweil wir nicht existierten noch auch in der Lage waren, zu existieren, in seinem Erbarmen dahin gebracht hat, daß wir existierten und daß wir gut seien, obgleich er, noch ehe er uns schuf, sehr wohl unsere Undankbarkeit und unsere Bosheit kannte; und (wie) er, da wir sündigten und ihn mit unseren verschiedenen bösen Werken erzürnten, durch seine väterliche Liebe die Gaben seiner Vorsehung und seiner Fürsorge für uns, nicht von uns zurückhält; und wie er, da unsere Natur (schließlich) zur Verzweiflung gelangte, seinen geliebten Sohn, unseren Herrn Jesus, sandte, und ihn dem Leiden und dem Tod um unseretwillen auslieferte, um uns mit der Sünde Besudelte zu retten; und (wie) er Essig und Galle um unseretwillen kostete, um in uns das Gift der Schlange, die uns im (Garten) Eden getötet hatte, unschädlich zu machen, und wie er, nach all den Verbrechen und Beleidigungen, die wir an ihm begangen haben, uns in seiner unaussprechlichen Gnade eine andere Welt bereitete, die erfüllt ist mit allen Gütern, und uns die Gabe der Auferstehung verlieh, durch deren Vermittlung wir den Leidenschaften der Sterblichkeit enthoben werden und leidenschaftslos und unsterblich werden, und unveränderlich und leidlos und bedürfnislos, und allzeit mit ihm erhoben werden in der Einsicht seiner Geheimnisse und seiner glorreichen Schau.

5.7.9 *Die unbegrenzten Regungen*

Darum strecken sich durch die Erinnerung an all diese Dinge die Regungen des Intellektes vom Ort der zusammengesetzten Dinge weg hin zu den Regungen aus, die unbegrenzt sind. Das ist, Staunen über die neue Welt und die Schau der Kontemplation der Heiligen Dreifaltigkeit. Denn wenn sich die Schau des Geistes mit diesem Licht der gepriesenen Dreifaltigkeit vermischt hat, dann werden all seine Regungen unbegrenzt. Es gibt nämlich niemanden unter den Sehern und Gnostikern der in der Lage wäre[8], das Wesen des Intellektes von der Erscheinung zu unterscheiden, welche jenes glorreiche Licht der Heiligen Dreifaltigkeit sichtbar macht, weil alle inneren Kammern des Herzens von diesem seligen Licht erfüllt sind. Und dort gibt es nicht ein Bild und (noch) ein Bild, noch Formen und zusammengesetzte Ding oder Zahlen und Farben. Sondern es ist ein Licht in der Einzigkeit der Schau, welches (Licht) weder durch Formen noch durch Bilder bestimmt ist.

5.7.10 Auch dies möchte ich dir indessen noch sagen: Dort, in jenem Augenblick, gibt es nicht eine Regung und (noch) eine Regung, noch Gedanke und Gedanke, oder Überlegung und Überlegung, sondern allein ein Staunen, das jenseits aller Überlegungen und Regungen und Gedanken ist, welches das Angeld der zukünftigen Güter ist, welche durch die Vermittlung unseres Herrn Jesus Christus dem Geschlecht der Menschenkinder verliehen ward, das heißt allen Vernunftwesen, durch das überfließende Erbarmen jenes angebeteten Vaters, der uns, dieweil wir nicht existierten, geschaffen hat und uns an der Erkenntnis seiner Herrlichkeit hat teilnehmen lassen, aufdaß wir unendlich seien wie er, und uns an seiner Herrlichkeit ergötzten. Er möge uns alle in seinem Erbarmen seiner glorreichen Schau würdigen, hier angeldhaft, und dort in (voller) Wirklichkeit. Amen

5.7 Von demselben (Mar 'Abdisho') über das Wirken der Regungen, die dem Intellekt am Ort der Lauterkeit zuteil werden.

[1] HSS: N. D. des Semences 237 (Vosté XXIX) und deren Abschriften Vat Syr 509, f. 112b—114a und Mingana 601, f. 154a—156a. Englische Übersetzung bei MINGANA, Woodbrooke Studies VII (1943) 163—165.
[2] Vgl. dazu die feinen Unterscheidungen des Evagrios, De malignis cogitationibus PG 79, 1199 ff. Der Abschnitt über die Regungen, die Eindrücke in der Seele hinterlassen, und jene, die dies nicht tun, existiert im Syrischen auch separat. Jausep hat ihn dort gelesen.
[3] Wörtlich „im Herzen des Meeres".
[4] Nur die auf Gott, der form- und bildlos ist, gerichteten Regungen sind durch keine Form und kein Bild bestimmt und begrenzt.
[5] Zusammengesetzt, nämlich aus den vier Elementen der Schöpfung, aus denen alle von den leiblichen Sinnen wahrgenommenen Dinge bestehen. Zusammengesetzt, materiell heißt zugleich veränderlich.
[6] Vgl. Meister Eckehart's „weiselos zum Weiselosen", in dem Evagrios' „immateriell zum Immateriellen" nachklingt (Evagrios, De oratione 66, vgl. Hausherr 93).
[7] Einfaltig im Gegensatz zu den vielfaltigen Regungen, die aus den materiellen, zusammengesetzten, vielfaltigen Dingen entstehen.
[8] Jausep spielt wohl auf die berühmte Frage des Evagrios und des Ammonios an Johannes von Thebais an, Antirrhetikos VI, 16.

5.8 Von Rabban Jausep, dem Seher und Gnostiker, über das geistliche Gebet

5.8.1 Und ferner sagt er[2]: Welcher ist der Ort, an dem das geistliche Gebet vollzogen wird? Dieser natürliche Ort ist in der Tat der Ort, an dem das geistliche Gebet von dem Intellekt vollzogen wird. Wenn nämlich der Intellekt zu dem reinen Ort seiner Natur gelangt ist und seine Schau von allen Einbildungen und Bildern der Gedanken, die der Natur fremd sind, geläutert worden ist, und der Intellekt der erleuchteten Schau seiner selbst gewürdigt ward, und in ihm der Geist der Gesichte der Schau und der Einsichten der Kontemplationen der Körperlichen und der Körperlosen aufgestrahlt ist, zusammen mit der (Schau) des Gerichtes und der Vorsehung, dann betet der Intellekt dort (an dem natürlichen Ort) das geistliche Gebet, das nicht durch die Sinne des Leibes vollzogen wird, sondern durch die inneren Regungen der Seele, die ganz mit Licht erfüllt sind. Und er schaut den Ursprung[3] der zukünftigen Dinge, die waren und die (noch) sein werden, und die verschiedenen Welten[4].

5.8.2 Alle diese Dinge offenbaren sich[5] an jenem Ort der Seelenhaftigkeit, an dem das geistliche Gebet vollzogen wird, dem Intellekt. Denn die Geheimnisse dieser Stufe sind viel erhabener als die körperliche Welt und sie werden in der Welt der Geistwesen erkannt. Dies ist der Ort, an dem das geistliche Gebet vollzogen wird, und Opfer und Spenden unserem Herrn Christus dargebracht werden. Jedes Gebet indessen, das außerhalb dieses Ortes verrichtet wird, oder eine Spende oder ein Opfer, die dargebracht werden, von dem steigt kein süßer Duft zum Wohlgefallen des Willens des Herrn auf, sondern es ist ein verworfenes Gebet und eine Spende, an der ein Makel ist.

5.8.3 In dieser Bleibe findet eine Verwandlung und ein Ende der Erschöfung der Heftigkeit der Mühen statt, und es leuchten Einsichten auf und die Schau des Geistes dehnt sich aus mit allen geistlichen Mächten, und er empfängt von ihnen eine geistliche Nahrung, von der sich oftmals auch der Leib nährt[6]. An diesem Ort empfangen in der Tat Leib und Seele gleicherweise die Erkenntnis, sowohl der Rechten als auch der Linken[7]. Dort gibt es nicht zwei Willen, noch kämpft der eine gegen den anderen, sondern einmütig wirken alle beide, Leib und Seele, mit einem Willen. Dort besteht das Bild des alten Menschen nicht mehr, der durch die Lüste des Irrtums zugrunde geht (Eph 4, 22) sondern (Leib und Seele) bestehen in ihrer Vereinigung miteinander als ein neuer Mensch, der in Reinheit und Heiligkeit von unserem Herrn Christus erschaffen ward, wie der Apostel sagt (Eph 4, 24).

5.8.4 All jene Verwandlungen[8] der Rechten, von denen ich oben sprach, widerfahren dem Intellekt an diesem Ort. Es ist dies der Ort, an dem die Gerichte der Welten, die waren und die noch sein werden, dem Intellekt offenbart werden. Und die Observanzen und Gesetze werden an ihm erfüllt. Jenseits dieses Ortes (aber) gibt es weder Gesetzgebung noch Furcht vor Gebotsübertretung, da er die Grenze zwischen Furcht und Furchtlosigkeit darstellt.

5.8.5 Es ist nicht jedermanns Sache, von da an und darüber hinaus erhoben zu werden. Bis zum ihm (dem Ort) gelangen viele. Von dort an und darunter genauer gesagt gibt es viele, bis zu ihm hin indessen (gelangen) nur wenige, von da und darüber hinaus jedoch nur einer unter Tausend: (Nämlich) der, der sein Kreuz auf seine Schulter genommen hat und unserem Herrn nachgefolgt ist. Denn nicht durch eine (bloß) teilweise Bewahrung der Gebote gelangt der Mensch zu dieser Stufe; sondern nur der, der die umfassenden Gebote gehört und selbst erfüllt hat, von denen der selige MARKOS EREMITA sprach[9], (gelangt dorthin).

5.8.6 Die der Seele eigentümlichen Kräfte regen sich in der Tat an diesem Ort beständig im geistlichen Gebet. Und gleichwie die Luft nicht ruht, allem was lebt und sich regt den Atem zu geben, ebenso verhält es sich mit dem Heiligen Geist, wenn er in den Regungen des Intellektes wirkt: Sie lassen nicht ab vom Gebet, wie der Apostel sagte: „Der, der die Herzen erforscht, weiß was das Trachten des Geistes ist, der dem Willen Gottes gemäß für die Heiligen betet" (Röm 8, 27).

5.8 Von Rabban Jausep, über das geistliche Gebet.

[1] HSS N. D. des Semences 237 (Vosté LIV) und deren Abschriften Vat Syr 509, f. 190a—191a und Mingana 601, f. 248b—249b. Mit großem Nutzen haben wir eine handschriftliche Übersetzung von P. Ignace Phillips (Chevetogne) benutzt.
[2] Der Eingang ist etwas abrupt, auch ist nicht ganz ersichtlich, ob der erste Satz noch zum Titel gehört oder bereits zum Text. Es handelt sich ganz offensichtlich um einen Auszug.
[3] Oder: das Entstehen, das Sein (*hwaya*).
[4] Wörtlich: Die Verwandlungen der Welten.
[5] lies *methgalyan* statt *meth'alyan.*
[6] Ein öfter wiederkehrender Gedanke, vgl. Text 1, 120 und Text 3, 4. S. dazu Evagrios, Cent. Suppl. 57 (Frankenberg 468).
[7] D. h. der guten und der schlechten Dinge.
[8] Oder: verschiedene Zustände, Wechsel.
[9] Marcos Eremita, De his qui putant se ex operibus justificari PG 65, 929 ff. Übersetzung: The Philokalia I (ed. Palmer-Sherrard-Ware) London 1979, S. 127 (Nr. 27 in der Zählung der griechischen Philokalia).

5.9 Aus den ‚Capita scientiae'

5.9.1 Indem wir zum Fundament unserer Rede unseren Herrn Jesus Christus legen, seine unbesiegbare Kraft, flehen wir, daß er selbst in seinem Erbarmen den Anfang unserer Rede mache und die Vollendung, wie es seinem barmherzigen Willen beliebt.

5.9.2 Eine ist die göttliche Natur, von der ‚Himmel und Erde erfüllt sind' (Jer 23, 24), und sie wird bekannt und angebetet in drei heiligen Personen[1].

5.9.3 Ehre sei dem, der einzig einer ist, und der von all denen, die erschaffen wurden und ins Dasein traten, weder erforscht noch begriffen oder ergründet wird. Und obgleich dies so ist, wird er (doch) durch seine Geschöpfe erforscht und ergründet. Nicht seine Natur sage ich, sondern die Kraft seiner Werke, wie ein Künstler, der aus seinem Kunstwerk erkannt wird. Dieweil der, der das Kunstwerk sieht, nicht die Natur des Künstlers sieht, sondern das Geschick seiner Weisheit. Ebenso auch sehen wir bei Gott nicht seine Natur, sondern die Kraft seiner ‚Weisheit voller Mannigfaltigkeiten' (Eph 3, 10).

5.9.4 „Nichts ist verborgen, das nicht offenbart werden wird" (Mt 15, 26). Und es gibt einen, der, indem er offenbart, verbirgt, und indem er verbirgt, offenbart[2].

5.9.5 Die Kraft der Seele ist ihre Vernünftigkeit, und die Kraft des Vaters ist sein Sohn, unser Herr Jesus Christus. Und gleichwie von der Seele ihr Leben und ihre Vernünftigkeit nicht geschieden sind, ebenso sind vom Vater weder der Sohn nicht der Geist geschieden. Und gleichwie in der Sphäre der Sonne Licht und Wärme sind, ebenso sind auch im Vater sowohl der Sohn als der Geist.

5.9.6 Wenn einer sich nicht dem Feuer nähert, wärmt er sich nicht an ihm. Und wenn einer nicht den Glauben an unseren Herrn Jesus Christus besitzt, ergötzt er sich nicht am Geheimnis seiner Erkenntnis.

5.9.7 Und wenn einer nicht die Sonne sieht, ergötzt er sich nicht an ihrem Licht. Und wenn einer nicht das Halten der Gebote unseres Herrn Jesus besitzt, ergötzt er sich nicht an seinem intelligiblen Licht.

5.9.8 Eines ist das Gebot, das er sprach, und es wurden zuerst alle Vernunftwesen. Und derselbe wird sprechen, und sie werden zu einem zweiten Sein.

5.9.9 Jene Kraft, die die Erde durch das erste Gebot erwarb (Gen 1, 24), die wird sei am jüngsten Tag bewegen, um die Leiber zu gebären, die in ihr gesät sind. Einer ist der erste und der letzte Künstler. Für das erste Kunstwerk nun gibt es ein Gleichnis, für das zweite aber gibt es keinen Vergleich, sondern es ist ein neues Kunstwerk.

5.9.10 Gleichwie wenn der Bauer sein Land pflügt und eggt und Weizen oder Gerste darein sät, seine Mühe vergeblich ist, wenn der Regen nicht herabkommt und es tränkt, ebenso auch erwirbt der Einsiedler, der sich müht und streitet weder Erkenntnis noch gelangt er zur Vollendung, wenn die Gnade nicht die Wolken der Vorsehung herabkommen läßt. Wie unser Herr sagte: „Ohne mich vermögt ihr nichts zu tun“ (Joh 15, 5).

5.9.11 Gleichwie der Bauer, der sein Land mit tauben Weizenkörnern besät, nicht erwarten wird, von ihm Früchte zu ernten, ebenso der Mönch, der sich ohne Erkenntnis müht. Wenn es keine Mühen gibt, gibt es keine Erkenntnis, und wenn es keine Erkenntnis gibt, gibt es keine Mühen. Und wie die Monate aus den Tagen entstehen und die Jahre aus den Monaten, so die Erkenntnis aus den Mühen.

5.9.12 Gleichwie Gott einer ist und sich nicht verändert, ebenso werden wir in der neuen Welt *eine* Erkenntnis besitzen, die sich nicht verändert.

5.9.13 Gleichwie sich der Gott-Logos dem aus uns (genommenen) Fleisch vereint hat und zu einem vollkommenen Menschen ward, jenseits der Formulierbarkeit des Wortes, ebenso werden alle Heiligen in der kommenden Welt mit seiner Herrlichkeit vereint werden[3].

5.9.14 Gleichwie wir durch das Licht der Sonne die Dinge dieser Welt sehen, ebenso auch werden wir in der kommenden Welt im Lichte Christi den Unsichtbaren sehen. Nicht seine Natur, sondern die Herrlichkeit seiner Majestät[4].

5.9.15 Ehre sei dem, der seine Majestät bis zu unserer Niedrigkeit verdemütigte und keinen Abscheu hegte vor unseren Wunden, und Mensch ward, ohne Veränderung, indem er bleib, was er ist, und um unseretwillen den Tod kostete und uns erlöste[5]. Ehre sei dem Born der Seligkeit, aus dem das Leben für alle Geschöpfe quillt. Du mein Herr, wirf in deiner Gnade in uns das Feuer deiner Liebe, aufdaß wir durch deine zärtliche Liebe voll des Lebens diese Welt der Kümmernisse vergessen!

5.9.16 Gleichwie die Natur des Feuers warm und licht ist, ebenso auch verleiht die Kraft der Tugenden der Seele Liebe und Zärtlichkeit, zusammen mit geistlicher Erkenntnis.

5.9.17 Gleichwie die Natur der Erde kalt und trocken ist, ebenso auch verleiht die Nicht-Erkenntnis denen, die von ihr festgehalten werden, Kälte und Finsternis.

5.9.18 Gleichwie die Wolken aus dem Meer Wasser aufnehmen und auf die Erde träufeln und die Früchte wachsen und reifen und schön werden, ebenso auch schöpfen die intelligiblen Naturen aus der Meer des Erbarmens unseres Herrn Jesus und gießen (davon) in die Seelen der Heiligen und lassen sie in der Erkenntnis wachsen bis zur Vollendung.

5.9.19 Gleichwie wir, wenn wir schlafen, über die Betrachtung, die unser Geist vor unserem Schlaf hatte, nachsinnen, ebenso auch verbleiben die Seelen der Heiligen, wenn sie ihre Leiber verlassen, in ihrem Tun, nicht indem sie voranschreiten, sondern indem sie sich an ihrer Erkenntnis ergötzen[6].

5.9.20 Die zarten Laute, die wir in unserer Seele vernehmen, sind ein Zeichen dafür, daß sie begonnen hat, sich dem Ort der Leidenschaftslosigkeit zu nähern. Wenn sie nun Liebe und Demut besitzt — selig jene Seele! da sie mit Leichtigkeit zur Ruhe unseres Herrn Jesus Christus eintritt[7].

5.9.21 Das intelligible Feuer, das beständig in der Seele glänzt, ist ein Zeichen dafür, daß das Tor des Erbarmens angefangen hat, sich vor ihr zu öffnen. Und selig ist sie, wenn sie die Gebote der heiligen Väter bewahrt, das heißt Liebe und Fasten und Gebet, zusammen mit einfältigem Gehorsam, ohne Nachforschen, der beständig an der Brust Jesu ruht und von ihm das Brot des ewigen Lebens empfängt (Joh 13, 23). Wenn sie aber diese (Gebote) übertritt, wehe ihr! die zu einem Wohnort der bösen Geister wird. Und da erfüllt sich das Wort unseres Herrn, der sprach: „Die letzten Dinge dieses Mannes werden schlimmer sein als die ersten“ (Mt 12, 45). Wenn er aber am Weg der Demut und des Gehorsams festhält, zusammen mit Freundlichkeit und Untergebenheit und beständigem Gebet, dann wird ihn die Kraft Jesu selbst in all seinen Kämpfen und Gefechten wider den Verleumder triumphieren lassen.

5.9.22 Nicht jeder, der die Tugenden übt, wird auch Wissender genannt. Der Wissende übt zwar auch die Tugenden; die Tugenden Übende wirst du ja viele finden, einen Wissenden aber nur einen unter Tausend.

5.9.23 Es gibt ein Wirken der Gnade, das wie feurige Kohlen in das Herz des Einsiedlers fällt und ihn mit Wärme entflammt und seinen ganzen Körper ergreift. Und dies ist der Geist der Sohnschaft, den wir durch die heilige Taufe empfangen als Angeld des ewigen Lebens[8], und dieses (Feuer) gebiert alle Heiligen für das Licht der kommenden Welt, und in ihm erlangen sie die Vollendung durch die Liebe dessen, der alles mit sich erfüllt (Eph 1, 23). Dies ist das Feuer, von dem unser Herr sagte: „Ein Feuer bin ich gekommen auf die Erde zu werfen und wie wollte ich, daß es bereits brenne“. (Lk 12, 49)[9].

5.9.24 Dies ist der Schatz, von dem der heilige Paulus sagte, daß wir ihn in tönernen Gefässen haben (2 Kor 4, 7), dessen Majestät von Gott herkommt. Und dies ist der Geist der Offenbarungen, der Paraklet (Joh 14, 16), der Geist der Tröstung.

5.9.25 Dies ist das Feuer, mit dem Adam vor der Gebotsübertretung bekleidet war. Und als er von der Frucht des

Ungehorsams aß, ward er seiner entkleidet. Und er ward seiner nicht wieder gewürdigt, bis ihn der zweite Adam damit durch Wasser und Heiligen Geist bekleidete.

5.9.26 Dies ist der Geist, der ohne Wirken verborgen war in allen Generationen bis zum Kommen Christi. Und durch ihn zeichneten sich alle Gerechten und Rechtsschaffenen der Vergangenheit aus, und sie wurden von den Gottlosigkeiten und Verbrechen, die in ihren Generationen verübt wurden, errettet und näherten sich der Erkenntnis Gottes. Und durch ihn prophezeiten die Propheten die zukünftigen Dinge, und in ihm erforschten sie die seit ewig verborgenen Dinge, und verkündeten das Kommen Christi, und daß sich der Gott-Logos mit unserer Natur vereinen werde.

5.9.27 Dieses Feuer kam über die seligen Apostel im Obergemach herab und sie redeten in neuen Sprachen wunderbare Dinge (Apg 2, 1 ff.). Und in ihm durchwanderten sie die ganze Schöpfung und brachten sie zur Erkenntnis Christi unseres Herrn.

5.9.28 Dies ist das Feuer, das den seligen Simon Petrus bewegte und er rief aus und sprach: „Du bist der Messias, der Sohn des lebendigen Gottes" (Mt 16, 16). Deswegen auch pries ihn sein (des Feuers) Geber selig und vertraute seinen Händen die Schlüssel des Himmelreiches an.

5.9.29 Dieses Feuer empfing Johannes (der Täufer) vom Leib seiner Mutter an und in ihm wuchs er in der unbewohnten Wüste heran, und es leuchtete in seinem Geist auf und er rief aus und sprach: „Sehet das Lamm Gottes, das hinwegnimmt die Sünden der Welt" (Joh 1, 29).

5.9.30 In diesem Feuer brannte der selige Paulus und rief aus und sprach: „Weder die Höhe durch ihre Herrlichkeiten, noch die Tiefe durch ihre Verächtlichkeiten vermögen mich von der Liebe Gottes in unserem Herrn Jesus Christus zu trennen" (Röm 8, 39).

5.9.31 Dies ist das Feuer, das die seligen Märtyrer in ihrem Geist erblickten und sie wurden gestärkt und gaben ihren Nacken dem Schwerte hin und ihre Glieder den Folterungen, um der Liebe zu seinem Geber willen.

5.9.32 Dies ist das Feuer, das die heiligen Väter in all ihren Generationen verherrlichte, und dieses verherrlicht alle Gerechten bis zur Vollendung der Welt.

5.9.33 Dieses Feuer wird unsere Leiber am jüngsten Tage auferwecken und sie mit der Unverweslichkeit bekleiden und unsere Seelen mit der Unveränderlichkeit.

5.9.34 Dieses Feuer entflammt den Leib mit Liebe und läutert die Seele mit Zärtlichkeit. Und wie Töpfergefäße, die in den Brennofen gehen, ebenso entflammt es alle Heiligen mit seiner Wärme.

5.9.35 Durch die Liebe dieses Feuers lodern die intelligi blen Naturen und rufen aus, indem sie sagen: „Heilig, Heilig, Heilig, der Herr Zebaoth, von dessen Herrlichkeiten Himmel und Erde voll sind" (Is 6, 3).

5.9.36 Durch die Liebe dieses Feuers wollen (auch) wir, meine Brüder, Tote für die Welt und Fremde für all ihre Verlockungen sein, und um seinetwillen täglich den Tod des Kreuzes erdulden.

5.9.37 Selig jene, die das Wirken dieses Feuers empfunden haben, die bereits im Himmelreich wohnen und sich beständig an den Geheimnissen der kommenden Welt ergötzen. Selig sind sie in Wahrheit und zahlreich ihre Seligkeiten und mit einer Zunge von Fleisch nicht auszusprechen!

5.9.38 Über diese Gabe ruft der selige Paulus aus und spricht: „Das Auge hat nicht gesehen und das Ohr nicht gehört und zum Herzen und den Sinnen des Leibes ist nicht aufgestiegen, was unser Herr seinen Heiligen bereitet hat, die ihn liebten und seine Gebote hielten" (1 Kor 2, 9).

5.9.39 Wer verlangte nicht sehnlich nach diesem Schatz des Lebens? Selig, die in ihrem Herzen rein sind, da sie ihn empfangen und sich beständig an seinen Segnungen ergötzen werden.

5.9.40 Wenn da ein Einsiedler ist, der dieser Gabe gewürdigt ward, und ihrer (dann) durch seine Lauheit beraubt ward, so empfängt der schon hier ein Angeld der Gehenna! Und wehe ihm, wessen ward seine Seele beraubt!

5.9.41 Ich habe viele Einsiedler gesehen, die dieser Gabe durch die Barmherzigkeit unseres Herrn gewürdigt wurden, und plötzlich fiel sie der Dämon des eitlen Ruhmes und der Selbstgefälligkeit an, zusammen mit dem der Freßlust und des Zornes, und sie beraubten sie dieser Gabe.

5.9.42 Das Prinzip aller Bosheiten ist die Trägkeit. Laßt uns, meine Brüder, Liebe und Geduld erwerben, zusammen mit Demut und Gehorsam unseren geistlichen Vätern gegenüber, aufdaß sich unser Herr vielleicht unser erbarme und uns diesen Schatz des Lebens verleihe.

5.9.43 Dies ist der Sauerteig, den die gesegnete Seele nahm und unter die drei Teile ihres Intellektes mischte, bis sie mit

Liebe durchsäuert und in Zärtlichkeit mit dem Herrn des Sauerteigs vermischt ist (vgl. Mt 13, 33).

5.9.44 Dies ist der Samen, von dem unser Herr sagte, daß er in eine gute Erde fiel „und Früchte brachte, dreißigfach und sechsigfach und hundertfach“ (Mk 4, 8).

5.9.45 Dies ist das Senfkorn, das in die Erde fiel und wuchs durch die Bewahrung der Gebote, das heißt Liebe und Fasten und Gebet, und Demut und Gehorsam und Untergebenheit. Und es wuchs auf und ward zu einem Zufluchtsort für alle Bedrängten (vgl. Mt 13, 31).

5.9.46 Dies ist der Schatz, der in einem Acker verborgen war. Und ein kluger Mann fand ihn und versteckte ihn in seiner Seele und verließ die Welt, mit allem was in ihr ist, und kaufte ihn mit seinem eigenen Blut und ergötzte sich an ihm. Und in Liebe teilte er von ihm an seine Genossen aus (vgl. Mt 13, 44).

5.9.47 Dies ist die Perle von großem Preis, welche die Kaufleute mit persönlicher Mühe finden und an deren göttlichen Licht sie sich täglich ergötzen (vgl. Mt 13, 45).

5.9.48 Dies ist das Königreich, das in uns ist, von dem unser Herr sprach (Lk 17, 21), das durch die Leidenschaften verborgen ist und das wir nicht sehen.

5.9.49 Laßt uns die Gebote halten, meine Brüde, auf daß der Schleier der Häßlichkeiten beiseite gezogen werde und uns die Herrlichkeit unseres Herrn, der in uns ist, erscheine.

5.9.50 Dies ist das Paradies der Freuden, das Adam verließ, als er das Gebot übertrat[10]. Und der Herr umgab es mit der feurigen Schwertschneide, aufdaß er nicht etwa seine Hand ausstrecke und von dem Baum des Lebens nehme. Denn seit dem Auszug Adams und bis zum Erscheinen der „Sonne der Gerechtigkeit" gab es niemanden, der von dem Baum des Lebens aß. Auch jene nicht, die in den Mühen der Tugend gelebt haben. Unser Herr aber öffnete durch sein Kommen das Tor des Paradieses, jenes sinnlichen und dieses intelligiblen, und ließ Adam ins Paradies eintreten und pflanzte den Baum des Lebens ins Herz Adams und gab ihm die Vollmacht, alle Tage von seinen Früchten zu essen[11]. Wenn er nämlich den Baum (der Erkenntnis) von Gut und Böse verläßt und vom Baum des Lebens ißt. Wenn aber nicht, kehrt er zu seinem zweiten Erbe zurück und statt der Wonne im Paradies wird er Dornen und Disteln erdulden, und statt des süßen Trankes aus der Quelle des Lebens wird er Galle und Wermut trinken. Statt des strahlenden und leuchtenden Gewandes von Licht wird er sich in Scham und Schande kleiden. Und statt der einfaltigen Erkenntnis wird er zahlreiche Erkenntnisse erwerben, das heißt, zahlreiche Listen und Tücken. Und statt Liebe und Freude wird er Kummer und Traurigkeit erwerben, und statt Freundlichkeit und Demut wird er eitlen Ruhm und Hochmut erwerben, und statt Güte und Milde wird er Neid und bitteren Hang (zum Bösen) erwerden.

5.9.51 Da, seht, das Gute und das Böse liegen vor uns. Und unser Schöpfer gab uns die Freiheit des Willens. Und wenn wir wollen, üben wir das Gute, und wenn wir wollen, üben wir das Böse, wie er sagte: „Sieh, Feuer und Wasser liegen vor dir, wonach immer du begehrst, streck deine Hand aus" (Sir 15, 16).

5.9.52 Meine Brüder, laßet auch uns zu dem flehen, der sagte: „Ein Feuer bin ich gekommen, in die Seelen der

Menschen zu werfen“ (Lk 12, 49), daß er in seinem Erbarmen die Kraft dieses Feuers erweise, durch das Wirken seiner (des Feuers) Heimsuchung, durch die Gnade seines Erbarmens. Amen[12]

5.9.52 Das Herz des Einsiedlers ist der Garten Eden, aus dem die Quelle des Lebens quillt und die vier und die fünf tränkt, und durch sie wachsen und werden erleuchtet die drei und die zehn[13].

5.9.54 Durch drei Lichter wird der Intellekt hingeleitet zu dem Licht das erhabener ist als alle Lichter. Und durch das eine wird er unterwiesen. Und durch das dritte und durch das, das vor ihm ist, wird er belehrt und vermehrt in dem, der über allem ist[14].

5.9.55 Es gebührt dem Einsiedler, der diese Gabe empfangen hat, daß er keine zwei entgegengesetzten Gedanken habe, sondern (nur) einen einfaltigen Gedanken. Denn einfaltig ist der, den er empfängt, und nicht aus Teilen zusammengesetzt der, den du in der Zusammengesetztheit betrachten willst. Wenn du ihn aber in der Zusammengesetztheit betrachtest, dann wird es dir passieren, daß du den Schein statt der Wahrheit nimmst! Wenn du aber Demut und Gehorsam dem (geistlichen) Führer gegenüber besitzest, dann bringt er dich dazu, daß du in deiner Erkenntnis jenseits des Ortes der Bilder weilst.

5.9.56 Selig der Einsiedler, aus dessen Herz Christus, die Quelle des Lebens hervorquillt, und der ausgoß und mit ihm die drei und auch die zwei bewässerte, und die sieben und die vier nährte[15].

5.9.57 Selig der Einsiedler, der in sich den Schatz des Lebens fand und sich an seinen geistlichen Kostbarkeiten ergötzte und durch ihn reich und überaus großmächtig ward und von ihm auch den Bedürftigen austeilte.

5.9.58 Selig, wer von jenem Brote aß, das vom Himmel herabstieg (Joh 6, 33), und von jenem Blute trank, das aus der heiligen Seite rann (Joh 19, 34), und durch es trunken ward und diese Welt der Kümmernisse vergaß und alles was in ihr ist[16].

5.9.59 Das Herz des Einsiedlers ist das Grab Christi. Der heilige Leib aber, der in ihm niedergelegt ward, ist das Feuer der zärtlichen Liebe unseres Herrn, das in ihm lodert.

5.9.60 Wenn der Intellekt am dritten Tag in Christus vollendet wird, dann ist offenkundig, daß er zwei (Tage) vorher aufs Kreuz stieg, und dann zur Ruhe Christi eintrat[17].

5.9.61 Wenn der Intellekt durch die drei in Christus vollendet wird, dann ist offenkundig, dann er in den zwei unterwiesen wird. Wenn aber dies so ist, dann ist offenkundig, daß die vier Helfer der ersten und der letzten sind[18].

5.9.62 Die Lichtstrahlen, die wir bisweilen in unseren Seelen erblicken, sind, so sagen einige der Väter, die Herrlichkeit unseres Herrn, die er auf dem Berge Tabor seinen heiligen Aposteln zeigte. Und selig, wer dieser Schau gewürdigt ward!

5.9.63 Das Zelt, das der selige Moses in der Wüste aufrichtete, ist ein Symbol der Seele des Einsiedlers, in dem es ein Heiliges und ein Allerheiligstes gibt, zusammen mit einer Lade und den Tafeln darin. Das Heilige ist die Seele und das Allerheiligste der Intellekt, in dem Christus unser Erlöser wohnt.

5.9.64 Selig die Seele, die sich selbst aus der Zerstreuung außerhalb ihrer selbst gesammelt hat und in sich eingetreten ist und unseren Herrn erblickt hat, der auf dem Throne sitzt, das heißt auf ihrem Intellekt, und von ihm ein neues Gebot erhalten hat, das heißt die geistliche Liebe, welche die Erfüllung des Gesetzes ist.

5.9.65 Das heilige Licht, das im Intellekt zur Zeit des Gebetes aufstrahlt, ist ohne Zweifel die Herrlichkeit unseres Herrn. Und dies ist es, was er sagte: „Die Gerechten werden leuchten wie die Sonne im Reiche ihres Vaters" (Mt 13, 43).

5.9.66 Das Licht, das dem Saphir gleicht und der Farbe des Himmels, das du in deiner Seele erblickst, ist der Ort vor der Gebotsübertretung. Und dies ist die Reinheit der Natur des Hauptes unserer Schöpfung, und über ihr leuchtet das Licht der gepriesenen Dreifaltigkeit auf[19].

5.9.67 Die fünf werden durch die vier konstituiert, und die fünf werden wiederum durch die zehn vollendet. Ebenso auch erlangen die drei durch die sechs die Vollendung und die Vereinigung mit jenem einen, der ohne Teile ist[20].

5.9.68 Der eine wird durch die drei konstituiert und die drei werden wiederum durch die neun vollendet. Jedoch werden die letzten durch die mittleren geleitet und die mittleren durch die ersten. Die ersten indessen werden von dem Licht selbst, dem Born des Lichtes, geheimnisvoll unterwiesen, durch den Mittler Jesus Christus, das Wort Gottes[21].

5.9.69 Ebenso auch wird der zehnte durch den letzten der drei geführt bis zu seinem ersten Grad. Und dann wird er aus sich selbst zum Emfpänger der letzten und der mittleren und der ersten, und dessen, der jenseits von diesen ist[22].

5.9.70 Jene Kraft, die den zweien voraus ist, ist der Anfänger der Taten. Die letzte von den dreien aber ist der Vollender von allem. Jene indessen, die zwischen dem letzten und dem ersten liegt, kämpft, so scheint es, für die erste, wie uns die in diesen heiligen und göttlichen Geheimnissen Weisen überliefert haben[23].

5.9.71 Jene erste Kraft besitzt, wie man sagt, zwei entgegengesetzte Wirken. Und die letzte der drei drei. Die mittlere jedoch zwei[24].

5.9.72 Jene, die mit den vier laufen, gewinnen Kraft aus den vier; ihr Ende ist der intelligible Tod. Das Ende jener indessen, die mit den drei wirken, ist die Liebe, aus der das ewige Leben quillt[25].

5.9.73 Jene aber, die mit den ersten fünf laufen, verarmen an den neun und den letzten fünf[26].

5.9.74 Jene aber, die durch die drei ersten Tugenden wirken, zelebrieren auf den zwei Altären des Kreises. Und bisweilen opfern sie von den reinen Tieren, an denen kein Makel ist, und bisweilen von jenen, von denen im Gesetz geboten ist, sie nicht zu opfern[27].

5.9.75 Jene indessen, die durch die drei letzten Tugenden wirken, offizieren auf dem einfachen Altar. Und selig jene, denen der Herr verhießen hat: „Ihr werdet essen und trinken mit mir am Tische meines Reiches“ (Lk 22, 30). Und diese sind die Gesegneten des Vaters, die mit ihm ewiges Leben erben werden[28].

5.9.76 Jene sind die Geladenen des Vaters, der vor ihnen das Mastkalb geschlachtet hat, (Lk 15, 23), das sein geliebter Sohn ist, und vor ihnen den Becher seines kostbaren Blutes gemischt hat[29].

5.9.77 Dies sind jene, die mit dem Brautgewand bekleidet sind (vgl. Mt 22, 11 f.) und die Kleider der Freude tragen. Jene, die von ihm zwei und drei geistliche Talente empfangen haben und sie gemehrt haben und zu zehn und zu sechs gemacht haben. Für diese erbat der Sohn im Gebet vom Vater: „Gib ihnen, daß sie eins seien in uns, wie du Vater in mir und ich in dir“ (Joh 17, 21).

5.9.78 Diese sind die auserwählten Weizenkörner, die nicht durch die Gewalt der Versuchungen des Fürsten der Luft beschädigt wurden und für die Speicher zu ewigem Lebens gesammelt wurden (vgl. Lk 22, 31)[30].

5.9.79 Diese sind die fleißigen Lohnknechte, die zur Zeit der Jugend begannen und zur Zeit des Alters aufhörten und die Last des Tages und seine Hitze trugen, und die als Lohn einen vollen Denar empfingen (vgl. Mt 20, 1 ff.).

5.9.80 Diese sind die auserwählten Ranken, die im Weinberg des Lebens verblieben und Trauben des Lebens wachsen ließen, (Joh 15) und aus denen der feine Wein gepreßt ward, der auf den Altar kam, zum angenehmen Wohlgeruch ihres Herrn.

5.9.81 Oh Landmann und Erz-Landmann, wirf in uns von deinem guten Samen, aufdaß wir Früchte bringen, die dem Wohlgefallen deiner Majestät entsprechen!

5.9.82 Oh Kaufmann und Erz-Kaufmann, gewähre uns eine Obole aus deinem reichen Schatzhaus, das nicht abnimmt, aufdaß wir mit ihr (ein paar) Krumen zum täglichen Brot erstehen![31]

5.9.83 Oh Baum des Lebens, der ins Paradies unseres Herzens gepflanzt ward, zeige uns dich selbst, aufdaß wir uns von deinen glorreichen Früchten nähren und unsere Nacktheit mit deinen herrlichen Blättern verbergen!

5.9.84 Das sinnenhafte Kreuz ist ein Leib, der Nacht und Tag wieder die Lüste dieser Welt gekreuzigt ist. Das intelligible (Kreuz) ist ein (Geist), der wider die außernatürlichen (Leidenschaften) gekreuzigt ist[32].

5.9.85 Wenn du die Farbe des Kristalls oder die Farbe der Färbung des Himmels in deiner Seele erblickst, dann begreife, daß die Kontemplation der Körperlosen sich selbst dir zeigen will. Und selig bist du, wenn du in dieser Stunde das Wirken des zweiten Sinns besitzt[33], da sie (die Körperlosen) dich durch ihre zarten Laute zu ihrem Herrn geleiten werden.

5.9.86 Wenn du aber deine Seele feurig erblickst, dann wisse, daß in diesem Augenblick die Kraft der Gnade dem zweiten Sinn Kraft verleihen will, und dem letzten der drei, und dem, der vor den zweien ist. Jener aber, der vor dem letzten ist, der hat auch an ihnen Teil. Der letzte aber von allen besitzt in diesem Augenblick kein Wirken, weil es für ihn nicht notwendig ist[34].

5.9.87 Jedesmal, wenn du dich an diesem Ort befindest, dann begreife daß du dem Eingang des Landes der Verheißung nahe bist. Und selig bist du, wenn in dir kein Sauerteig der Ägypter ist, sodaß du leicht den Jordan überschreitetst. Gib jedoch acht, dieweil du den Jordan überschreitest, daß du nicht etwa vom Gebannten stehlest, und dein Ende werde wie das des Achar, und du die ganze Gemeinde des Herrn entsetzest (vgl. Jos 7). Sondern halte die Gebote Josuas, damit er dir zum Erbe des Landes, das von Milch und Honig fließt, verhelfe[35].

5.9.88 Gleichwie die Holzbalken ein Gebäude aus Steinen binden und umgürten, damit es nicht falle, ebenso hält und umgürtet die Kraft der Tugenden die Kraft der Seele mit Christus, damit sie nicht abfalle von der Liebe und dem Glauben ihm gegenüber.

5.9.89 Gleichwie die Wasser der Meere, die bitter und salzig sind, in der Luft durch göttliches Wirken zu Süßigkeit und Milde verwandelt werden, ebenso werden die Mühen der Stufe der Leibhaftigkeit, die bitter und widerwärtig sind, auf der letzten Stufe und der, die davor ist, zu Süße und Milde verwandelt.

5.9.90 Jene(Mühen) nämlich, die zwischen der ersten und der letzten (Stufe) liegen, sind bisweilen süß und bisweilen bitter, und bisweilen widerwärtig und bisweilen freudig. Jene aber der letzten dritten (Stufe) sind allezeit süß.

5.9.91 Die Seele des Einsiedlers ist die Braut, unser Herr Jesus Christus aber ist der Bräutigam, dem sie durch Wasser und Geist angetraut ward. Wenn sie ihm nun Reinheit und Keuschheit bewahrt, dann kommt er in seiner Liebe und errichtet in ihr sein Brautgemach. Und er bekleidet sie mit den Gewändern von Licht und setzt auf ihr Haupt die Krone der Glorie, auf der die intelligiblen Sterne angeordnet und aufgereiht sind.Und er beschuht ihre Füße mit der Bereitwilligkeit des Evangeliums. Und es steigen mit ihm die Tausend mal Tausend und Zehntausend mal Zehntausend der Engelfürsten und Engel herab und singen mit ihren heiligen Stimmen, indem sie sagen: „Ehre sei Christus, der seiner Anverlobten das Hochzeitsmahl bereitet hat“[36].

5.9.92 Die zarten Laute, die an diesem Orte vernommen werden, gelangen nicht zur Formulierung einer Zunge von Fleisch. Sondern der Geist, der sich von den stofflichen Leidenschaften gereinigt hat, und bei sich den heiligen Samen der Natur seiner ersten Schöpfung bewahrt hat, der wird gewürdigt, daß seine Zunge gelöst werde und mit ihnen die geistlichen Lobgesänge preise. Und selig die Seele, bei der der Vater und der Sohn und der Heilige Geist, der Paraklet, der Geist der Offenbarungen, Wohnung machen (vgl. Joh. 14, 23).

5.9.93 Die Herrlichkeit unseres Herrn, die die Jünger auf dem Berge sahen, ist das Geheimnis jenes heiligen Lichtes, mit dem sich die Heiligen in der neuen Welt bekleiden werden[37].

5.9.94 Das Meer, dessen Bewegung bei dem Besteigen des Schiffes durch unseren Herrn Jesus aufhörte (Mt 14, 32) ist das Geheimnis des Intellektes, der aufgewühlt ist durch die Leidenschaften, (und) der durch das Aufstrahlen unseres Herrn über ihm still wird von seinen verwirrten Regungen.

5.9.95 Auf dieselbe Weise empfängt der Intellekt eine geistliche Nahrung aus der Kontemplation der Heiligen Dreifaltigkeit, wie die Kräfte des Leibes eine materielle Speise von dem Magen empfangen. Und gleichwie der Leib, der lange Zeit der Nahrung beraubt ist, stirbt, ebenso auch der Intellekt, der seiner eigenen Speise beraubt ist, welche die Kontemplation der Heiligen Dreifaltigkeit ist.

5.9.96 Selig der Mönch, der, dieweil er betet und psalmodiert, in sich hineinschaut und Christus erblickt, der innen in seiner Seele wohnt, und sich an dieser glorreichen Schau ergötzt.

5.9.97 Selig der Mönch, dessen Herz zu einer Grotte der Geburt unseres Herrn ward, und der ihn erblickte, wie er in Windeln von Feuer gewickelt ist, und jene Laute hörte, die von den feinen Intellekten gehört werden, und die da rufen: „Lobpreis sei Gott in den Höhen und in der Seele Frieden und gute Hoffnung all ihren Kräften und ihren Teilen" (vgl. Lk 2, 14).

5.9.98 Selig der Mönch, dessen Intellekt sich auf geistliche Weise aufgerichtet hat und der die Vorsehung Gottes erblickte, die in allen Naturen der Geschöpfe verborgen ist und wirkt, und der von ihm Nahrung empfing, soviel es seiner Stufe entspricht und der an seinen Ort zurückkehrte[38].

5.9.99 Selig der Mönch, dessen Zunge seines Geistes zusammen mit der geistigen Naturen gelöst ward, und der mit ihnen jene heilige Lieder sang, die von Zungen von Fleisch nicht ausgesprochen werden. Und ich meine, daß dies der Ort ist, zu dem der selige Paulus gelangte (vgl. 2 Kor 12, 2 ff.).

5.9.100 Selig der Mönch, dessen Intellekt mit der Kontemplation der Heiligen Dreifaltigkeit umkleidet ward, und der weder sich selbst erkannte noch den Ort, an dem er sich befindet[39].

5.9.101 Selig der Mönch, der mit unserem Herrn von seiner Jugend an bis in sein Alter gewirkt hat, und von ihm jene auserlesenen Gaben empfangen hat[40].

5.9.102 Selig aber auch jener, der, auch wenn er in der Tat in diesen Dingen nicht lebte und ihr Empfinden nicht in der Wirklichkeit empfing, bloß feste glaubte und alle Vorwürfe des Unglaubens verwarf und von sich warf[41].

5.9.103 Selig der Mönch, der über diese Dinge bei Tag und bei Nacht meditiert und die Eitelkeit des Umganges mit der Welt verließ und ihre Sorge, die die Weisen belästigt. Denn hinfort wird er schmecken und sehen, daß der Herr gut ist (Ps 34, 8).

5.9.104 Selig der Einsiedler, der leer ist von allem Stofflichen und als Einsamer allein mit dem einen Eingeborenen-Gott ist[42], mit dem er vereint ist, und der sich an den unaussprechlichen Segensgütern ergötzt, an denen sich alle Täter seines Willens ergötzen werden, durch die Gnade selbst unseres Herrn Jesus Christus, dem die Ehre und die Danksagung sei, zusammen mit seinem Vater und seinem Heiligen Geist, in die Ewigkeit der Ewigkeiten. Amen

5.9 Aus den ‚Capita scientiae'

N. B. Folgende HSS wurden benutzt:
A BM Add. 14.729, f. 69b—80b
B Berlin, Sachau 352, f. 192b. 141a—147b
C Cambridge Add. 1999, f. 96b—102a
D Harward 109, f. 97a—102b
E Mingana 7, f. 119a—126b.

Alle HSS sind beschrieben bei R. BEULAY PO XXXIX, 264 ff. Als Grundlage diente uns Mingana 7, oblgeich die jüngste von allen HSS, da sie einen guten und vollständigen Text bietet. Die auch hier vorkommenden Auslassungen oder Textentstellungen haben wir nach den ältesten HSS A B C korrigiert. Zum Verhältnis der HSS untereinander sei hier nur angemerkt, daß meist A B C zusammengehen, ebenso wie D E, die ja Abschriften desselben Prototyps sind. B bietet sicher einen ausgezeichneten Text, ist jedoch leider durch Wasser stark beschädigt. — Varianten werden in den Anmerkungen nur angegeben, wenn sie von einiger Bedeutung sind.

Es ist anzumerken, daß die Sentenzen in diesen HSS nicht numeriert sind, sondern nur durch leicht zu übersehende Trennungszeichen von einander geschieden sind, d. h. durch einen, zwei oder vier Punkte. Die Textilabteilungen stimmen also zwangsläufig nicht überein. Eine Entscheidung ist hier kaum möglich, da vieles inhaltlich zusammengehört, aber ebensogut auf mehrere Sentenzen verteilt werden kann. Ephrem von Qirqesion numeriert hingegen durchlaufend die von ihm kommentierten Sentenzen. Aus praktischen Gründen haben wir die Sentenzen durchlaufend numeriert, wobei zu beachten ist, daß keine der benutzten HSS alle hier übersetzten Sentenzen enthält, vielmehr weist jede mehr oder weniger große Auslassungen auf.

Zur Auflösung der Zahlrenrätsel haben wir uns des Kommentars des Ephrem von Qirqesion bedient (s. o. Einleitung § 2.2.3a). Herrn P. R. Beulay sei hier noch einmal herzlich für die Überlassung eines Filmes dieser von ihm entdeckten HS gedankt, sowie die Erlaubnis sie auszuwerten. Wir geben jeweils die Nummer an, die die Sentenz bei Ephrem trägt, sowie die Seitenzahl der HS. Auf weitere Verweise, vor allem auf das ‚Buch der Fragen und Antworten', wurde weitgehend verzichtet. Fast alle Zahlen ließen sich hier nachweisen, Ephrem scheint also tatsächlich den Text sehr gut verstanden zu haben. Bei einigen Zahlen fällt allerdings eine gewisse Willkür bei der Auflösung auf.

[1] So C D E, während A B lesen: „... und sie wird in drei gleichen Personen bekannt und in dem erhabenen Tempel angebetet und erhoben".

[2] BEULAY, Centuries 38 zitiert diese Sentenz, jedoch in der von D E vertretenen verstümmelten Form, bei der die Pointe verlorengegangen ist. A B C bieten offensichtlich den vollständigen Text. Der Offenbarende, denn man wird kaum neutrisch lesen dürfen wie BEULAY, ist Gott, der sich in seinen Werken sowohl offenbart als auch verbirgt.

[3] A B C weichen hier stark von D E ab und z. T. auch untereinander. A B: „Gleichwie unsere Natur mit dem Logos-Gott vereint ward, jenseits der Formulierung des Wortes, ebenso wird die ganze Natur der Vernunftwesen mit unserem Herrn Jesus Christus in der kommenden Welt vereint werden." C weicht zu Anfang leicht ab, ohne den Sinn zu verändern.

[4] BEULAY, Centuries 38 zitiert diese Sentenz als für die Theologie des Johannes von Dalyatha typisch, vgl. auch 29 ff. Indessen finden sich doch sehr ähnliche Aussagen auch bei Jausep Ḥazzaya. Vgl. z. B. Diarb 100, 97 f.: In der neuen Welt wird der ganze Mensch Licht sein (vgl. Mt 13,43) Leib und Seele, da er Christus ähnlich sein wird (vgl. 1 Joh 3,2), der Licht ist. Durch die Vereinigung mit dieser Quelle des Lichtes (Christus) schauen sie (das Verb ist ausgefallen) das Licht seiner (des Vaters) Gottheit, das niemand (an sich) schauen kann. Ebenso f. 107: In der Person Jesu Christi werden alle Gott-Vater schauen, der unschaubar ist. In anderem Zusammenhang (f. 464) zitiert Jausep auch Ps 36, 10: In deinem Lichte schauen wir das Licht! vgl. Evagrios, In Ps 35, 10 und zu diesem Origenes, In Joh II, 23. Soweit ist also alles auch für Jausep typisch, der nicht weniger christozentrisch ist als Johannes von Dalyatha! Der zunächst überraschende Zusatz „nicht seine Natur, sondern die Herrlichkeit seiner Majestät" findet eine *sachliche* Parallele in Cent I, 30 (Künstler und Kunstwerk), wo der Verfasser Eph 3, 10 deutet. Diese Schriftstelle, die Jausep lieb ist (vgl. 4, 26 a; 6, 11), findet sich in den Briefen des Johannes von Dalyatha nie! vgl. auch Evagrios, Cent V, 51 als mögliche Quelle Jaureps.

[5] A B C weichen wieder stark von D E ab: „... vor unseren Wunden, und uns durch uns selbst erlösen wollte".

[6] Dieselben Ansichten vertritt Jausep Ḥazzaya in seinem ‚Buch der Fragen und Antworten', Diarb 100, 61 ff., die ihn in Gegensatz zur offiziellen Lehre seiner Kirche vom „Seelenschlaf" brachte, vgl. dazu TISSERANT-AMANN 304 f. Isaak von Ninive, Buch der Gnade IV, 95—97 wägt beide Lehrmeinungen gegeneinander ab und schließt sich dann der von Jausep später vertretenen Meinung an, jedenfalls was die Seelen der Heiligen betrifft.

[7] A markiert hier einen Neueinsatz („von demselben"), als ob ein neuer Text desselben Autors begänne, so Einleitung § 2.2.3a.

[8] Vgl. dazu ausführlich Diarb 100, 22 ff. (Text 10, 19 ff.).

[9] Der nun folgende Lobgesang auf das Feuer, d. h. die Gnade des Heiligen Geistes, die wir in der Taufe empfangen, findet eine schöne Parallele

im ‚Buch der Fragen und Antworten', Diarb 100, 405 ff., in der Jausep die Bruderliebe in Christus verherrlicht. Eine ganz ähnliche Litanei auf das Feuer findet sich bei Evagrios, De malignis cogitationibus XLIV (MUYLDERMANS, A travers p. 59 f.,), den Jausep sehr wohl vor Augen gehabt haben kann.

[10] Zum Paradies und dem Baum des Lebens bei Jausep vgl. Text 10, 29 ff.

[11] C läßt den Rest der Sentenz aus.

[12] A B lesen statt des „Amen", das einen deutlichen Abschluß bildet, „in Ewigkeit". A markiert wieder einen Neueinsatz („von demselben"), s. o. Einleitung § 2.2.3a.

[13] EPHREM VON QIRQESION 11 (S. 8 f.):
4 = Leib (aus den vier Elementen bestehend)
5 = fünf Sinne des Leibes
3 = drei Teile der Seele (d. h. begehrender, zornmütiger und verstehender Teil)
10 = fünf Sinne der Seele + fünf Sinne des Leibes

[14] EPHREM VON QIRQESION 12 (S. 9 f.):
3 = drei Kontemplationen (1. der Körperlichen, 2. von Gericht und Vorsehung, 3. der Körperlosen)
erhabener als alle = Kontemplation der Hl. Dreifaltigkeit; durch eine unterwiesen = Kontemplation der Körperlichen; durch die dritte und die davor belehrt = Kontemplation der Körperlosen und (des Gerichtes und) der Vorsehung.

[15] EPHREM VON QIRQESION 14 (S. 10 f.):
3 und 2 = fünf Sinne der Seele
7 = sieben Kräfte der Seele (Keuschheit, Liebe, Gerechtigkeit, Mut, Weisheit, Erkenntnis, Verständigkeit)
4 = Leib (aus den vier Elementen bestehend).

[16] Diesen Zustand der „Trunkenheit" beschreibt Jausep u. a. auch in Text 1, 76; vgl. auch unten die Sentenz Nr. 100.

[17] EPHREM VON QIRQESION 18 (S. 11 f.): Bezieht sich auf die drei Stufen:
3. Tag, Sonntag = Stufe der Geisthaftigkeit
2 Tage vorher, Freitag = Stufe der Leibhaftigkeit, Erdulden der Mühen.
Ruhe des Herrn, Sabbat = Stufe der Seelenhaftigkeit, Ruhe von den Leidenschaften.

[18] EPHREM VON QIRQESION 19 (S. 12):
Über dasselbe Thema, auf andere Weise:
2 = durch die Stufen der Leibhaftigkeit und der Seelenhaftigkeit unterweisen zum Aufstieg zur Geisthaftigkeit.
4 = Leib, da er Helfer der Seele auf den beiden ersten Stufen durch seine Mühen ist.

[19] Gemeint ist der geschöpfliche Urstand Adams, vgl. Einleitung, Anm. 158!

[20] EPHREM VON QIRQUESION 65 (S. 12 f.):
5 = fünf Sinne des Leibes (=4, weil aus vier Elementen)
10 = fünf Sinne des Leibes und fünf Sinne der Seele = 10 in der Vollendung ihrer Reinigung.
3 = drei Teile der Seele (s. o. Anm. 13)
6 = sechs Kräfte der Seele (s. o. Anm. 15, aber ohne die Liebe)
1 ohne Teile = Gott.

[21] EPHREM VON QIRQESION 66 (S. 13 ff):
NB. Ephrem liest am Schluß statt „durch den Mittler Jesus Christus, das Wort Gottes" vielmehr: „Durch Jesus, den Mittler aus unserem Geschlecht". — Die folgende Sentenz 69 zieht Ephrem noch zur vorhergehenden.
1 = Natur der Geistwesen
3 = besteht aus drei Ordnungen (τάξις)
9 = diese drei Ordnungen bestehen aus neuen Rängen (τάγμα)(1. Ordnung: Cherubim, Seraphim, Throne; 2. Ordnung: Herrschaften, Kräfte, Gewalten; 3. Ordnung: Archonten, Engelfürsten, Engel). Vgl. ausführlich Diarb 100, 135 ff.
Letzere durch mittlere usw. s. o., bezieht sich auf die drei Ordnungen.
Licht, Quelle des Lichtes = Hl. Dreifaltigkeit. Durch Vermittlung Jesu Christi, man beachte seine *kosmische* Mittlerstellung!

[22] EPHREM VON QIRQESION 66 (Fortsetzung, S. 15):
10. = Rang der Seelen der Menschen, die von dem letzten der neun Ränge (den Engeln) geleitet werden
1. Grad = Naturzustand des Ranges der Seelen der Menschen vor dem Fall (Adams)
Der über allen = Christus.

[23] EPHREM VON QIRQESION 67 (S. 15 f.):
Gemeint sind die drei Teile der Seele: Begehren, Zornmut und Vernünftigkeit.
Anfänger = das Begehren
Vollender = die Vernünftigkeit
Kämpfer für Begehren und Vernünftigkeit = der Zornmut. Unter den Weisen ist vor allem der selige Mar Evagrios zu nennen.

[24] EPHREM VON QIRQESION 68 (S. 16):
1. Kraft = Begehren
2 entgegengesetzte Wirken = Unreinheit und Unkeuschheit
letzte der drei = Vernünftigkeit
3 entgegengesetzte Wirken = eitler Ruhm, Aufgeblasenheit, Hochmut
mittlere Kraft = Zormut
2 entgegengesetzte Wirken = Wut und Trauer.

[25] EPHREM VON QIRQESION 69 (S. 16 f.):
4 = jene, deren ganzes Tun leibhaftig ist und auf diese Welt begrenzt ist
4 = die erben die gewöhnliche und zusammengesetzte Erkenntnis dieser

aus den vier Elementen zusammgnesetzten Welt, zusammen mit den Leidenschaften und Lüsten des Leibes

Ende = Trennung von der wahren Erkenntnis

3 = drei Teile der Seele, jene, deren Tun verborgenerweise in der Seele geschieht.

Ende = ewiges Leben, d. h. die Erkenntnis Christi.

[26] EPHREM VON QIRQESION 70 (S. 17 f.):

ersten 5 = fünf äußeren Sinne (d. h. des Leibes)

9 = neun Kräfte der Seele (Keuschheit, Liebe, Geduld, Gerechtigkeit, Mut, Ausdauer, Weisheit, Erkenntnis, Verständigkeit. Vgl. indessen Anm. 15 und 20!)

letzten 5 = fünf inneren Sinne (d. h. der Seele).

[27] EPHREM VON QIRQESION 71 (S. 18 f.):

3 ersten Tugenden = 3 Kräfte der Seele (Keuschheit, Gerechtigkeit und Mut)

2 Altäre des Kreises = zwei Stufen der Leibhaftigkeit und Seelenhaftigkeit

Opfer = teils reine Gedanken, teils böse Gedanken außer der Natur.

Zu den zwei Altären mit Kreis (d. h. mit Begrenzung) vgl. Evagrios, Cent II, 57 und IV, 88, mit dem Kommentar von Babai, FRANKENBERG 171 und 315, sowie HAUSHERR, Jean le Solitaire, Dialogue 101, die wohl beide auf eine gemeinsame Tradition zurückgehen, da Johannes von Apameia Evagrios noch nicht benutzte.

[28] EPHREM VON QIRQESION 72 (S. 19 f.):

3 letzten Tugenden = drei Kräfte des Intellektes (Weisheit, Erkenntnis und Verständigkeit)

einfacher Altar = Stufe der Geisthaftigkeit

Tisch Christi = Kontemplation der Hl. Dreifaltigkeit.

Vgl. auch die vorhergehende Anmerkung. Einfach bedeutet hier unbegrenzt, während der Kreis für das Begrenzte steht.

[29] A übergeht die folgenden Sentenzen bis 83 einschließlich und macht wieder einen Neueinsatz („von demselben"), vgl. Einleitung § 2.2.3a.

[30] C übergeht die folgenden Sentenzen bis 83 einschließlich.

[31] Das gleiche Bild entwickelt Jausep in einem Gebet, s. u. Text 11, 2. Gebet.

[32] Den vollständigen Text bietet nur B, A C D E sind verstümmelt. Die HS ist hier beschädigt, doch das Fehlende leicht aus den anderen HSS zu ergänzen.

[33] A läßt diese Sentenz aus. — Zu den Sinnen des Intellektes vgl. o. Text 3 Anm. 13. und die folgende Anmerkung.

[34] EPHREM VON QIRQESION 74 (S. 20 f.):

2. Sinn = Gehör

letzter der drei = Geruch

der vor dem zweiten = Gesicht

der vor dem letzten = Geschmack

letzter von allen = Gespür
[35] Ephrem von Qirqesion 81 (S. 21 f.):
NB. Ephrem liest statt „Ort der Verheißung“ (so alle HSS) sicher zu Recht „Land der Verheißung“.
Ort = Reinheit
Land der Verheißung = Stufe der Seelenhaftigkeit
Sauerteig der Ägypter = Bosheit und Liebe zu den Lüsten
Jordan = Grenze zwischen dem Wechsel von der Leibhaftigkeit zur Seelenhaftigkeit
Gebanntes = Eigenliebe und alle aus ihr entstehenden häßlichen Leidenschaften, vor denen die beiden Testamente warnen
Ende wie Achar = durch Verlassenwerden von Gott
Versammlung des Herrn = Gottesfürchtige
Josua = Jesus Christus
Erbe des Landes = Lauterkeit
Milch und Honig = Kontemplation der Seienden und Kontemplation der Hl. Dreifaltigkeit.
[36] Liegt ein Anklang an Apk 19, 7 vor? Die Apokalypse gehört allerdings nicht zum alten Kanon der Syrer!
[37] Diese und die folgende Sentenz fehlen in A.
[38] „Sein Ort“ ist der Ort seiner ersten Schöpfung. Diese Sentenz fehlt in A.
[39] Diese Sentenz fehlt in D E.
[49] Mit dieser Sentenz endet A.
[41] Hier enden B C
[42] Ein kaum übersetzbares Wortspiel mit der syrischen Wurzel *ḅd*
Beulay, Centuries 40 zitiert diese Sentenz als typisch für Johannes von Dalyatha. In der Tat finden sich derartige Wortspiele nicht bei Jausep, indessen fehlt diese Sentenz in den alten HSS A B C! Nr. 102 bildet einen Abschluß, der sehr wohl der der ganzen Centurie sein könnte.

5.10 Erster Memra des heiligen Mar ʿAbdishoʿ in Fragen und Antworten[1]

Der Fragesteller sagt: Als erstes frage ich dich, oh göttlicher Lehrer, wie Gott in seiner Schöpfung wohnt, naturhaft oder willenhaft oder wirkhaft? Diese drei Unterscheidungen erkläre mir mit Sorgfalt, und, soweit als möglich unterscheide und zeige sie mir mit Beispielen auf. (10)

Der Eremit sagt: Gott ist ein Sein, das von ewig her ist, dessen Wesen nicht erforscht wird[2]. Das heißt, seine Natur wird weder von den Engeln noch von den Menschen begriffen. (11) Weil er unbegreifbar ist und unbegrenzt und unerforschbar und unergründlich, und sowohl fern von allem als auch allem nahe, wohnt er zwar nicht durch seine Natur in der Schöpfung, sondern sie, die Schöpfung wohnt in ihm. Mit seinem *Willen* indessen wohnt er in der Schöpfung und durch ihre Natur wohnt sie in ihm, weil die Natur seines Wesens außerhalb aller Schöpfung ist und sie (Schöpfung) in ihr (Gottes Natur) verborgen ist. Durch seinen Willen also wohnt er in ihr.

Gleichwie nämlich die Luft durch ihre Natur in der ganzen Schöpfung wohnt, denn durch sie atmen alle Naturen der Schöpfung das Leben ein, ebenso auch wohnt der Wille Gottes, welcher seine *Vorsehung* ist, in der ganzen Schöpfung und in ihm leben und regen sich alle Naturen der Schöpfung (vgl. Apg 17, 28). Und gleichwie sich durch die Luft die Wolken bilden und den Regen auf die Erde herabkommen lassen und alle Früchte der Erde wachsen (12) und die Pflanzen und Samen, die in ihr sind, ebenso wird die ganze Schöpfung durch die Vorsehung Gottes, die sein Wille ist, behütet. Und gleichwie es das *Wirken* der Luft ist, das die Früchte und Samen wachsen läßt, und nicht ihre Natur, weil ihre Natur in dem ganzen Raum, der unter dem Himmel ist, ausgegossen ist, und durch den Atem eines jeden Lebewesens ein- und ausgeht, indem ihr Wirken sie belebt, ihre Natur indessen sowohl fern als nahe ist, weil in der Natur der Luft die ganze Schöpfung wohnt, die (Luft) hingegen durch ihr Wirken in der ganzen Schöpfung wohnt, — ebenso auch wohnt Gott der Allherrscher durch seinen Willen in der ganzen Schöpfung und nicht durch seine Natur. Denn seine Natur ist fern von der ganzen Schöpfung, und die ganze Schöpfung ist in ihr einbegriffen und sie ist in ihr, und außerhalb von ihr (der Schöpfung) befindet sie sich nicht in einer Behausung, sondern im Grenzenlosen.

Sein Wille also, wie ich sagte, wohnt in seiner Schöpfung. Und es zeugt für mein Wort die leuchtende Lampe der ganzen Erde, der göttliche Lehrer, der heilige Exeget[3] in dem Band „über die Inkarnation unseres Herrn"[4], indem er folgendermaßen spricht: „Zu sagen also, daß Gott naturhaft in der Schöpfung wohnt, ist nicht statthaft. Man denkt sich nämlich seine Natur in denen, von denen man sagt, er wohne in ihnen, und den anderen wäre sie entzogen. Jedoch was Gott betrifft so ist offenbar, daß er durch seinen Willen in der Schöpfung wohnt. Und nicht schon deshalb, weil er durch seinen Willen in ihr wohnt, erweist er auch seine Fürsorge[5] in ihr. Etwas anderes nämlich ist der Wille Gottes und etwas anderes die Fürsorge seines Willens. Überall dort nämlich, wo seine Fürsorge tätig ist, da ist auch sein Wille. Nicht überall dort jedoch, so sein Wille wohnt, ist auch seine Fürsorge tätig.

(13)

Gleichwie nämlich überall da, wo die Wärme der Sonne ist, dort auch ihr Strahl ist, ebenso ist überall da, wo die

Fürsorge des Willens Gottes tätig ist, auch der Wille seiner Vorsehung. Und gleichwie wenn sich die Luft durch die Wolken verdichtet die Wärme der Sonne der Schöpfung vorenthalten wird, aber ihr Licht die Schöpfung (gleichwohl) erleuchtet, entsprechend dem, was ihr von Gott bestimmt ward, ebenso auch ist die Fürsorge Gottes in seinem Willen angesammelt, dieweil sein Wille in seiner Schöpfung wohnt. Denn der Wille Gottes ist wie die Kraft der Natur, seine Fürsorge aber wie ihr Wirken. Und gleichwie die Kraft von dem Wirken verschieden ist, die Natur jedoch von allen beiden, und das eine ohne das andere nicht besteht, ebenso ist der Wille Gottes verschieden von seiner Fürsorge. Und gleichwie die Kraft ohne das Wirken nicht erkannt wird, ebenso wird auch der Wille Gottes nicht ohne seine Fürsorge erkannt. Denn der Wille Gottes ist seine Vorsehung über die ganze Schöpfung, die beständig in ihm (dem Willen) wohnt und von ihm verwaltet wird. Die Heimsuchung aber seines Willens ist in gewisser Weise etwas Bestimmtes, das Gott je und je in der Schöpfung wirkte, wie die Sintflut und die Verwirrung der Sprachen und die Zeichen und Wunder, die Gott durch den seligen Moses in Ägypten wirkte. Und wie die Bestrafung Sodoms und die Schrecknisse und Erdbeben, die sich in der Schöpfung ereignen. All diese Dinge sind (ein Zeichen der) Fürsorge des Willens Gottes. (14) (15)

Und da, sieh, sein Wille wohnt in der Schöpfung von Anfang an und bis zur Vollendung. Seine Fürsorge aber erweist er (nur) von Zeit zu Zeit. Und durch seine Fürsorge wird sein Wille erkannt, wie die Kraft der Natur, die aus ihrem Wirken erkannt wird. Und nicht weil der Wille Gottes beständig in seiner Schöpfung wohnt und er seine Fürsorge unter uns (nur) von Zeit zu Zeit erweist, sollen

wir meinen, daß der Wille Gottes so auch in den Ver-
(16) nunftwesen wohne und seine Fürsorge erweise. Verschieden nämlich ist das Einwohnen des Willens Gottes und die Fürsorge seines Willens in den vernünftigen Naturen, von dem in den stummen Wesen.

Ebenso nämlich, wie die Natur der Steine ganz „Steine" genannt wird, wenn jedoch die Strahlen der Sonne auf sie scheinen, ihr Wirken anders ist in den Steinen des Kristalls und in den Beryllen und in den Perlen und in den Rubinen und in den Smaragden und in den Chalkedonen, und anders ihr Wirken in den gewöhnlichen Steinen, ebenso auch ist es bei dem Willen Gottes und seiner Vorsehung: Auch wenn er in der ganzen Schöpfung wohnt und wirkt, so ist doch sein Wille und das Wirken seiner Fürsorge in den vernünftigen Naturen gegenwärtiger, (als in den stummen Wesen).

Und da, sieh, die Sonne läßt ihr Licht über alle Steine gleicherweise scheinen, doch erweist sie den Strahl ihres Lichtes in denen, die rein sind, mehr als in denen, die nicht rein sind. Ebenso auch verhält es sich mit dem Willen
(17) Gottes: Auch wenn er in der ganzen Schöpfung wohnt, so erweist er doch die Vorsehung seines Willens vornehmlicher in den Vernunftwesen, obwohl auch so das Wirken des Willens Gottes in den Vernunftwesen unterschiedlich ist. Anders nämlich ist das Wirken in den heiligen Engeln und anders in den Menschen und anders in den Dämonen.

Der Fragesteller sagt: Dieweil also Gott in allen Vernunftwesen weilt, wie du sagtest, wieso wirkt er nicht in allen gleicherweise, sondern ist sein Wirken in ihnen verschieden? Das heißt in denen, die seinen Willen tun, im Unterschied zu denen, die seinen Willen nicht tun, sondern ihn beständig durch ihre Taten erzürnen? Dies bemühe dich, mir zu unterscheiden und aufzuzeigen. Und, soweit als möglich, überzeuge mich diesbezüglich durch Beispiele aus den Schriften oder aus der Natur, damit ich daraus einen Gewinn für die Rettung meiner Seele ziehe.

Der Eremit sagt: Unser Herr Jesus Christus hat uns (18) deutlich das Einwohnen Gottes in den vernünftigen Naturen an dem Beispiel gezeigt, das er dem samaritanischen Weibe anführte, aus welchem das Einwohnen und das Wirken seiner Heimsuchung in jenen Vernunftwesen, die seinen Willen tun, erkannt wird. Er spricht in der Tat folgendermaßen: „Gott nämlich ist Geist, und jene, die ihn anbeten, müssen ihn in Geist und Wahrheit anbeten" (Joh 4, 24). Und der Apostel sagte: „In ihm nämlich leben wir und regen uns und sind wir" (Apg 17, 28), was das gleiche ist, was unser Herr sagte. Denn gleichwie die Luft, auch wenn sie in allen Naturen der Schöpfung wohnt, und sie in ihr leben und sich regen, doch den Leichen, die in ihr liege nichts nützt, wie einer der Heiligen sagte[6], ebenso auch verhält es sich bei Gott, dem Allherrn: Auch wenn er in allen Vernunftwesen wohnt und sie in ihm leben und sich regen und sind, so wird doch die Fürsorge seines Wirkens nicht erkannt, außer in denen, die sich um die Bewahrung seiner Gebote kümmern und sich von allen Leidenschaften (19) des Leibes und der Seele gereinigt haben. Und gleichwie das Feuer in den Steinen und Hölzern verborgen ist und sein Wirken nicht in ihnen manifestiert, es sei denn, daß es durch die Kunst von Stein und Eisen aus ihnen herauskomme, ebenso offenbart sich, dieweil Gott durch den Willen seiner Vorsehung in allen vernünftigen Naturen wohnt, die Fürsorge seines Wirkens doch nicht, es sei denn durch die Bewahrung seiner Gebote, weil die Einwohnung des Willens Gottes in den Vernunftwesen das *Wirken des Heiligen Geistes* ist, wie der Prophet sagte: „Deinen festen Geist erneuere in mir“ (Ps 51, 12). Denn gleichwie die Natur des Feuers in der Natur des Lichtes vornehmlicher wirkt als in den anderen Naturen, ebenso auch das Wirken des Heiligen Geistes, den wir durch die *heilige Taufe* empfangen haben: Er wirkt in den Reinen vornehmlicher als in (20) jenen, die nicht rein sind. Wie ich oben sagte: Das Wirken der Natur des Feuers ist Wirkmächtiger in der Natur des Lichtes (als in den anderen Naturen); ebenso verhält es sich auch bei den heiligen Engeln. Und gleichwie das Wirken des Feuers in den Naturen der Steine wirkmächtiger ist als in der feuchten Natur des Wassers, ebenso auch wirkt der Heilige Geist mehr in den Menschen, die von den Leidenschaften rein sind, als in denen, die nicht rein sind von den Leidenschaften der Sünde, und als in den befleckten Dämonen.

Und sieh doch, die Natur des Feuers ist eine und welch einen Unterschied gibt es in ihr entsprechend den Naturen, in denen sie wirkt! Ebenso ist es auch bei Gott dem Allherrn: Es besteht ein großer Unterschied in der Fürsorge seines Willens bei der Einwohnung in der Vernunftwesen, die sich um die Wahrung seiner Gebote kümmern und seinen Willen erfüllen, im Vergleich[7] zu dem Rest (der Vernunftwesen) die ihn täglich durch ihre Taten erzürnen. In den heiligen Engeln nämlich wohnt Gott durch das (21) Wirken seiner Fürsorge, in den Menschen hingegen, die sich um die Wahrung seiner Gebote bekümmern, wohnt er durch den Willen und das Wirken seiner Fürsorge; in den Dämonen aber und in den gottlosen Menschen wohnt er durch die Vorsehung seines Willens, dieweil sie seiner Fürsorge beraubt sind. Nicht daß er sie beraubte, sondern sie berauben sich dessen selbst durch ihre Nachlässigkeit.

Du also, oh gottesfürchtiger Bruder, kümmere dich, wenn du das Wirken der Fürsorge der Gnade Gottes in deinem Herzen zu sehen begehrst, um die Wahrung seiner Gebote und er, entsprechend seiner Verheißung, die nicht lügt, wird in deinem Herzen Wohnung nehmen (vgl. Joh 14, 23). Denn er wohnt in uns und sein Geist wirkt in unseren Herzen, nach dem Wort des seligen Apostels, der da sagte: „Oder wißt ihr nicht, daß Jesus Christus in euch wohnt? Es sei denn, daß ihr Verworfene wäret" (2 Kor 13, 5). Denn wie er an einer anderen Stelle sagte: „Der Herr ist der Geist. Und da wo der Geist des Herrn wohnt, da ist (22) Freiheit" von den Leidenschaften gefordert (2 Kor 3, 17). Denn wenn der Mensch alle Leidenschaften der Sünde abgestreift hat, und die Verschreibung der ersten Schuld Adams zerrissen ward, und wir zur Sohnschaft eingeschrieben sind, dann beginnt der Heilige Geist, den wir durch die Taufe empfangen haben, in unseren Herzen zu wirken.

Der Fragesteller sagt: Woran wird das Wirken und die Heimsuchung des Geistes der Sohnschaft erkannt, den wir durch die heilige Taufe empfangen haben? Und wie (kommt es, daß er), obwohl er doch in uns (allen) wohnt, nur in den Reinen wirkt? Und ist es wohl ein und derselbe Geist, den wir durch die Taufe empfangen haben, der in den Reinen und den Heiligen wirkt, oder (vielmehr) ein anderer?

Der Eremit sagt: Einer ist in der Tat der Geist, der in den Heiligen wirkt, jenen, die sich von den Leidenschaften gereinigt haben, und jener (Geist), der in allen Menschen wohnt, die die heilige Taufe empfangen haben. Und gleichwie die Sonne, die in der Schöpfung scheint, eine ist und über alle gleichermaßen ihr Licht ausgießt, dieweil es (23) von ihr aus kein Hindernis gibt, daß sich nicht alle Menschen an ihrem Licht ergötzten, das Hindernis vielmehr auf seiten desjenigen liegt, dessen Augen nicht rein sind, ebenso auch wohnt der Heilige Geist, den wir durch die Taufe empfangen haben, der die Sohnschaft bedeutet, in uns (allen) und gießt seine Gnade gleichermaßen in uns alle aus. Wirksam jedoch ist er nur in den Reinen. (Es ist) wie im Fall der Sonne: Bei jedem, der der Wonne ihres Lichtes beraubt ist, trifft nicht die Sonne Tadel, sondern die Augen, die nicht rein sind von Flüssigkeit. Denn gemäß dem Wort des seligen MARKOS EREMITA „haben wir den Heiligen Geist durch die Taufe alle gleichermaßen empfangen. Wirken aber tut er nur in denen, die die Gebote des Geistes halten und sich von den Leidenschaften reinigen[8]". Denn es ist ein und derselbe Geist, der in den Reinen wirkt, den (24) wir durch die heilige Taufe empfangen haben, und der in uns allen gleichermaßen wohnt.

Denn eine Wohnstatt und ein Haus des Heiligen Geistes ist unser Herz, und jedesmal wenn der Mensch die Leidenschaften außerhalb von sich läßt und in sich hinein schaut und hinter den inneren Vorgang des Herzens tritt, erblickt er dort den Heiligen Geist, den wir durch die Taufe empfangen haben. Wenn sich der Intellekt hingegen außerhalb des inneren Tores des Herzens befindet, dann erblickt er auch nicht den Geist, der in ihm wohnt. Denn zwischen ihm und dem Geist, der in ihm wohnt und in ihm wirkt, ist das Tor geschlossen. Gleichwie die Natur des Feuers, die in den Steinen und Hölzern verborgen ist, und wenn sie nicht durch einen Kunstgriff aus ihnen herauskommt, in ihnen verborgen bleibt und ihr Wirken nicht manifestiert, wenn sie aber aus ihnen herauskommt, von allen Augen gesehen und erkannt wird, ebenso erhält es sich auch mit dem Heiligen Geist, den wir durch die Taufe empfangen haben: Er wohnt in uns allen, sein Wirken aber erweist er entsprechend unserer Sorgfalt bezüglich des Haltens der Gebote unseres Herrn. (25)

Wie nun der Geist, der in uns wirkt, erkannt wird und worin sich seine Kraft offenbart, und welches des Erkennungszeichen des Geistes ist, wenn er sein Wirken in uns manifestiert, das höre[9].

Das *erste Erkennungszeichen* des Wirkens der Heimsuchung des Geistes ist, daß im Herzen des Menschen der Gedanke der Gottesliebe wie ein Feuer brennt. Und daraus entsteht in seinem Herzen der Haß auf die Welt und der Verzicht (auf Besitz) und die Liebe zur Fremdlingschaft und die Askese, welche die Mutter und Pflegerin aller Tugenden ist[10].

Das *zweite Erkennungszeichen* aber, oh mein Bruder, an dem du spürst, daß der Geist in dir wirkt, den du durch die Taufe empfangen hast, ist in der Tat dies: Es entsteht in deiner Seele die wahre Demut. Nicht von (der Demut) des Leibes rede ich, sondern von der wahren, die von Herzen (wörtl. Seele) kommt, jene, (die bewirkt), daß der Mensch, obwohl durch den Geist, der in ihm wohnt, große und wunderbare Dinge ihm gegenüber gewirkt werden, sich selbst für Staub und Asche hält (vgl. Gen 18, 27) und für (26) einen Wurm und nicht für einen Menschen (vgl. Ps 22, 7), und daß alle Menschen in seinen Augen wie Großmächtige und Heilige geachtet sind, dieweil es in seinem Denken weder Gute noch Böse gibt, weder Gerechte noch Sünder. Und aus dieser Demut entsteht in der Seele Freundlichkeit und Untergebenheit und das Erdulden von Bedrängnissen.

Das *dritte Erkennungszeichen* des Wirkens des Geistes in dir ist das Erbarmen, welches in dir das Ebenbild Gottes formt. So daß sich, wenn sich dein Denken zu allen Menschen ausstreckt, Tränen aus deinen Augen fließen wie Wasserquellen. Und es ist so, als ob alle Menschen in deinem Herzen wohnten, und du umarmst und küßt sie alle mit Zärtlichkeit, dieweil du in deinem Denken deine Gnade über sie alle ausgießt. Und wenn du ihrer gedenkst, dann brodelt dein Herz durch die Kraft des Wirkens des Geistes, der in dir ist, wie ein Feuer. Und daraus entsteht in deinem (27) Herzen die Gütigkeit und die Milde, sodaß du unfähig bist, jemandem etwas zu sagen, noch sinnt dein Denken über irgendjemanden Böses, sondern du tust allen Menschen Gutes, in Gedanken und im Werk.

Das *vierte Erkennungszeichen*, an dem du erkennst, daß die Heimsuchung des Geistes in dir wirkt, ist die wahre Liebe, die in deinem Denken nichts anderes mehr übrig läßt, als einzig das Gedenken Gottes[11], welches der geistliche Schlüssel ist, mit welchem des innere Tor des Herzens geöffnet wird, hinter dem sich Christus unser Herr verbirgt, dessen Ort, an dem er wohnt, geisthaft und weit ist, und dessen Schau unaussprechliches Licht ist. Und aus dieser Liebe entsteht der Glaube, der die verborgenen Dinge schaut, die dem Papier anzuvertrauen dem Geist nicht gestattet ist, welchen (Glauben) der Apostel „das Wesen der Dinge, die in Hoffnung bestehen" nennt (Hebr 11, 1), welche nicht von den Augen des Fleisches erkannt (28) werden, sondern nur am inneren Ort des Herzens von den Augen des erleuchteten Geistes (geschaut werden).

Das *fünfte Erkennungszeichen* schließlich, daß der Geist in dir wirkt, den du durch die Taufe empfangen hast, ist die erleuchtete Schau deines Intellektes, welche am Firmament deines Herzens wie ein Saphir erscheint[12], welchselbige (Schau) eine Empfängerin des Lichtes der Heiligen Dreifaltigkeit ist. Und dieses Erkennungszeichen führt dich zur Schau der sinnlichen Naturen. Und von dieser wiederum wirst du zur Erkenntnis der intelligiblen Naturen erhoben. Und von dieser wiederum steigst du zu den Offenbarungen und Geheimnissen von Gericht und Vorsehung auf. Und diese Leiter läßt dich aufsteigen und vermischt dich mit dem heiligen Licht der Schau unseres Herrn Christus. Und durch diese glorreiche und heilige Schau ergreift dich das Staunen über seine geistliche Welt, deren Güter unsagbar sind. Und aus diesem Staunen entsteht in dir ein Ausbruch der geistlichen Rede und die Erkenntnis der beiden Welten, die waren und die sein werden, und das Empfinden der Geheimnisse der zukünftigen Dinge, zusammen mit dem (29) Riechen und heiligen Schmecken und (dem Hören) der zarten Stimmen der Geistwesen, und Freude und Jubel und Frohlocken und Lobpreis und Gesang und Preis und Verherrlichung und Erhebung, und Gemeinschaft mit den geistlichen Rängen und Schau der Seelen der Heiligen, und Schau des Paradieses und Essen vom Baum des Lebens, und Umgang mit den Heiligen und dem Ort, an dem sie wohnen, mit anderen unsagbaren Dingen.

Dies sind die Erkennungsmerkmale, an denen du, wenn du sie in deiner Seele erblickst, erkennst, daß der Heilige Geist, den du in der heiligen Taufe empfangen hast, in dir wirkt.

Der Fragsteller sagt: Über diese Dinge, die über das Wirken des Heiligen Geistes Auskunft geben, der in uns wohnt, welchen wir durch die Taufe empfangen haben, hast du hinlänglich gesprochen. Jetzt aber möchte ich wissen, welcher der Baum des Lebens ist, der Adam verweigert ward, als er das Gebot übertrat, damit er nicht von ihm esse.

(30) *Der Eremit sagt:* Soweit als das Geheimnis bezüglich des Baumes des Lebens offenbart ward, oh mein Freund, werde ich es dir mitteilen. Wenn es aber etwas gibt, das nicht in der Schrift ausgesagt und überliefert wird, dann tadele mich nicht (für mein Schweigen), so als ob ich dies aus Bosheit täte, Gott behüte! Sondern dieses Geheimnis, worüber die Frage geht, ward nicht offenbart. Jedoch höre, was man sagen kann.

Weil Gott der Allherr allvorauswissend ist und die Erschaffung der beiden Welten in ihm verborgen war, jener, in der wir uns jetzt befinden, und der zukünftigen, und er uns die Fügung aller beiden durch die Erschaffung der Entstehung der Schöpfung vorherzeigte und uns ein Symbol der beiden Welten gesetzt hat, in welchen unsere Schwachheit wohnen wird, weil diese (Welt) jener vorausgeht, nicht im Denken des Schöpfers, sondern in ihrer Erschaffung, — darum erschuf er zuerst die Finsternis, die ein Symbol dieser Welt darstellte. Und gleichwie die Finsternis geringer ist als das Licht, und geringer auch die (31) Erkenntnis und die Schau desjenigen, der sich in ihr befindet, als die desjenigen, der im Lichte wandelt, ebenso ist diese Welt geringer und sind ihre Erkenntnis und ihre Freude geringer als die Herrlichkeit des Lichtes der zukünftigen Welt.

Deshalb unterwies Gott der Allherr unsere Kindlichkeit zuerst durch die Erkenntnis des Hiesigen, damit wir, wenn wir die Herrlichkeit der zukünftigen Dinge empfingen, erkennten, wie groß die Liebe Gottes zu uns ist. Und durch die Symbole der offenbaren Dinge unterwies er uns über die zukünftigen. Und als er die ganze Schöpfung erschuf, stellte er diese Welt uns vor und er pflanzte in ihr das Paradies, das ein Symbol der zukünftigen Welt ist. Und gleichwie das Paradies in seinen Gütern verschieden war von allen Gütern dieser Welt, (ebenso ist die zukünftige Welt in ihren Segnungen verschieden von allen Segnungen dieser Schöpfung[13]).

Und er stellte in das Paradies zwei Bäume, den einen der Erkenntnis von Gut und Böse, welche das Symbol dieser Welt ist, und den anderen, den Baum des Lebens, welcher (32) ein Symbol der zukünftigen Welt ist, und (ein Symbol) Christi Jesu unseres Herrn. Und dem einen (Baum) legte er den Namen „Baum der Erkenntnis von Gut und Böse" bei, gemäß dem Geheimnis, das an ihm zum Vorschein kommt. Den anderen aber nannte er „Baum des Lebens", gemäß der Wirklichkeit, die in ihm verborgen war. Denn gleichwie in dem (Baum) der Erkenntnis von Gut und Böse der Tod verborgen war, ebenso auch war in dem Baum des Lebens das Leben verborgen. Denn der Baum des Lebens ist Christus unser Herr. Denn das wahre Leben ist in ihm verborgen, gemäß seinem lebenspendenden Wort, das er (selbst) sprach: „Ich bin der Weg, die Wahrheit und das Leben. Und wer zu mir kommt, wird den Tod nicht kosten in Ewigkeit" (Joh 14, 6). Der Baum des Lebens also, dessen Speise Adam beraubt ward, war die Erkenntnis Christi unseres Herrn, von welcher er sich, ehe er das Gebot übertrat, genährt hatte. Als er aber das Gebot übertrat, ward er (33) seiner Speise beraubt. Und deshalb ward er auch „Baum des Lebens" genannt, wegen der Erkenntnis des Lebens, von der sich Adam vor der Gebotsübertretung genährt hatte. Denn das Wort-Gott, das der Baum ist, und in dem alles Leben besaß, hatte im Herzen Adams gewohnt. Und durch ihn hatte der Intellekt Adams das Leben eingeatmet. Und als er das Gebot übertrat, ward er seiner Süßigkeit beraubt und ward seiner Speise nicht mehr gewürdigt, bis er den zweiten Adam anlegte. Und dann ward ihm die Speise des Lebens dieses Baumes (wieder) verliehen.

Und weil in Christus unserem Herrn die ganze Fülle der Gottheit leibhaftig wohnt (Kol 2, 9), ist dieser Baum des Lebens (zugleich auch) die Heilige Dreifaltigkeit, sie, die das Leben aller sichtbaren und unsichtbaren Vernunftwesen ist. Sieh, dies ist (also) der Baum des Lebens, in dem noch (34) andere Geheimnisse verborgen sind, die man nicht auszusprechen vermag.

Und gleichwie ferner die Erschaffung des Zeltes, welches Gott dem seligen Moses zeigte, ein Symbol der beiden Welten darstellte (Hebr 9, 9), weil es in ihm ein Heiliges und ein Allerheiligstes gab, ebenso auch stellten diese beiden Bäume ein Symbol Adams und Christi unseres Herrn dar. Denn der (Baum) der Erkenntnis von Gut und Böse stellte ein Symbol Adams dar, der der Vater dieser Welt ist. Der (Baum) des Lebens aber stellte ein Symbol Christi unseres Herrn dar, der der ‚Vater der zukünftigen Welt' ist[14], in dem (Christus) alle Schätze der Weisheit und der Erkenntnis verborgen sind (Kol 2, 3).

Und gleichwie das Lamm, das die Söhne Israels aus Ägypten errettete und der Bock, den der selige Abraham erblickte, wie er mit seinen Hörnern an einem Zweig aufgehängt war, und die Schlange, die Moses auf der Bergspitze erhöht hatte, — (gleichwie) in all diesen Dingen ein (35) Symbol des Mysteriums Christi unseres Herrn verborgen war, ebenso auch sind diese beiden Bäume, die im Paradies waren, ein Symbol der beiden Erkenntnisse, die dem gottesfürchtigen Intellekt verliehen werden: Die Erkenntnis von Gut und Böse, die ihm vor der Lauterkeit verliehen wird, die (Erkenntnis) aber des Baumes des Lebens, die ihm an dem Ort jenseits des Ortes der Lauterkeit verliehen wird. Solange sich nämlich der Intellekt in dieser ersten (Erkenntnis) befindet und sich von ihr nährt, ist er der Speise des Lebens beraubt[15]. Wie Adam, der sich vor der Gebotsübertretung von dieser Speise des Lebens nährte. Und als er das Gebot übertrat, ward ihm diese Speise des Lebens genommen, welche Christus unser Herr ist, und es ward ihm die Speise der Erkenntnis von Gut und Böse gegeben.

Und, um es dir in kürze zu sagen, das Paradies bedeutet die Heilige Dreifaltigkeit, in der der Baum des Lebens gepflanzt ist, welcher Christus unser Herrn ist, der, wenn er im Intellekt zur Zeit des Gebetes aufleuchtet, dem Intellekt die Speise des Lebens verleiht. Denn auch die Seelen wohnen, wenn sie aus ihren Leibern ausziehen, in diesem Paradies, und weilen im Schatten des Baumes des Lebens. Sieh mein Freund, insoweit das Geheimnis bezüglich des Baumes des Lebens geoffenbart ward, haben wir es ausgesprochen. Indessen, es genügt zur Lösung deiner Frage, daß wir gesagt haben, daß der Baum des Lebens Christus ist, dessen Schau das Licht des Lebens für all jene ist, denen sie zur Zeit des Gebetes erscheint. (36)

***

Der Fragesteller sagt: Welches ist das himmlische Jerusalem, von der der selige Apostel sagte: „Ihr habt euch dem Berg Zion genähert, und der Stadt des lebendigen Gottes, und dem Jerusalem im Himmel, und den Scharen der engli- (113)

schen Versammlungen, und den Geistern der Gerechten, die vollendet wurden" (Hebr 12, 22—23)? Gibt es dort eine Stadt und wohnen die Menschen und Engel in ihr, oder ist (114) das ein Gleichnis, das die Schrift über das Himmelreich erdachte?

Der Eremit sagt: Gleichwie Gott nicht zusammengesetzt ist und unbegreiflich, ebenso ist auch die Stadt, die die Schrift das „Jerusalem im Himmel" nennt, jenseits der Zusammengesetztheit[16]. Denn wenn diejenigen, die in ihr wohnen, zusammengesetzt wären, dann wäre auch ihre Stadt zusammengesetzt. Weil jedoch Gott die Vernunftwesen der zusammengesetzten Welt enthoben hat hin zu der, die nicht zusammengesetzt ist und gestaltlos, ist ebenso auch die Stadt, von der der Apostel sagte, daß sie in ihr wohnen, nicht zusammengesetzt und gestaltlos. Auch ist die Stadt, in der sie wohnen, weil ihre Natur geisthaft ist, ebenfalls geisthaft. Denn in jener Welt gibt des kein zusammengesetztes Leben und sie fällt nicht unter die Schau. Sondern[17] gleichwie jenes intelligible Paradies, in dem die Seligen nach der Auferstehung von den Toten wohnen (115) werden, von unserem Herrn mit dem Namen jenes sinnenhaften Paradieses der Gerechten benannt wurde (vgl. Lk 23, 43), ebenso auch benennt der selige Apostel jene geisthafte Stadt, in der die Heiligen nach ihrer Entrückung aus dieser Welt wohnen werden, mit dem Namen dieses Jerusalem, weil Gott dem israelitischen Volk von diesem Ort mehr als von allen anderen geboten hatte, daß sie dort Opfer darbringen sollten, insofern dort Gott wohnte. Und wie unser Herr Christus die Gleichnisse über das Himmelreich komponierte, indem er die Kindlichkeit der seligen Apostel in der Erkenntnis seiner Größe unterwies, und es gleichnishaft mit einem Senfkorn verglich und mit einer

Perle, und mit einem Schatz, der in einem Acker verborgen ward, und mit dem Sauerteig, zusammen mit anderen (Bildern), die diesen ähnlich sind, dieweil offenkundig ist, daß das Himmelreich weit entfernt ist von diesen Bildern, sagt ebenso auch der selige Paulus, indem er die Hebräer bezüglich der Erkenntnis Christi unseres Gottes belehren will, zu ihnen: „Ihr habt euch dem Berg Zion genähert und der Stadt des lebendigen Gottes, und dem Jerusalem im Himmel, und den Scharen der Versammlungen der Engel, und den Geistern der Gerechten, die vollendet wurden, und Jesus, dem Mittler des neuen Bundes" (Hebr 12, 22—24). Indem der selige Apostel damit zu erkennen gibt, daß all jene, die das Geheimnis der Erkenntnis Christi unseres Herrn empfangen haben, und ihm in Wahrheit und Gerechtigkeit gedient haben, in der kommenden Welt mit den heiligen Engeln am Ort ihres Wohnens vereint werden. Denn ihre Natur ist nicht verschieden von der der Engel, noch der Ort, an dem sie wohnen werden. Denn eine wird die Erkenntnis der Engel und der Heiligen in der kommenden Welt sein. (116)

Deshalb sagte der selige Apostel: „Ihr habt euch dem Berg Zion genähert", weil der Zion von unseren geistlichen Vätern auf geistliche Weise folgendermaßen gedeutet wird: „(Zion) ist die Kontemplation der Heiligen Dreifaltigkeit, und sein Berg die Kontemplation der Unkörperlichen, Jerusalem aber die Kontemplation der Körperlichen."[18] Und deshalb sagte der Apostel zu den Hebräern, die an Christus glaubten und der heiligen Erkenntnis gewürdigt wurden: „Ihr habt euch der Schau und der Erkenntnis dieser drei Kontemplationen genähert, deren Erkenntnis und Schau das Angeld des Himmelreiches ist". Dieweil es dort keine Stadt gibt, die mit Steinen erbaut ist und mit (117)

Bildern geschmückt, wie es in dieser Welt ist. Denn alles, was es in jener Welt gibt, ist geisthaft. Sowohl die Erde, auf der sie sich befinden, ist geisthaft, als ihre (der Gerechten) Stadt ist geisthaft, und ihre Speise und ihr Trank sind geisthaft, und all ihr Tun ist giesthaft. Denn die Leiber aller Vernunftwesen werden im (Heiligen) Geiste glühen und werden leicht sein wie der Geist, dem sie dienen.

Der Fragesteller sagt: Oben hast du gesagt, daß es dort (118) keine Stadt gibt, weil sie ein Gleichnis jenes gesegneten Königreiches ist, das die Schrift nach dem Bilde dieses (hiesigen) Jerusalem gebildet hat, das sie hier nannte[19]. Und nachher hast du gesagt, daß es (dort doch) eine Erde gibt, auf der sich die Vernunftwesen befinden werden, und daß ihre Stadt Licht ist. Jetzt also unterscheide und zeige mir, wie jene Erde ist und jene Stadt, in der die Vernunftwesen in der kommenden Welt wohnen werden.

Der Eremit sagt: Wenn ich die Sinne und Regungen besäße, die der vernünftigen Natur zuteil werden, wenn wir von den Toten auferstehen, dann würde ich dir auch über die Erde und über die Stadt, in der Heiligen in der neuen Welt wohnen werden, sprechen (können). Weil wir jetzt jedoch (noch) das Gewand der Sterblichkeit tragen, vermögen unsere Sinne und die Regungen unserer Seele über diesen heiligen Ort weder zu sprechen noch zu denken oder zu sinnen, an dem die Menschen und die heiligen Engel wohnen werden. Denn nach dem Wort des seligen (119) Paulus gelangt die Schönheit dieser Welt voll der Segensgüter nicht zur Formulierung, und der Geist vermag sie nicht darzustellen. Deshalb bricht er so ab und sagt: ,,Das Auge hat nicht gesehen und das Ohr nicht gehört und zum Herz des Menschen ist nicht aufgestiegen, was Gott denen bereitet hat, die ihn lieben" (1 Kor 2, 9). Und wenn die Sinne des Leibes es nicht aufzunehmen vermögen und es durch die Regungen der Seele nicht dargestellt werden kann, wie fragst du denn nach dem, was nicht zur Formulierung der Sinne und zur Darstellung des Geistes gelangt?

Indessen, nach dem Wort der Schrift wohnen sie im Himmel, dieweil der Leib, den Gott aus unserem Geschlechte nahm, uns zur Stadt wird. Denn die Erde, auf der sie wohnen, ist der Himmel, und die Stadt ist die Menschheit unseres Erlösers. Und in ihr wohnen alle Vernunftwesen, und außerhalb von ihr haben sie nichts. Denn sie ist das Licht, durch das alle erleuchtet werden, und er, unser Herr Christus, ist der Atem ihres Lebens. Denn allen (120) Vernunftwesen wird die Gabe der neuen Welt gnadenhaft verliehen, durch die überfließende Barmherzigkeit unseren Herrn (und) Gottes. Denn jeder wird aus Barmherzigkeit dieser Gabe gewürdigt.

Der Fragesteller sagt: Alles bisherige hast du mir großartig und wunderbar erklärt! Jetzt aber, oh mein Herr, möchte ich von dir bezüglich der Art und Weise des Erbarmens unseres Herrn (und) Gottes erfahren, wie es den Vernunftwesen in der neuen Welt zuteil wird. Denn du hast oben gesagt, daß ein großer Unterschied zwischen Gerechten und Sündern besteht[20]. Und wenn die Gerechtigkeit in der neuen Welt herrscht, und einem jeden entsprechend seinen Werken vergolten wird, gemäß dem Wort des Apostels (Röm 2, 9) dann ist ja das, was von allen Schriften über Gott verkündet wird, (nämlich) daß er barmherzig sei und in seiner Barmherzigkeit und seiner überfließenden Gnade den Vernunftwesen gegenüber vorgehe, Lüge! Denn überall da, wo die Gerechtigkeit herrscht, gibt es für Gnade und Barmherzigkeit keinen Raum. Jedoch, ich bitte dich, daß du mir klar (und deut- (121)

lich) beantwortest, was ich dich gefragt habe, indem du mich die Wahrheit erkennen läßt, wie es möglich ist, sie auszusprechen, (nämlich) wie es sich mit dem Erbarmen und der Gerechtigkeit Gottes den Vernunftwesen gegenüber in der neuen Welt verhält.

Der Eremit sagt: Zur Beantwortung dieser Frage wollen wir uns der Stimme des seligen Paulus bedienen und staunend sagen: „Oh Abgrund des Reichtums und der Weisheit und Erkenntnis Gottes, dessen Gerichte niemand erkundet und dessen Wege unergründlich sind "(Röm 11, 44). Und wir wollen auch anführen, was der Prophet David an dieser Stelle sagt: „Ich machte mich stark und vermag es nicht (zu begreifen)" (Ps 139, 6), denn die Erkenntnis deiner Berichte überschreitet unsere Schwäche. Und ferner: „Deine Gerichte sind wie der große Abgrund" (Ps 36, 6). Denn die Gerichte Gottes werden nicht erforscht und sein Erbarmen und seine Gnade werden nicht erkundet. Denn die Erkenntnis dessen, was du gefragt hast, oh mein Bruder, überschreitet die Erkenntnis und die Einsicht (selbst) der Engel. Denn wie die Herrlichkeit der Auferstehung größer ist als der Gedanke und der Geist der Vernunftwesen in dieser Welt, ebenso ist das Staunen über das Gericht (122) und das Erbarmen Gottes, die den Vernunftwesen in der neuen Welt zuteil werden, größer und erhabener (als das, was wir zu begreifen vermögen). Denn dieweil der Geist das Gericht und das Erbarmen Gottes betrachtet, die er den Vernunftwesen gegenüber in dieser Welt wirken wird, und die Dinge, die er ihnen gegenüber bei der Auferstehung von den Toten in der neuen Welt wirken wird, bleibt kein Empfinden mehr in ihm, denn er ist im Staunen versunken und er steht ab von dem Gedanken und der Regung, die sich in ihm regen.

Und was dies betriefft, was du mich fragtest, oh unser lieber Bruder, wie das Erbarmen unseres Herrn (und) Gottes in der neuen Welt ist, obwohl seine Gerechtigkeit obwaltet und zwischen Gerechten und Gottlosen scheidet, so richte deinen Blick zuerst auf das Erbarmen Gottes, das er in *dieser* Welt den Vernunftwesen gegenüber wirkt, und erforsche, was ich dir verständig sagen werde. Und vor allem blicke auf das Erbarmen Gottes, das er der rebellischen Natur der Dämonen gegenüber wirkt und sieh, wie die göttliche Kraft seines Erbarmens sie erträgt: Obwohl sie (123) ihn täglich lästern und jene anbetungswürdige Natur schmähen, dic nicht geschmäht wird, und ihn durch die Bosheit ihrer Taten erzürnen, und die Anbetung, die ihm allein gebührt, in ihrer Bosheit sich zuziehen, und sündigen und auch die Menschen sündigen machen, erträgt und erduldet er in seinem Erbarmen die Bosheit ihrer Taten. Dieweil er sie, wenn er ihnen gegenüber mit Gerechtigkeit vorginge, entsprechend dem, was sie verdienten, mit dem Hauch seines Mundes vernichtet hätte und sie zu nichte gemacht hätte.

Wo ist die Gerechtigkeit dem Tun der Bosheit der Dämonen gegenüber? Ehre sei deinem Erbarmen, oh Gott, das so überfließend ist, der du, obwohl die Dämonen täglich die Bosheit ihres frechen Willens tun, dich ihrer in deinem Erbarmen annimmst und sie durch dich leben und sich regen. Falls aber jemand sagte, daß Gott seine Gerechtigkeit an den Dämonen rächte, dadurch daß sie wie ein Blitz vom Himmel fielen und die Augen ihres Geistes ge- (124) blendet wurden, fern von dem Licht der Erkenntnis, in der sie sich befunden hatten, dann spricht der nicht gerecht, der so denkt. Denn was das betrifft, daß die Dämonen aus dem Himmel fielen, so hat nicht die Gerechtigkeit Gottes sie herabgeworfen, sondern die Bosheit ihres Willens. Denn wenn sich ihr Wille nicht dem Bösen zugcneigt hätte, wären sie nicht aus der Luft gefallen, in der sie sich befunden hatten. Und woraus ist dies offensichtlich? Daraus, daß, wenn sie den bösen Willen aufgegeben hätten und den bitteren Hang, der sie festhält, und sich von der Verirrung der Unwissenheit, in der sie sich befinden, abgewandt hätten hin zur Erkenntnis der Wahrheit, und Buße getan hätten, Gott der Allherr sie angenommen hätte und sie (wieder) mit den Engeln vereint hätte.

Und offenkundig ist dies aus dem, was den Menschen widerfährt, die Gott, selbst wenn sie viel Böses tun, wenn sie es aufgeben und sich der Busse zuwenden, in seinem (125) Erbarmen annimmt und auf den hohen Rang der Heiligen stellt, die nicht gesündigt haben. Und bewiesen wird dies durch das, was er dem seligen Paulus gegenüber tat, dem gegenüber unser Herr, oblgeich er ein Verfolger der Gemeinde Gottes war und auch ein Komplize der Steinigung des Märtyrers Stephanus, ein solches Erbarmen übte, daß er statt der verdienten Strafe, weil er verfolgt hatte und das Blut der Jünger Christi vergossen hatte, nicht nur diese Strafe nicht durch eine gerechte Verurteilung über ihn brachte, sondern sich ihm vom Himmel her offenbarte und über ihm den Schein des Lichtes seiner unaussprechlichen Herrlichkeit aufscheinen ließ, und ihn durch sein Erbarmen für das unsterbliche Leben formte. Und statt eines Verfolgers machte er ihn zu einem Herold und Boten seines Evangeliums und verlieh ihm, durch die Offenbarungen seiner Herrlichkeiten mehr als alle Apostel, seine Genossen, erhoben zu werden. Und er erhob ihn bis zum dritten (126) Himmel und offenbarte vor ihm die Geheimnisse und Offenbarungen des Reichtums seiner Schätze, welche die

Zunge seines Geistes nicht zur Formulierung des Wortes bringen konnte (2 Kor 12, 2—4).

Und was sagst du nun dazu? Kündet die Erwählung des Paulus von der Barmherzigkeit oder von der Gerechtigkeit (Gottes)? Und dann komm zu jenem Verräter Josephus, der Kaiphas ist[21], der unseren Herrn dem Tribunal des Todes überlieferte, wie Judas der Verräter. Betrachte und erforsche, was die Barmherzigkeit Gottes ihm gegenüber tat: Nachdem er unserem Herrn diese Schande angetan, ward er einer solchen Gabe des Heiligen Geistes gewürdigt und schaute mit dem Auge des Geistes die Verfolgung, durch welche die Makkabäer von dem gottlosen Antiochos verfolgt wurden. Und durch den Heiligen Geist, den er empfing, nachdem er zum Glauben gekommen, schrieb er die Geschichte des Martyriums dieser Athleten und jene Dinge, die der selige David viele Generationen im voraus bezüglich der Leiden und Bedrängnisse vorhersah, die sie um Gottes willen erduldet haben und in den Psalmen über (127) sie prophezeite, wie folgt: „Oh Gott, wir haben mit unseren Ohren gehört ..." (Ps 44, 1); und: „Oh Gott, es sind Völker eingedrungen ..." (Ps 79, 1), mit dem Rest der anderen Psalmen, der über sie reden[22]. Die Geschichte des Sieges dieser (Männer) nämlich hat dieser Josephus niedergeschrieben, durch die Kraft des Heiligen Geistes, den er empfangen hatte. Und auch über die letztendliche Verwüstung Jerusalems hat er viele Memre geschrieben, und er verfaßte viele Sprüche und Gleichnisse[23] durch den Geist, der in ihm wohnte. Denn gleichwie der selige Paulus von einem Verfolger zu einem Boten des Himmelreiches wurde, ebenso auch Josephus, der Kaiphas ist, nachdem er sich von jenem rebellischen Sinn, in dem er sich befunden, bekehrt hatte und an Christus glaubte.

Welches Erbarmen also ist größer als dies, daß Gott der Allherr alle Sünder erträgt und die Gottlosigkeiten und Verbrechen mit ansieht, die sie täglich begehen, und über sie seine Güter ausschüttet und sie durch das Überströmen (128) seines Erbarmens unterhält! Und sie erzürnen ihn täglich durch ihre bösen Taten! Wenn er nämlich ihnen gegenüber seine Gerechtigkeit erwiesen hätte, dann hätte er in einen Augenblick die Erde über sie gekehrt und ihre Häuser wären ihr Grab geworden, gleichwie er den Sodomitern tat. Aber das Erbarmen gestattet ihm nicht, das Schwert seiner Gerechtigkeit zu zücken und es in der Tat zu erweisen. Denn seine Gnade hält das Schwert seiner Gerechtigkeit zurück und gestattet ihm nicht, seine Kraft in der Tat zu zeigen.

Was indessen dies betrifft, daß du sagtest, daß in der neuen Welt, dieweil es einen Unterschied gibt zwischen Gerechten und Sündern, es also die Gerechtigkeit ist, die herrscht, und es für das Erbarmen keinen Raum gibt, weil sich die Gerechten an den glorreichen Reichtümern des Allherrn ergötzen, die Gottlosen hingegen durch den Anblick unseres Erlösers Christus gepeinigt werden[24], so sage ich dir, daß auch eben das, was du sagtest, voll großen Erbarmens ist und es nicht Gerechtigkeit ist, was er den Dämonen und den verbrecherischen Menschen gegenüber (129) tut, jene, die all ihre Tage seinen Namen durch ihre bösen Taten erzürnt und erbittert haben, während er sie in seinem Erbarmen der Auferstehung von den Toten würdigt und sie unveränderlich und leidenslos und unsterblich und unverweslich macht, und sie zu Vollkommenen an Leib und Seele werden, und er sie des glorreichen Anblickes seiner Liebe würdigt.

Welches Erbarmen ist größer als dieses, daß er jene, die um ihrer Bosheit willen und der Verbrechen, die sie in dieser Welt verübten, wert wären, daß ihre Leiber samt ihren Seelen vernichtet würden, und sie wie der ‚Sohn des Verderbens' würden[25], all dieser Großmut würdigt, daß sie unveränderlich und unverweslich würden, und er ihnen eine geisthafte und unsterbliche Natur verleiht, wie jene, die die Engel und Gerechten sie besitzen? Wo ist jetzt die Gerechtigkeit, von der du sagtest, daß sie in der neuen Welt herrsche? Gott bewahre einen jeden, der unterscheidungsfähig ist, daß er, dieweil er all diese Dinge sieht, die Gott den Sündern und den Dämonen gegenüber in der (130) kommenden Welt wirken wird, Gott gerecht nennt, statt gut und barmherzig, da weder seine Gnade noch sein Erbarmen eine Grenze hat!

Es gibt jedoch Leute, die behaupten, daß es dort, weil es einen Unterschied zwischen Gerechten und Sündern in der kommenden Welt gibt, kein Erbarmen gebe, sondern Gerechtigkeit, dieweil sie nicht wissen was sie da sagen, noch auch die Kraft (Sinn), die in den heiligen Schriften verborgen ist, begreifen, indem sie in ihrer Unwissenheit die Vergeltung der Gerechten und der Sünder gleich machen und zu eins machen wollen. Was für die Unterscheidungsfähigen und jene, die die göttlichen Schriften begreifen, nicht von Gottes Erbarmen kündet, sondern von Ansehen der Person! Denn wenn die Vergeltung des Petrus und des Paulus und die des Judas des Verräters und des Simon Magus in der kommenden Welt eine und dieselbe wäre, dann wären ja alle Mühen und Bedrängnisse und Leiden, die die seligen Petrus und Paulus um Christi willen erduldet haben, eitel und es läge gar kein Nutzen in ihnen. Gott verhüte, daß, wer immer unterscheidungsfähig ist, das (131) über unseren Herr (und) Gott denkt, daß das Los der Gerechten, die die Wahrheit geübt haben, und das der Gottlosen, die täglich durch ihre bösen Taten Häßliches verübt haben, eins sei! Das sei fern von (Gott), daß er die Mühen der Gerechten mißachte. Sondern, wie ich oben sagte, die neue Welt ist ganz Erbarmen und Güte, dieweil es in ihr für die Gerechtigkeit keinen Raum gibt. Denn mit Erbarmen wird dort unser Herr (und) Gott allen Vernunftwesen gegenüber verfahren, indem er auch über die Sünder Erbarmen ausgießt. Aber es besteht ein großer Unterschied zwischen Gerechten und Gottlosen.

Da, sieh also, oh mein Bruder, wenn du die Lesung der göttlichen Schriften begriffen hast, dann genügt dir das (Gesagte) über das Erbarmen unseres Herrn (und) Gottes den Vernunftwesen gegenüber, da die Tatsache, daß er sie aus der Welt der Kümmernisse und der Finsternis und des Häßlichen in jene Welt des Lichtes und der Freuden herüberführt, über sein endloses und maßloses Erbarmen (132) kündet, auch wenn auf den Sündern der Stab seiner Liebe lastet[26], der sie schlägt, solange es seiner Güte und seinem großen Erbarmen beliebt. Heil der Größe der unsagbaren Liebe Gottes! Heil seinem unermeßlichen überliessenden Erbarmen, da einer sich an seiner Liebe ergötzt und sie den anderen peinigt!

Der Fragesteller sagt: Über diese Dinge, oh mein Herr, hast du hinreichend gesprochen, und ich erkenne, daß es ferner keine bessere Beantwortung für diese (Fragen) gibt als diese, denn alles was von dir gesagt ward, ist Wahrheit. Jetzt aber bitte ich dich, daß du mir sagest, ob es in der kommenden Welt ein Ende für diese Qual, mit der die Gottlosen gepeinigt werden, gibt oder nicht?

Der Eremit sagt: Wie wir aus dem Wort unseren Herrn lernen, wird die Qual der Gottlosen ein Ende haben[27]. Er spricht nämlich folgendermaßen: „Einige dich schnell mit deinem Prozeßgegner, solange du mit ihm noch auf dem Wege bist. Damit dich dein Prozeßgegner nicht etwa dem Richter überliefere und der Richter deine verborgenen Dinge offenbare und du dem Gefängnis verfallest. Und wahrlich, ich sage dir, du wirst von dort nicht herauskommen, bis du die letzte Obole erstattet hast" (Mt 5, 25—26), welches die Vergeltung eines (ganz) kleinen Fehlers bedeutet. Und es ist offensichtlich, daß, wenn die harte Bestrafung, durch welche die Gottlosen gepeinigt werden, kein Ende hätte, unser Herr dies nicht gesagt hätte. (133)

Und ferner gibt der selige Paulus einen Hinweis darüber, indem er sagt: „Wenn dieses Verwesliche die Unverweslichkeit angezogen hat und dies Sterbliche die Unsterblichkeit, dann wird der Tod im Sieg verschlungen sein. Und die Toten werden in der Freude ihres Herzens rufen und sagen: „Wo ist dein Stachel, Tod? Und wo ist dein Sieg, Sheol? Der Stachel nämlich des Todes ist die Sünde und die Kraft der Sünde ist das Gesetz. Dank aber sei Gott, der uns den Sieg durch unseren Herrn Jesus Christus verliehen hat!" (1 Kor 15, 54—57). Und über den Ausgleich, der nach dieser schrecklichen und harten Bestrafung erfolgen wird, sagt er: „Wenn dem Sohne alles unterworfen sein wird, dann wird auch er, der Sohn, sich dem unterwerfen, der ihm alles unterworfen hat. Und dann wird Gott alles in allen sein" (1 Kor 5, 28). (134)

Wenn jene Bestrafung der Qual, durch die die Gottlosen gepeinigt werden, kein Ende hätte, dann hätte unser Herr nicht von jener letzten Obole gesprochen, noch der selige Paulus (gesagt), daß Gott alles in allen sein werde. Jedoch, wahrhaftig, diese harte Bestrafung wird ein Ende haben! Wie lange jedoch diese Qual dauern wird und dann ein Ende haben wird, das vermögen, wie es (wirklich) ist, weder Menschen noch auch Engel zu sagen, sondern einzig unser Herr, der weiß, wann das Ende erfolgen wird.

Er möge uns in seinem Erbarmen alle würdigen, uns an dem Reichtum seiner heiligen Geheimnisse zu ergötzen, die uns allen verliehen werden, nachdem Gott alles in allem geworden ist. Ja und Amen.

Der Herr möge dem Schreiber und seinen Vätern vergeben durch die Gebete des RABBAN JAUSEP ḤAZZAYA und (135) aller Söhne seines geistlichen Chores und aller Heiligen. Amen

Beendet ist der Memra des seligen MAR 'ABDISHO' in Fragen und Antworten, die er einem seiner Schüler gab, der ihn bat, ihn über das Geheimnis des neuen Lebens zu belehren, wie die Vernunftwesen in jener heiligen Welt sein werden.

5.10 Aus dem „Buch der Fragen und Antworten".

[1] HS: Dirb 100. Dem Auszug gehen voraus 1. ein Vorwort über die Veranlassung der Schrift (f. 1—2), 2. ein Widmungsbrief des fragenden Schülers (f. 2—9), 3. das Vorwort Jauseps (f. 9—10). Unser Auszug setzt also mit der ersten Frage des Schülers ein. Die durchlaufenden Nummern an der Seite geben die Seiten der HS an.
[2] Vgl. „Memra über die Gottheit", Mingana 601, f. 251b ff.
[3] D. h. Theodor von Mopsuestia.
[4] Heute verlorene Schrift, deren einziges Exemplar in syrischer Übersetzung sich in Se'ert befand. Fragmente daraus: M. RICHARD, Le Muséon 1943, 55—75. Wie oft in diesen Fällen ist nicht deutlich, wo das Zitat aufhört.
[5] Fürsorge oder Heimsuchung, je nach dem Kontext wurde die eine oder andere Übersetzung gewählt.
[6] „Einer der Heiligen" ist oft, aber nicht immer, Evagrios. Nicht identifiziert.
[7] Wörtlich „mehr als".
[8] Markos Eremita, De his qui putant se ex operibus iustificari 61, vgl. 92 und 118 (in der engl. Übersetzung der „Philokalia von PALMER-SHERRARD-WARE, London 1979, 130 ff.). Vgl. auch De baptismo, PG 65, 1028 A und B—C.
[9] Die folgenden fünf Unterscheidungsmerkmale finden sich auch in der HS N. D. des Semences 237 (Vosté XXX) und deren Abschriften Vat Syr 509 und Mingana 601, sowie (im Katalog MINGANAS nicht vermerkt) in Mingana 47, f. 251a—252a (wohl ebenfalls Abschrift von N. D. des Semences 237). Engl. Übersetzung von MINGANA, in Woodbrooke Studies VII (1934) 165—167.
[10] Vgl. hierzu und zum folgenden den „Brief der drei Stufen"!
[11] Die von den Vätern hochgepriesene μνήμη τοῦ θεοῦ, die im byzantinischen Hesychasmus die klassische Form des „Jesus-Gebetes" erlangte, vgl. HAUSHERR, Noms du Christ, OCA 157 (1960).
[12] D. h. der Intellekt erblickt seine eigene geschöpfliche Schönheit, vgl. Einleitung § 3.2.
[13] In der HS scheint eine Zeile übersprungen zu sein; das in Klammern gesetzte dürfte aber den Sinn treffen.
[14] Dieser Titel Christi entstammt Is 9,6 LXX Cod. Sinaiticus [c. a.] und Alexandrinus. Er findet sich zwar im Codex Ambrosianus der Pshita, nicht jedoch in den geläufigen Pshita-Ausgaben. Hingegen erscheint er in

liturgischen Texten, vgl. A. BAUMSTARK, Oriens Christianus 1941, 60 f. (griechischen Ursprungs) ebenso in der byzantinischen Großen Komplet.

[15] Gemeint ist hier vor allem das Unterscheiden zwischen Guten und Bösen, Sündern und Gerechten. Isaak von Ninive spricht des öfteren und in sehr schönen Wendungen davon, daß der Mensch aus seinem Herzen den Baum der Erkenntnis von Gut und Böse ausroden müsse, um der wahren Erkenntnis würdig und fähig zu werden (Buch der Gnade II, 6. 8. 53; III, 78; VI, 30. 31 u.ö. Jausep selbst spricht in Cent I, 50 davon.

[16] Also immateriell, nicht aus den vier Elementen der Schöpfung bestehend.

[17] Der Text scheint hier in Unordnung zu sein, doch läßt sich der erste Teil des Vergleiches aus dem zweiten erschließen.

[18] Der Text ist wieder arg in Unordnung, der Sinn aber sicher zu erschließen. Jausep verweist auf Evagrios, Cent VI, 49 (vgl. auch V, 6 und V, 88), die er selbst deutet. Bei Evagrios ist das Land Juda Symbol der Kontemplation der Körperlichen, Jerusalem das der Kontemplation der Körperlosen und der Zion das der Kontemplation der Heiligen Dreifaltigkeit; vgl. indessen V, 6, wo Jerusalem und Zion nicht unterschieden werden, hier übrigens mit deutlicher Anspielung auf Hebr 12, 22 f.

[19] Dies der Sinn des etwas verwirrten Satzes.

[20] In den vorhergehenden Fragen hatte Jausep ausgeführt, daß zwar sowohl Gerechte als Sünder Christus schauen werden, jedoch die einen zur Wonne und die anderen zur Qual (Diarb 100,107—111) Die Frage des Verhältnisses von Gottes Gerechtigkeit zu seiner Gnade behandelt auch Isaak von Ninive ausführlich und im selben Sinn, vgl. BEDJAN 201. 345. 357 ff. ebenso im Buch der Gnade passim.

[21] Diese Identifizierung des jüdischen Historikers Flavius Josephus mit dem Hohenpriester Kaiaphas findet sich u. a. auch im „Buch der Biene" des Bischofs Salomon von Basra (ed. BUDGE 94). Die Legende von einer Bekehrung des Josephus zum christlichen Glauben ist wohl aus den (umstrittenen) Zeugnissen über Jesus Christus Ant XVIII 3, 3 geflossen. Zu Josephus bei den Syrern vgl. BAUMSTARK 26 (Auszüge aus seinen Schriften finden sich sogar in Bibelhandschriften!).

[22] Jausep spielt wohl auf jene Psalmen an, die die Pshita den *Makkabäern* zuweist, vgl. die Titel der Pss 44, 56, 57, 58, 59, 60, 62, 69, 79, 80, 83, 108, 109 143. An mehreren Stellen heißt es da, David habe sie „in der Person der Makkabäer" verfaßt.

[23] Hier schimmert die Identifizierung des Flavius Josephus mit Aesop durch, die ebenfalls in nestorianischen Kreisen sehr geläufig war. Als Fabeldichter erscheint er auch im Katalog des ʿAbdishoʿ von Ṣoba, wo auch von der „letztendlichen Zerstörung Jerusalems" die Rede ist. Vgl. zum Ganzen ASSEMANI BO III, 1, 522 und BAUMSTARK 26.

[24] S. o. Anm. 20.

[25] Der „Sohn des Verderbens", der Antichrist, jene aus 2 Thess 2, 3 ent-

lehnte geheimnisvolle Gestalt, ist der einzige, der nach Jausep wirklich auf ewig verdammt wird und vom Hauch des Mundes Christi buchstäblich zu Nichts gemacht wird, vgl. Mingana 601, f. 297 b.

[26] Lies *methmataḥ*

[27] S. o. Einleitung § 3.2.

5.11 Gebete des Rabban Jausep Ḥazzaya

I

Dir sei Ehre, Erhabener und Ehrfurchtgebietender[1], (178 b)
Eingeborener der Gottheit,
der du im Opfer deines Leibes
der Welt die Erlösung gewirkt hast,
Sohn-Christus aus dem heiligen Vater.
Zu dir bete ich in dieser Stunde mit Ehrfurcht,
und dich bitte ich um deinen Willen, mein Herr,
und um dein Erbarmen flehe ich,
daß mein Wesen durch deine Gnade geheiligt werde
und der Zwang des Feindes von mir entfernt werde.
Und reinige mein Sinnen in deinem Erbarmen,
auf daß meine Hände sich rein ausstreckten,
um deinen heiligen Leib und dein
ehrfurchtgebietendes Blut zu empfangen.
Und wasche mit dem Hysop deiner Gnade
meinen verborgenen Geist rein,
der ich mich, sieh,
dem Allerheiligsten deiner Geheimnisse nähere. (179 a)
Und wasche von mir ab das Sinnen des Fleisches,
und es vermische sich mit meiner Seele
das Sinnen deines Geistes.
Und festige in mir den Glauben,
den Seher deiner Geheimnisse,
auf daß ich dirgemäß dein Opfer schaue
und nicht mirgemäß.
Schaffe in mir Augen
und mit deinen Augen will ich dich schauen,
der ich dich mit meinen eigenen Augen
nicht erblicke.

Mein Geist dringe vor
zu der Verborgenheit deines Opfers,
wie du ans Licht gebracht und
mit deinen Geheimnissen vermischt wurdest.
Und nicht beachten will ich mich in dieser Stunde
und mich (meiner) nicht erinnern,
und mich selbst will ich vergessen
und will (meiner) nicht gedenken.
Vernichtet werde vor den Augen meines Geistes
die leibliche Form,
und du allein seist vor den Augen meines Geistes
dargestellt.
Und jetzt, da dein Geist
vom Himmel auf deine Geheimnisse herabsteigt,
will ich im Geiste
von der Erde zum Himmel aufsteigen.
In diesem Augenblick,
da sich deine Kraft mit dem Brot vermischt,
vermische sich mein Leben
mit deinem Geistesleben.
Und in dieser Stunde,
(179 b) da der Wein verwandelt wird
und zu deinem Blute wird,
mögen meine Gedanken trunken werden
durch die Vermischung mit deiner Liebe.
Und in diesem Augenblick, da dein Lamm
auf den Altar gelegt und geschlachtet wird,
möge die Sünde aus all meinen Gliedern
vernichtet und zerstört und ausgerodet werden.
Und in dieser Stunde, da dein Leib
als Opfer deinem Vater dargebracht wird,
sei auch ich eine heilige Opfergabe
für dich und für den, der dich gesandt.

Und mein Gebet steige auf vor dir
zusammen mit dem Gebete deines Priesters.
Und schaffe du mir verborgene Hände,
daß ich mit ihnen die lodernde Kohle[2] trage.
Schaffe in mir ein reines Herz
und es wohne deine heilige Kraft in ihm,
daß ich in der Kraft deines Geistes
deine Erlösung geisthaft atme.
Bilde Augen, mein Herr, in meinen Augen,
daß ich mit neuen Augen
dein göttliches Opfer betrachte.
Nicht erscheine mir, mein Herr, (180 a)
die Enthüllung dessen, was ich nun empfange,
sondern würdige mich,
daß ich es schaue und erkenne
wie Simon der Fischer,
der die Seligpreisung seines Glaubens empfing.
Möge ich nicht, mein Herr,
das Brot bei deinem Leibe schmecken,
noch den Kelch bei deinem Blute.
Gewähre mir Glauben,
daß ich deinen Leib erblicke und nicht Brot,
und dein lebendiges Blut,
das ich aus dem Kelche trinke.
Gewähre mir ein geisthaftes Schmecken,
daß ich dein Blut koste und nicht Wein.
Und zerstöre in mir
die Regionen meiner Leibhaftigkeit
und grabe in mich ein
die Regionen deiner Geisthaftigkeit[3].
Dir will ich mich nähern,
dieweil du alleine mir erscheinst,
und nichts anderes will ich meinerseits empfinden.

Sondern wie im Himmel will ich wandeln
im Hause der Versöhnung,
und dich, der du in den Himmeln des Himmels wohnst,
will ich empfangen.
Geisthaft hast du mich gemacht,
da du mich durch die Wasser gezeugt.
Mache mich geisthaft auch jetzt,
da ich herantrete,um dich zu empfangen.
Furchtbar ist, mein Herr,
groß dies, daß mit dem Mund,
der Speise und Trank der natürlichen Sitte aufnimmt,
dein Leib und dein Blut,
Christus unser Lebensspender,
gegessen und getrunken wird.
Nicht hast du den Geistwesen gegeben, mein Herr,
was ich jetzt empfange.
Wecke in mir, mein Herr,
(180 b) das Staunen über dein Kreuz,
in diesem Augenblick,
und erfülle mich mit der Glut des Glaubens
in dieser Stunde,
und meine Gedanken mögen sich entzünden
am Feuer deiner Liebe.
Und meine Augen seien dir Ströme von Wasser
zur Waschung meiner Glieder.
Und ausgegossen werde deine verborgene Liebe
in meinen Gedanken,
auf daß meine verborgenen Gedanken
dir Tränen und Seufzer verströmen,
und mein Leib für dich geheiligt werde,
und meine Seele für dich strahlend werde,
und mein Leib für dich von aller Form und Bild
der hiesigen Welt gereinigt werde,

und für dich meine Gedanken gesäubert werden,
und meine Glieder für dich geheiligt werden,
und mein Sinnen für dich gereinigt werde,
und für dich mein Intellekt erleuchtet werde,
und mein Sein für dich zum heiligen Tempel werde,
und ich ganz deine Majestät empfinde,
und zu deinem Schoße im Verborgenen werde.
Und dann komm und weile in mir bei Nacht,
und ich will dich offen empfangen
und mich im Geiste ergötzen
inmitten des Allerheiligsten meiner Gedanken.
Und dann will ich mich an deinem Leib und deinem Blut
in meinen Gliedern ergötzen.
Du hast mir deine Verborgenheit
im Brot und im Weine offenbart,
offenbare in mir deine Liebe, (181 a)
und laß in mir deine Zärtlichkeit erstrahlen,
auf daß ich in deiner Liebe deinen Leib empfange
und in deiner Zärtlichkeit dein Blut trinke.
Und mit der Vollendung des Opfers deiner Opferung
erfülle mein Flehen und nimm mein Gebet an
und erhöre meine Worte
und versiegele meine verborgenen und sichtbaren Glieder.
Und ich, mein Herr,
werde in Offenheit, wie du gesagt,
das Siegel deines Kreuzes auf meine Glieder legen,
und du, mein Herr,
bezeichne im Verborgenen mich
mit der Wahrheit deines Kreuzes.
Und statt des Magens der Glieder des Leibes
nehme dich im Schoße meines Sinnes
der (Magen) meines Geistes auf,
(und) mögest du in ihm empfangen werden

wie im Schoß der Jungfrau.
Und offenbare dich in mir
durch die Geistesfrüchte und durch gute Werke,
die deinem Willen wohlgefällig sind.
Durch dein Essen seien meine Lüste verzehrt,
und durch das Trinken deines Kelches
seien meine Leidenschaften ausgelöscht
und sollen meine Gedanken
Kraft aus deinen Speisen empfangen.
Und durch das lebendige Blut
deines anbetungswürdigen Leidens
will ich Kraft empfangen
(181 b) zum Lauf des Tuns der Gerechtigkeit,
und verborgen will ich wachsen
und offen mich auszeichnen
und mit Sorgfalt laufen
und zur Stufe des verborgenen Menschen gelangen.
Und ich will zu einem vollkommenen Mann werden,
vollendet an allen Gliedern des Geistes,
mein Haupt gekrönt mit der Krone
der Vollkommenheit aller geistlichen Glieder.
Und ich will zum Diadem des Königtums
in deinen Händen werden, wie du verheißen hast[4],
oh wahrhaftiger Herr,
König der Regungen und Herr der Kräfte (der Seele),
allmächtiger Gott.
Und ich will mich versenken in dich
und in deine Liebe und in deine Zärtlichkeit,
am Tage, da deine Majestät aufstrahlen wird
und das Wort erfüllt wird,
das da sagt und ruft:
„Dir soll sich beugen jedes Knie,
und dich soll bekennen jede Zunge,

die im Himmel und auf Erden
und unter der Erde ist[5].“
Und zusammen mit den Geistwesen
und jenen, die deine Offenbarung im Geiste geliebt,
will ich dich bekennen und dich verherrlichen
und dich erheben in jenem Königreich,
das nicht vergeht und in Ewigkeit kein Ende nimmt.
Jetzt und allezeit
(und in die Ewigkeit der Ewigkeiten. Amen)

*

II.

An das Tor deiner Barmherzigkeit klopfe ich[6],
Ewiger, der du in glorreichem Lichte wohnst,
dessen Wohnung sich die Legionen der Seraphim
nicht zu nahen wagen,
dessen Glorienschein die tausend mal Tausende
und die zehntausend mal Zehntausende
der Engel nicht zu betrachten vermögen!

Du, mein Herr,
öffne ein Tor meinem Gebet
und meine Bitten seien angenommen vor deiner Majestät.
Und gewähre mir aus deinem reichen Schatzhaus
eine kleine Obole,
daß ich mit ihr meinen Hunger stille
und meinen Durst lösche!

Meer der Barmherzigkeit und des Erbarmens,
Jesus Christus,

Allbereicherer derer, die Mangel leiden,
gieße in mich
die Ströme deiner Gnade,
und durch dich seien meine Übertretungen ausgelöscht.

Ja, mein Herr,
erhöre meine Gebete und nimm mein Flehen an
und erleuchte meine Finsternis,
und würdige mich,
daß ich mich an dem Staunen über die Erkenntnis
der Menschwerdung[7] deines eingeborenen Sohnes ergötze,
unseres Herrn und Gottes Jesus Christus,
oh gütiger Vater und barmherziger Herr!

Allerfüllender und Allheiligender,
Heiliger Geist, Gott,
wesensgleich dem Vater und dem Sohne,
heilige uns durch deine Herabkunft
und reinige uns durch den Hysop deines Erbarmens!

Dreifaltiger Gott, wahrhaftig,
der du dreifaltig gepriesen
und einfaltig bekannt wirst,
vollende uns durch deine Erkenntnis
und mache weise unsere Unwissenheit
durch die Bewahrung deiner Gebote,
auf daß wir dich bekennen und lobpreisen allezeit
Vater und Sohn und Heiliger Geist
in die Ewigkeiten. Amen

*

III.

Unser Herr, Jesus Christus[8],
gewähre mir in deiner Gnade,
daß mein Geist mit deiner Majestät
vertrauten Umgang pflege
in jenem Gespräch,
das weder durch leibliche Stimmen gebildet,
noch durch Zungen von Fleisch[9] ausgesprochen wird.

Indes gewähre (mir),
daß ich dich im Schweigen preise,
dich den Schweigsamen,
der du in unaussprechlichem Schweigen
gepriesen wirst.

Unser Herr, Jesus Christus,
gewähre mir einen Mund von Feuer
und eine einfaltige Zunge von Feuer,
daß ich durch sie
dich, Gepriesener preise,
der du in glorreichem Lichte wohnst,
das niemand sieht
und dem sich niemand zu nahen vermag.

Unser Herr, Jesus Christus,
gewähre mir in dieser Stunde
einen Verstand, voll von deiner Liebe,
und einen Geist, der deine Erkenntnis trägt,
und einen Intellekt, voll von deiner Einsicht,
und ein reines Herz,
in dem das Licht deiner Schau erstrahlt.

Unser Herr, Jesus Christus,
würdige mich, daß mein Geist

zu einer Quelle der Weisheit werde
und die Geheimnisse der neuen Welt
sich ihm offenbaren.

Ich bitte dich,
Sproß des Vaters
und Abglanz seines Wesens,
beraube mich nicht, Herr,
zu dieser Stunde
jener Liebe und Zärtlichkeit,
mit der die Seelen deiner Heiligen
entflammt sind.

Ja, mein Herr,
würdige mich in deiner Gnade
zu dieser Stunde,
daß ich mit den Ohren meiner Seele
jenen furchtgebietenden Schrei
der erhabenen Mächte vernehme,
die deine Majestät feiern.

Unser Herr, Jesus Christus,
gewähre mir, daß ich
den Gesang und den Hymnus vernehme,
der zu dieser Stunde
von dem Geiste deiner Heiligen vernommen wird.

Unser Herr, Jesus Christus,
gewähre mir in deiner Gnade,
daß ich der Schau jener
feurigen Einsichten gewürdigt werde,
die sich zur Zeit des Gebetes offenbaren,
und mich an jenem lieblichen Duft ergötze,
der von ihnen ausströmt. Amen

*

5.11 Gebete des Rabban Jausep Ḥazzaya

[1] Die einleitende Rubrik sagt, daß der *Rekluse* dieses Gebet sagen solle, dieweil er bei den Heiligen Geheimnissen (der Liturgiefeier) steht. Die durchlaufenden Zahlen geben die Seiten der HS Mingana 564 an.
[2] Mit „Kohle" bezeichnen die Syrer in Anlehnung an Is 6, 6 die konsekrierte *Hostie,* bzw. jenen Teil, der den Gläubigen zur Zeit Jauseps offenbar noch in die Hand gegeben wurde. Im 5. Memra seines „Buches der Fragen und Antworten" (Diarb 100, 419 ff.) entfaltet Jausep diesen Symbolismus von „Kohle" und Hostie sehr tief.
[3] D. h. im Denken Jauseps die Ordnung der Geschöpflichkeit im Gegensatz zur Ordnung der Gnade, s. o. Einleitung § 3.1.
[4] Is 62, 3.
[5] Phil 2, 10.
[6] Die Übersetzung folgt der HS Mingana 7, f. 132a. Der Text der HS Diarb 361 ist gelegentlich etwas verkürzt, z. T. sichtlich aus Versehen, und Cambridge Add 1999 enthält nur den ersten Teil.
[7] Zu der Mehrdeutigkeit dieses Begriffes *(mdabranutha)* s. o. Text 1 Anm. 63.
[8] Der Text ist der HS Diarb 361, f. 141b—142b entnommen. Wir haben ihn bisher in keiner anderen liturgischen HS wiederfinden können. Zu der verkürzten Version, die sich im fünften Brief findet, s. o. Einleitung § 2.2.1 und Text 4, 26h.
[9] Die HS liest „Feuer", was ein offensichtlicher Schreibfehler ist und im Widerspruch zur 3. Stophe steht. Die kurze Version liest richtig „Fleisch".

6. Indices

NB. Die Indices erfassen nur die *Texte,* nicht die Anmerkungen bzw. die Einleitung. Die Ziffern verweisen auf den Text und den jeweiligen Paragraphen.

6.1 Schriftzitate

6.2: MONASTISCHE AUTOREN

NB. Die Liste enthält nur die in den Texten selbst ausdrücklich als solche gekennzeichneten Zitate, nicht die zahlreichen möglichen Anspielungen, auf die in den Anmerkungen verwiesen wird.

6.3: PERSONEN UND SACHEN

N.B. Selten vorkommende Begriffe werden je an Ort und Stelle erklärt. Im folgenden seien nur die wichtigsten technische Abegriffe erklärt, *so wie Jausep sie versteht*. Vgl. allgemein zu einigen Ausdrücken: HAUSHERR, Jean le Solitaire, OCA 120 (1939) 8 ff. und RÜCKER, Morgenland 28 (1936) 49 f.

Abgeschiedenheit:
shelya (ἡσυχία). Allgemein „Ruhe, Stille" usw. Am besten mit dem Eckehart'schen „Abgeschiedenheit" wiederzugeben, da beide Begriffe sowohl eine *äusere* Beschaffenheit, als auch eine *innere* Verfassung bezeichnen. Die äußere Abgeschiedenheit ist bei Jausep die Voraussetzung der inneren.

Angeld:
rahbona (ἀρραβών), vgl. 2 Kor 1, 22; 5, 5; Eph 1, 14. Wichtiger Begriff zum rechten Verständnis aller Mystik! *Das* Angeld der künftigen Herrlichkeit ist der „Geist der Sohnschaft" (Röm 8, 15), der gnadenhaft in der *Taufe* verliehen wird. Alles Streben des Mystikers geht dahin, diesen Schatz zu heben und sich seiner in diesem Leben bereits zu erfreuen, soweit dies möglich ist.

Betrachtung:
herga. Das meditative Verweilen bei den Sinngehalten, etwa der Schrift, der Schöpfungszusammenhänge, der Heilsgeschichte. Eine der Hauptübungen der Einsiedler, oft in Verbindung mit der Lesung *(qeryana)* genannt.

Einsicht:
sukala. Bei Jausep (im Gegensatz zu Evagrios, der den diskursiven Charakter und die eigenständige menschli-

che Anstrengung betont) das spontane Erfassen, Innewerden der inneren Seinszusammenhänge. Jausep unterscheidet zwischen 1. Einsichten, die rational faßbar und aussagbar sind, und 2. Einsichten, die jenseits der Aussagbarkeit liegen. Daher kann die Einsicht gelegentlich als Vorstufe der Schau bezeichnet werden, dann aber auf der höchsten Ebene der Kontemplation als der Schau überlegen erscheinen, da sie über das Schauen hinaus noch das Verstehen (als „Hören" bezeichnet) enthält. Vgl. ausführlich Diarb 100, 328 ff.

Einsiedler:

iḥidaya (μοναχός). Der Begriff hat eine lange und interessante Geschichte im Syrischen vgl. R. MURRAY, Symbols of Church and Kingdom, Cambridge 1975, 12—16. Die etymologisch naheliegende Übersetzung mit „Mönch" wurde vermieden, da zur Zeit Jauseps der *iḥidaya* meist der Einsiedler ist, für den Jausep ja fast ausschließlich schreibt. Der Mönch, unter dem man heute meist den *Koinobiten* versteht, heißt *dairaya* (von *daira*, mandra, claustrum). Den Reklusen *(ḥbisha)* erwähnt Jausep nie.

Gedanke:

ḥushava (λογισμός). Fast stets in dem für die Mönchsliteratur charakteristischen pejorativen Sinn „böser Gedanke", der aus dem Herzen aufsteigt (Mt 15, 19). Der Begriff ist ambivalent wie das biblische „Welt" und mit Recht. Denn die an und für sich neutralen Gedanken sind das Vehikel der Leidenschaften, vor allem wenn konkrete Objekte fehlen. Vgl. zum Thema GUILLAUMONT, Praktikos S. 63 ff.

Geisthaftigkeit:

ruḥanutha (πνευματική). Die 3. Stufe, vgl. Einleitung § 3. Zu beachten ist, daß der „Geist" hier bei Jausep stets der Heilige Geist ist. Auch Stufe der Vollkommenheit *(gmirutha)* genannt, auf der der Intellekt *passiv* von der Gnade (d. h. dem Hl. Geist) geführt wird. Er gelangt dorthin, wenn er jenseits der Lauterkeit, die die äußerste Grenze der kreatürlichen Möglichkeiten bezeichnet, erhoben wird. In der Geisthaftigkeit erfährt der Intellekt *angeldhaft* das Leben der neuen Schöpfung.

Gottesfürchtig:

paloḥa. Oft verwandter und schwer im Deutschen wiederzugebender Begriff; vgl. französisch *exercitant.* Gemeint ist ein Mönch, der sich in den Tugenden und den asketischen Mühen übt *(plaḥ)* vgl. Tun. Von daher „one who serves God, pious" (PAYNE SMITH), „diligent, dévot, religieux" (COSTAZ).

Intellekt:

hauna (νοῦς). Jausep unterscheidet Intellekt, Verstand *(re'yana)* und Geist *(mad'a)*. Während Verstand (Denken, Gedanke usw.) und Geist zu den „Kräften" der Seele gehören, ist der Intellekt, der in der Seele als König thront, deren Haupt, das sie zusammenfaßt. Vgl. Diarb 100, 225 ff. 248. Der „Intellekt" ist demnach etwa das, was wir die „Person" nennen würden, wobei aber „Intellekt" deutlicher das Angelegtsein des Menschen auf Erkenntnis *(ida'tha)* heraushebt. *Erkenntnis* (γνῶσις) ist dabei keineswegs mit unserer heutigen fast neutralen naturwissenschaftlichen Erkenntnis zu verwechseln. Es ist die Weise, in der der geschöpfliche Geist des Menschen, nach einem langen Prozess der Reinigung, zum Gleichklang mit dem ungeschaffenen Geist Gottes gelangt, auf welchen er schöpfungshaft angelegt ist. Intellekt ist also *Transparenz für Gott,* ist die *Gottfähigkeit* des Menschen und trägt das unzerstörbare Ebenbild Gottes. Jausep verleugnet dabei nie die leibliche Existenz des Menschen, betont vielmehr, daß bei der Auferstehung beide eins werden im Schauen und Erkennen!

Intelligibel:

methyad'ana: Im Gegensatz zu sinnenhaft *(methregshana)* alles, was mit dem geist *(mad'a)* und nicht mit den Sinnen des Leibes erfaßt wird. Die Bedeutung reicht dann von „rational" bis „mystisch", „im geistigen Verständnis" (z. B. intelligible Flucht aus der Welt), also „im höreren, tieferen Sinn", „symbolisch-typologisch verstanden".

Kontemplation:

theoria (θεώρία). „Kontemplation nennen wir alles, was wir auf intelligible Weise mit den Augen unseres Geistes sehen oder begreifen" (Diarb 100, 332). Mit Evagrios unterscheidet Jausep fünf Kontemplationen; und zwar die Kontempaltion der:

1. Heiligen Dreifaltigkeit (passive Erfahrung Gottes, reine Gnadengabe)
2. Körperlosen (d. h. der Engelwesen)
3. Körperlichen (die materielle Schöpfung)
   Diese beiden sind die erste und zweite *natürliche* Kontemplation, da sie die Natur (Schöpfung) als solche betreffen.
4. des Gerichtes (Gottes *Heilshandeln* in der Geschichte, vom Fall Adams an bis zur Neuschöpfung)
5. der Vorsehung (Gottes *Heilsplan,* dessen Ziel die Erlösung und Neuschöpfung ist. Eschatologie).

Lauterkeit:

shapyutha (γαλήνη ?). Vgl. Einleitung § 3. Ziel der Stufe der Seelenhaftigkeit und zugleich Eintritt in die

Stufe der Geisthaftigkeit, die sich „von da an und darüber hinaus" erstreckt. Die Läuterung der Seeele führt zur Lauterkeit des Intellektes, der in ihr wohnt, wie in einem Tempel, wie die Reinigung des Leibes zur Reinheit der Seele führt, da die Seele den Leib als ihr Haus bewohnt.

Leibhaftigkeit:

pagranutha (σωματική). Nicht pejorativ gemeint, sondern einfach die Grundstufe, auf der der Mensch mit den Mitteln der πρᾶξις, *(pulḥana)*, d. h. dem Halten der Gebote Christi und den Mühen der Askese, von den grobsinnlichen Leidenschaften gereinigt wird, insofern sich diese vornehmlich auf der Ebene des Leibseins manifestieren.

Leidenschaft:

ḥasha (πάθος). Einleitung § 4. Die sündhafte Verkehrung der guten natürlichen Kräfte des Menschen. Im Wortsinn bereits enthalten: Das Erleiden von etwas, was der Natur *wesenesfremd* ist und bleibt und daher ausgeschieden werden muß. Die Mittel dazu sind die Mühen, der Weg die Reinigung und die Läuterung. Die *Natur* selbst ist und bleibt bei den Orientalen stets gut, wobei unter „Natur" jedoch nicht die Vorfindlichkeit des Menschen zu verstehen ist, sondern seine Schöpfungswirklichkeit.

Metanie:

metonia (μετάνοια). Verneigung bis auf den Boden. Jausep Busnaya unterscheidet verschiedene Formen von Verneigungen. Demnach ist die Metanie ein Kniefall, bei dem die Stirn den Boden berührt (vgl. CHABOT, ROC 4 (1899) 396 f.). Die HS Mingana 564 f., 155 enthält ein kleines Traktat über die verschiedenen Verneigungen. Noch heute ist den orthodoxen Mönchen eine bestimmte Anzahl von Metanien vorgeschrieben, die in der Zelle zu verrichten sind, abgesehen von denen, die das Offizium, vor allem in der Großen Fastenzeit, vorschreibt. Isaak von Ninive schätzt sie über alles!

Mühen:

åmle. Die asketischen Übungen, wie Fasten, Wachen, Lesen, Kniefälle usw.

Ort:

åthra (τόπος) Nicht punktuell zu verstehen (dafür *duktha*), sondern räumlich, im geistigen Sinn: Region, Gefilde, Ort der Anwesenheit usw. In diesem Sinn *Ort des Gebetes* u. ä.

Regung:

zau'a. Die der Seele oder dem Intellekt eigenen Manifestationen, wie z. B. Demut, Freude, Angst usw.

Reinheit:

dakyutha (καθαρότης), auch im aktiven Sinn *Reinigung.* Der natürliche geschöpfliche Zustand des Menschen, der durch den Fall Adams gestört aber nicht zerstört wurde. Die Reinheit ist das Ziel der Stufe der Leibhaftigkeit.

Seelenhaftigkeit:

napshanutha (ψυχική). S. Einleitung § 3. Das hier zugrunde gelegte Verständnis von *Seele* ist nicht allzu weit von dem modernen Begriff *psyche* und seinen Ableitungen entfernt. Es ist der ganze gefühlsmässige Bereich des Menschen. Bei Jausep eine Zwischenstufe zwischen Leibhaftigkeit und Geisthaftigkeit, auf der die Seele von den ihr eigenen Leidenschaften geläutert wird. Die Seelenhaftigkeit bedeutet die Grenze der geschöpflichen Möglichkeiten des Menschen, die Vollendung der ersten, adamitischen Geschöpflichkeit. Jenseits von ihr erfolgt die Neuschöpfung.

Staunen:

thahra. Die öfter anzutreffende Übersetzung ,,Ekstase" trifft den Sinn nicht, da sie den Gedanken der Bewußtlosigkeit suggeriert. BEULAY gut *émerveillement.* *Thahra* ist ein staunendes zu-sich-Kommen des Intellektes, wobei der Leib durchaus außer sich sein kann, oder auch wie im Schlaf.

Stufe:

mshuḥtha. Verwandt, aber nicht identisch, sind die selteneren Begriffe Grad *(darga)*, Ordnung (*taksa*-τάξις), Höhepunkt (*'akme* — ἀκμή). Die Stufe ist bei Jausep eher eine *Etappe*, mit einem Anfang, u. U. auch einem Höhepunkt und einem Ziel bzw. Übergang. Zu den drei Stufen s. Einleitung § 3.

Tun:

pulḥana (πρᾶξις). Die aktive Übung der Gebote Christi und, damit verbunden, der asketischen Mühen.

Wandel:

dubara (πολιτεία). Die Weise, in der das asketische Leben geführt wird. Jede Stufe hat ihren entsprechenden Wandel, d. h. ihre entsprechenden Mittel und Wege. Wechsel der Stufe bedeutet Wechsel des Wandels.

Wechselzustände:

shuḥlape. Allgemein *Veränderung*, speziell dann die seelischen Zustände, wie Trauer, Freude usw. auf die der Mensch keinen Einfluß hat. Sie werden von Gott zu unserer Erziehung zugelassen. Der Anfänger leidet sehr unter ihnen, der Erfahrene erträgt sie wie ,,Witterungswechsel" (Isaak von Ninive).

Zusammengesetztheit:

mrakbutha, im Gegensatz zu Einfachheit *(pshitutha).* Zusammengesetzt, und daher mit Zahl, Maß usw. verbunden, ist alles, was aus den vier Elementen der Schöpfung besteht, also „materiell" ist. Dies ist nicht im pejorativen Sinn zu verstehen. Dem Zusammengesetzten, Materiellen steht das *Einfaltige,* Ungeschaffene, also Göttliche gegenüber. Alles was sich auf Gott bezieht, ist einfaltig, alles die Schöpfung betreffende hingegen vielfaltig, zusammengesetzt, komplex. Vgl. auch Text 7, 1 ff.!

6.5: Verzeichnis der benutzten Literatur

Abkürzungsverzeichnis

BO	Bibliotheca Orientalis (Assemani)
CSCO	Corpus Scriptorum Christianorum Orientalium
HS	Handschrift
OCA	Orientalia Christiana Analecta
OCP	Orientalia Christiana Periodica
PO	Patrologia Orientalis
RHR	Revue d'histoire des religions
ROC	Revue de l'Orient Chrétien
ZAM	Zeitschrift für Aszese und Mystik

I. Allgemeine Literatur

1. *Handbücher und Gesamtdarstellungen*

A. Baumstark, Geschichte der syrischen Literatur, Bonn 1922

R. Beulay L'enseignement spirituel de Jean de Dalyatha (Thése de 3e cycle, déposée à l'École Pratique des Hautes Études, 5e Section), Paris 1974 (S. 100—279: Le milieu mystique nestorien du VIIIe siècle)

J. M. Fiey, Assyrie chrétienne, 3 Bde, Beyrouth 1965—1968

ders. Jalons pour une histoire de l'Église en Iraq. CSCO 310/Subsidia 36, Löwen 1970.

J. Labourt, Le christianisme dans l'empire perse sous la dynastie sassanide (224—632); Paris 1904.

R. DUVAL, La litterature syriaque, Paris 1907.
I. ORTIZ DE URBINA, Patrologia Syriaca, Rom 1965.
E. TISSERANT, — E. AMANN L'Église nestorienne, in: Dictionnaire de Théologie Catholique XI (Paris 1930) 157—323.

2. *Textausgaben und Übersetzungen*

N.B. Soweit uns bekannt, wurden stets die modernen Übersetzungen zitiert und nur dort, wo diese fehlen, die Ausgaben in der Originalsprache.

J. S. ASSEMANI, Bibiliotheca Orienatlis, Tom III, 1 (De scriptoribus nestorianis) Rom 1725.
P. BEDJAN, Acta Martyrum et Sanctorum, Tom VII (Paradisus Patrum), Paris-Leipzig 1897.
ders. Liber Ethicon seu moralia, Paris 1898
ders. Liber Superiorum seu historia monasteriorum, Paris 1901.
R. BEULAY, La collection des lettres de Jean de Dalyatha, Patrologia Orientalis, Tom XXXIX, Fasc. 3, N° 180 (Turnhout 1978).
E. A. W. BUDGE, The Book of the Bee, Oxford 1886.
ders. Teh Book of Governors, London 1893.
ders. The Paradise of the Holy Fathers, London 1907.
ders. The Book of the Cave of Treasures, London 1927.
J. B. CHABOT, Le livre de la chasteté, in: Mélanges d'Archéologie et d'Histoire 16 (1896) 225—291.
ders. Vie du moine Rabban Youssef Bousnaya, in: Revue de l'Orient Chrétien 2 (1897) 357—405, 3 (1898) 77—121, 168—190, 292—327, 458—480, 4 (1899)

380—414, 5 (1900) 118— 143, 182—200 (Übersetzung von Vat. Syr 467).

D. J. CHITTY, The Letters of Ammonas, Oxford 1979.

B. E. COLLESS, The Mysticism of John Saba, Melbourne 1969 (Dissertation, enthält eine Ausgabe und Übersetzung der Homilien des Johannes von Dalyatha).

S. DEDERING, Johannes von Lykopolis. Ein Dialog über die Seele und die Affekte des Menschen, Leiden 1936.

I. HAUSHERR, Jean le Solitaire. Dialogue sur l'âme et les passions des hommes, OCA 120 (1939).

Abbé ISAIE, Recueil ascétique, Spiritualité Orientale Nr 7 (Bellefontaine 1970).

A. LEVENE, The Early Syrian Fathers on Genesis, London 1951.

F. S. MARSH, The Book of the Holy Hierotheos, London 1927.

B. MILLER, Weisung der Väter (Sophia 6), Freiburg 1965.

A. MINGANA, Early Christian Mystics, Woodbrooke Studies VII, Cambridge 1934.

ders. The Book of Treasures, by Job of Edessa, Cambridge 1935.

G. E. H. PALMER-PH. SHERRAD — K. WARE, The Philokalia, Vol. 1, London 1979.

L. REGNAULT, Les sentences des pères du désert (4 Bände), Solesmes 1966—1981

L. G. RIGNELL, Briefe von Johannes dem Einsiedler, Lund 1941.

ders. Drei Traktate von Johannes dem Einsiedler. Lunds Universitets Årsskrift. N. F. Avd. 1 Bd 54 Nr 4 (Lund 1960).

W. STROTHMANN, Johannes von Apameia, Patristische Texte und Studien Bd 11 (Berlin 1972).

A. VÖÖBUS, Syriac and Arabic Documents regarding Legislation relative to Syrian Asceticism, Papers of the Estonian Theological Society in Exile Bd 11 (Stockholm 1960).
A. J. WENSINCK Bar Hebraeus's Book of the Dove, Leiden 1919.

3. *Einzeluntersuchungen*

F. NAU, A propos d'un feuillet d'un manuscrit arabe, in: Le Muséon 43 (1930) 85—116 (La mystique chez les nestoriens)
I. HAUSHERR, Les grands courants de la spiritualité orientale, in: OCP 1 (1935) 114—138.
A. RÜCKER, Aus dem mystischen Schriftum nestorianischer Mönche des 6.—8. Jahrhunderts, in: Morgenland 28 (1936) 38—54.
J. VAN DER PLOEG, Oud-Syrisch Monniksleven, Leiden 1942.
I. HAUSHERR, Penthos. La Doctrine de la componction dans l'Orient Chrétien, in: OCA 132 (1944).
ders. Un grand auteur spirituel retrouvé: Jean d'Apamée, in: OCP 14 (1948) 1—42.
ders. Philautie. De la tendresse pour soi à la charité selon Saint Maxime le Confesseur, OCA 137 (1952).
B. SCHULTZE, Untersuchungen über das Jesus-Gebet, in: OCP 18 (1952) 319—343.
I. HAUSHERR, Direction spirituelle en Orient autrefois, OCA 144 (1955).
P. SHERWOOD, Jean de Dalyatha: sur la fuite du monde, in: L'Orient Syrien 1 (1956) 305—312.

I. HAUSHERR, Noms du Christ et voies d'oraison, OCA 157 (1960).

G. WIDENGREN, Researches in Syrian Mysticism. Mystical Experiences and Spiritual Exercises, in: Numen 8 (1961) 161—198.

F. GRAFFIN, Un inédit de l'abbé Isaie sur les Étapes de la Vie Monatique, in: OCP 29 (1963) 449—454.

J. M. FIEY, Îchô' dnah, Métropolite de Basra, et son œuvre, in: L'Orient Syrien 11 (1966) 431—450.

B. E. COLLESS, The Mysticism of John Saba, II. John Saba and the Legacy of Syrian Christian Mysticism (Teil II seiner Dissertation Melbourne 1969).

R. BEULAY, Jean de Dalyatha et sa lettre XV, in: Parole de l'Orient 2 (1971) 261—279.

P. HARB, Doctrine Spirituelle de Jean le Solitaire (Jean d'Apamée), in: Parole de l'Orient 2 (1971) 225—260.

B. E. COLLESS, The Biographies of John Saba, in: Parole de l'Orient 3 (1972) 45—63.

J. MATEOS Lelya-Sapra. Les Offices Chaldéens de la Nuit et du Matin, OCA 156 (1972).

B. E. COLLESS, The Mysticism of John Saba, in: OCP 39 (1973) 83—102.

J. MUNITIZ, A Greek ‚Anima Christi' Prayer, in: Eastern Churches Review 6 (1974) 170—180.

R. MURRAY, Symbols of Church and Kingdom. A Study in Early Syriac Tradition, Cambridge 1975.

R. BEULAY, Un mystique de l'Eglise syro-orientale au VIIIe siècle: Jean de Dalyatha, in: Carmel 1977, 190—201.

ders. Précisions touchant l'identité et la biographie de Jean Saba de Dalyatha, in: Parole de l'Orient 8 (1977—78) 87—116.

J. SANDERS, Un Manuel de Prières populaires de l'Église Syrienne, in: Le Muséon 90 (1977) 81—102.
A. GUILLAUMONT, Les visions mystiques dans le monachisme oriental chrétien, in: Nouvelles de l'Institut Catholique de Paris 1976—1977, N° 1 (1977) 116—127.
S. BROCK, John the Solitary, On Prayer, in: Journal of Theological Studies 30 (1979) 84—101.
R. LAVENANT, Le problème de Jean d'Apamée, in OCP 46 (1980) 367—390
A. DE HALLEUX, La Christologie de Jean le Solitaire, in: Le Muséon 94 (1981) 5—36.

II. SPEZIELLE LITERATUR ZU JAUSEP ḤAZZAYA UND SEINEN HAUPTQUELLEN, EVAGRIOS PONTIKOS UND ISAAK VON NINIVE.

1. JAUSEP ḤAZZAYA

1.1 *Handschriften, Textausgaben und Übersetzungen*

Handschriften

Ephrem von Qirqesion, Kommentar zu den *capita scientiae* (Bibliothek des Chaldäischen Patriarchates, Bagdad, nicht katalogiert).
BM Add. 12.167, f. 289a—293a (Fünfter Brief)
BM Add. 14.728, f. 76b—125a (Brief der drei Stufen)
BM Add. 14.729, f. 70a—80b (Erste Centurie)
Berlin, Sachau 352, f. 192b. 141a—147b (Erste Centurie), f. 106a—110a (Fünfter Brief)
Cambridge Add. 1999, f. 96b—102a (Erste Centurie)

Diarbekir 100, f. 10—36. 113—135 (Buch der Fragen und Antworten).

Diarbekir 361, f. 89a—90a (2. Gebet), f. 141b—142b (3. Gebet)

Harward Syr. 109, f. 97a—102b (Erste Centurie)

India Office Library Syr. 9, f. 293a—310a (Buch der Fragen und Antworten)

Mingana Syr. 7, f. 119a—126a (Erste Centurie), f. 132a (2. Gebet)

Mingana Syr. 47, f. 248b—249b (Text 2), f. 249b—251a (Text 5).

Mingana Syr. 105, f. 39b (Gebet vor der Lesung des Evangeliums).

Mingana Syr 564, f. 178b—181b (1. Gebet).

Mingana Syr. 601 (Texte 2—9).

Vaticanus Syr. 509 (Texte 2—9).

Textausgaben und Übersetzungen

R. BEULAY, La collection des lettres de Jean de Dalyatha, Patrologia Orientalis XXXIX, Fasc. 3. N° 180, S. 500—521 (Texte 2 und 3, mit französischer Übersetzung).

A. MINGANA, Woodbrooke Studies VII (1934): Early Christian Mystics (Englische Übersetzung der Texte 3—7 und photographische Wiedergabe der entsprechenden Partien der HS Mingana 601).

G. OLINDER, A letter of Philoxenus of Mabbug sent to a friend. Acta Universitatis Gotoburgensis, Göteborgs Högskolas Årsskrift LVI (1950: 1), Göteborg 1950 (Kritische Ausgabe und englische Übersetzung der kurzen Version des Briefes der drei Stufen).

F. GRAFFIN, La lettre de Philoxène de Mabboug à un supérieur de monastère sur la vie monastique, in: L'Orient Syrien 6 (1961) 317—352, 455—486, 7 (1962) 77—102.

1.2 *Monographien*

A. SCHER, Joseph Ḥazzâyâ, Écrivain Syriaque du VIIIe siècle, in: Rivista degli Studi Orientali 3 (1910) 45—63 (erweiterte Fassung des compte rendu gleichen Titels in: Académie des Inscriptions & Belles Lettres, Comptes rendus des séances de l'année 1909 (Paris 1909) 1—8).

A. GUILLAUMONT, Sources de la doctrine de Joseph Ḥazzâyâ, in: L'Orient Syrien 3 (1958) 3—24.

E. J. SHERRY, The Life and Works of Joseph Ḥazzāyâ, in: The Seed of Wisdom. Essays in honour of T. J. Meek, London 1964, 78—91.

P. HARB, Faut-il restituer à Joseph Ḥazzāyā la lettre sur les trois degrés de la vie monastique attribuée à Philoxène de Mabbug? in: Melto 4 (1968) 13—36.

E. KHALIFÉ-HACHEM, Deux textes du Pseudo-Nil identifiés, in: Melto 5 (1969) 17—59.

R. BEULAY, Des Centuries de Joseph Ḥazzaya retrouvées? in: Parole de l'Orient 3 (1972) 5—44.

ders. Artikel „Joseph Ḥazzāyā" in: Dictionnaire de Spiritualité VIII, 1341—1349.

2. Evagrios Pontikos

2.1 *Handschriften, Textausgaben und Übersetzungen*

Handschriften

BM Add. 17. 192 (Brief an Melania).
Mingana 68 (Sammelband seiner Schriften)

Textausgaben und Übersetzungen

Y. Courtonne, Saint Basile. Lettres, tome I, Paris 1957, 22—37 (epistola fidei).

W. Frankenberg, Evagrius Ponticus. Abhandlungen der Kgl. Ges. der Wiss. zu Göttingen, Phil.Hist. Kl. NF Bd XIII, Nr. 2 Berlin 1912.

H. Gressmann, Nonnenspiegel und Mönchsspiegel des Evagrios Pontikos, Texte und Untersuchungen 39, 4 (1913) 143—165.

A. Guillaumont, Les six Centuries des „Kephalaia Gnostica" d'Évagre le Pontique, Patrologia Orientalis XXVIII, 1 (Paris 1958).

A. et C. Guillaumont, Évagre le Pontique. Traité Pratique ou Le Moine, Sources chrétiennes Nr. 170—171 (Paris 1971).

I. Hausherr, Les leçons d'un contemplatif. Le Traité de l'Oraison d'Évagre le Pontique. Paris 1960.

J. Muyldermans, A travers la tradition manuscrite d'Évagre le Pontique, Bibliothèque du Muséon 3 (1932).

ders. Evagriana Syriaca, Bibliothèque du Muséon 31 (1952) (mit einer Bibliographie der Artikel des Autors).

G. E. H. PALMER-PH. SHERRARD-K. WARE, The Philokalia, Vol I London 1979:
(31—37: Rerum monachalium rationes).
(38—52: De malignis cogitationibus).
(55—71: De oratione).
St. SCHIWIETZ, Das morgenländische Mönchtum II (Mainz 1913) 60—72 (Übersetzung des De octo spiritibus malitiae).
C. v. TISCHENDORF, Notitia editionis Codicis Bibliorum Sinaitici, Leipzig 1860 (Proverbienkommentar des Evagrios S. 74—122).
G. VITESTAM, Seconde partie du Traité, qui passe sous le nom de „La grande lettre d'Évagre le Pontique à Mélanie l'Ancienne", in: Scripta Minora Regiae Societatis Humaniorum Litterarum Lundensis 1963—1964: 3 (Lund 1964)
O. ZÖCKLER, Evagrius Pontikus, Biblische und kirchenhistorische Studien, Heft 4 (München 1893) Anhang II: Übersetzung einiger Teile des Antirrhetikos von Fr. Baethgen.

2.2 *Monographien*

O. ZÖCKLER (s. o.).
W. BOUSSET, Apophthegmata, Tübingen 1923, 281—341: Evagriosstudien.
J. MUYLDERMANS (s. o.).
M. VILLER — K. RAHNER, Aszese und Mystik in der Väterzeit, Freiburg 1939, 97—109 (mit reicher Literatur).
H. URS VON BALTHASAR, Metaphysik und Mystik des Evagrius Ponticus, ZAM 14 (1939) 31—47.

J. LEMAITRE, Artikel „Contemplation chez les Orientaux Chrétiens D. Évagre le Pontique“, in: Dictionnaire de Spiritualité II, 1775—1785.
M.-J. RONDEAU, Le commentaire sur les Psaumes d'Évagre le Pontique, in: OCP 26 (1960) 307—348.
F. REFOULÉ, La christologie d'Évagre et l'Origénisme, in: OCP 27 (1961) 221—266.
ders. Rêves et vie spirituelle d'après Évagre le Pontique, in: Vie spirituelle, Supplément 56 (1961) 470—516.
A. GUILLAUMONT, Les ‚Kephalaia Gnostica‘ d'Évagre le Pontique et l'Histoire de l'Origénisme chez les Grecs et chez les Syriens, Patristica Sorbonensia 5 (1962).
A. et C. GUILLAUMONT, Artikel „Évagre le Pontique“, in: Dictionnaire de Spiritualité IV, 1731—1744 (mit reicher Literatur).

3. ISAAK VON NINIVE

3.1 *Handschriften, Textausgaben und Übersetzungen*

Handschriften

Berlin, or. quart. Ms 1159, f. 316—425 (Buch der Gnade).
Charfet, Fonds Rahmani 103, f. 124—164 (Buch der Gnade).
Mingana 86 (Auszüge aus dem Buch der Gnade).
Mingana 151, f. 96b—129a (Buch der Gnade).
Paris, BN Syr. 298 (z. T. unveröffentlichte Texte, darunter 6 Memre, die sich anonym auch in N.D. des Semences 237 und deren Abschriften finden).
Vaticanus Syr. 562, f. 161r—210v (Buch der Gnade).

Ausgaben und Übersetzungen

P. BEDJAN, Mar Isaacus Ninivita, De Perfectione Religiosa, Paris-Leipzig 1909.
G. BICKELL, Ausgewählte Schriften der syrischen Kirchenväter, Aphraates, Rabulas und Isaak von Ninive. Bibliothek der Kirchenväter, Kempten 1874, 273—408.
P. SBATH, Traités religieux, philosophiques et moraux, extraits des œuvres d'Isaac de Ninive (VIIe siècle) par Ibn As-Salt (IXe siècle), Kairo 1934.
N. THEOTOKIS-I. SPEZIERIS, Isaak Syrou, Askitika, Thessaloniki 1977 (Nachdruck der Ausgabe von 1895).
Franz. Übersetzung dieser griechischen Version:
J. TOURAILLE. Isaac le Syrien, Oeuvres Spirituelles, Desclée de Brouwer 1981.
J. VAN DER PLOEG, Un traité nestorien du culte de la Croix, in: Le Muséon 56 (1943) 115—127.
A. J. WENSINCK, Mystic Treatises by Isaac of Nineveh, Amsterdam 1923 (Übersetzung der Ausgabe von P. Bedjan)

3.2 *Monographien*

J. B. CHABOT, De S. Isaaci Ninivitae Vita, Scriptis et Doctrina, Paris 1892.
I. HAUSHERR, Par delà l'oraison pure, grâce à une coquille. A propos d'un texte d'Évagre, in: Revue d'Ascétique et Mystique 13 (1932) 184—188.
E. KHALIFÉ-HACHEM, La prière pure et la prière spirituelle selon Isaac de Ninive, in: Mémorial G. Khouri-Sarkis, Löwen 1969, 157—173.

ders. Artikel „Isaac de Ninive", in: Dictionnaire de Spiritualité VII, 2 041—2 054 (mit reicher Literatur).
A. Vööbus, Eine neue Schrift von Ishaq von Ninive, in: Ostkirchliche Studien 21 (1971) 309—312.
S. Brock, St. Isaac of Nineveh and Syriac Spirituality, in: Sobornost 7 (1975) 79—89.